LISTENING TAPA

LEVEL 2

How to Study

구성과 특장

PART 1 유형을 잡아라

유형 잡는 대표기출

- 최신 기출문제를 분석하여 핵심 유형 12개 선별
- 각 유형별 3개의 대표 기출문제로 유형 분석 및 전략 파악
- 유형별 표현 모음 제공

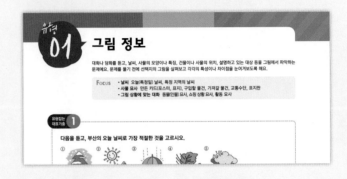

핵심 유형 파고들기

- 기출문제를 통해 익힌 유형을 다양한 문제로 재확인
- 영국식 발음 문제 및 고난도 문제 제공
- 일반 속도와 빠른 속도의 두 가지 버전의 MP3 파일 제공

핵심 유형 받아쓰기

받아쓰기 전용으로 제작된 MP3 파일을 듣고 받아쓰기하며 학습 마무리

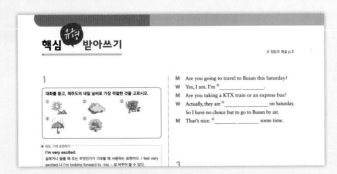

SPECIAL SECTION

발음을 잡아라

- 듣기를 방해하는 연음, 동화, 탈락 등의 10가지 대표 발음 현상을 정리
- 문제를 풀면서 듣기가 안 되는 이유를 파악하도록 구성

WORKBOOK

실전 모의고사

- 최신 기출문제와 동일한 유형과 난이도로 구성된 실전 모의고사 5회로 실력 다지기
- 기출문제의 비율에 맞춘 영국식 발음 문제 제공
- 일반 속도와 빠른 속도의 두 가지 버전의 MP3 파일 제공

- Special Section의 듣기를 방해하는 발음 현상을 워크북 문제를 통해 점검
- Part 1과 Part 2에서 학습한 어휘와 주요 표현의 이해도를 다양한 유형의 문제를 통해 점검

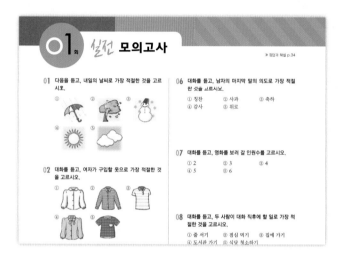

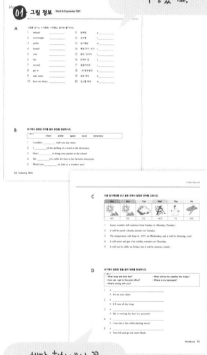

해당 회차에서 꼭 알아야 할 어휘를 퀴즈를 풀어보며 익히도록 구성했어요.

실전 모의고사 Dictation Test

받아쓰기 전용으로 제작된 MP3 파일을 듣고 받아쓰기하며 학습 마무리

해당 회차에서 꼭 익혀야 할 주요 대화문을 다양한 유형의 문제를 통해 풀어보며 익히고, 내신에도 대비할 수 있도록 구성했어요.

Contents

차례

PART 2

실전에 대비하라

A genius is just a talented person who does his homework.

- Thomas Edison

천재란 자신의 숙제를 하는
재능이 있는 사람일 뿐이다.

– 토머스 에디슨

Special Section

발음을 잡아라

듣기를
방해하는

01 리듬을 타라! (문장 강세)

🎧 MP3

한 단어씩 또박또박 발음하는 우리나라 사람이 영어로 말할 때 가장 어려운 것 중에 하나가 자연스러운 리듬감을 살리는 거예요. 각각의 강세를 가진 단어들이 문장 안에서 중요도에 따라 강하게 또는 약하게 읽히는데, 듣기를 잘하려면 이러한 문장 강세에 익숙해지는 것이 중요해요.

따라 해봅시다

· • · • · · · •
My parents want me to be a lawyer.

· • · · • • · · • •
I saw my baby walk for the first time.

tip 주요 내용을 전달하는 단어들이 문장에서 주로 강하게 읽히므로 이를 '내용어'라고 하고, 문법적으로 내용어를 이어 주는 역할을 하는 것을 '기능어'라고 합니다.

A 다음을 듣고, 알맞은 내용어로 빈칸을 채우시오.   » 정답과 해설 p.2

1 She _____ her _____ _____ _____ _____ _____.

2 He _____ his _____ and _____ to _____.

3 Her _____ is an _____ _____ at my _____.

4 I am _____ _____ to _____ to the _____ with you.

5 He _____ _____ _____ he had to _____ _____ to me.

B 다음을 듣고, 알맞은 기능어로 빈칸을 채우시오.

1 _____ doesn't like driving _____ car too fast _____ night.

2 _____ made _____ bed _____ order _____ sleep.

3 _____ girl's dad _____ _____ English teacher _____ _____ school.

4 _____ can't go _____ movies _____ _____.

5 Why _____ _____ _____ say sorry _____ _____ yesterday?

02 t-와 d-가 r을 만났을 때 (동화 현상)

t나 d가 r을 만나면 새로운 소리로 바뀌는 경향이 있어요. 혀의 위치가 전혀 다른 두 소리를 각각 내려다가 두 소리가 서로에게 영향을 미치게 되고, tr-는 [츄ㄹ]처럼, dr-는 [쥬ㄹ]처럼 발음되는데 이를 동화 현상이라고 해요. 이러한 동화 현상을 알아 두면 영어 듣기에 도움이 될 거예요.

**따라
해봅시다**

I will take him there. ◀비교▶ **I will trust him.**
[테이크]   [츄러슽]

I can't decide what to do. ◀비교▶ **I am going to draw a tree.**
[디사이드]   [쥬로]

A 다음을 듣고, 빈칸을 채우시오.

» 정답과 해설 p.2

1 The _____ went off the rail.

2 Jacky wants to experience space _____.

3 Can you _____ me off near the post office?

4 My mom used to _____ me like a baby.

5 _____ over the speed limit is dangerous.

6 I _____ not to _____ too much coffee.

B 다음을 듣고, 괄호 안에서 알맞은 것을 고르시오.

1 She had a strange (dream, deal) last night.

2 I am going to buy a Christmas (tea, tree) tomorrow.

3 He wants to be tall and (strong, throng) like his dad.

➡ 워크북 p.3

03 한 단어야, 두 단어야? (같은 자음 간 탈락 현상) 🎧 MP3

어떤 단어의 끝 자음이 다음 단어의 첫 자음과 같으면 두 자음 모두 발음하기 쉽지 않겠죠?
이럴 경우에 앞 자음은 탈락하여 소리가 거의 나지 않고, 뒤 단어의 첫 자음만 소리가 나요. 마치
한 단어처럼 들리니 주의해서 들어야 해요.

**따라
해봅시다**

He wants to look handsome.
[룩]

◀비교▶ **He wants to look cool.**
[루]

Here is a round trip ticket for you.
[트립]

◀비교▶ **Here is the trip plan we made.**
[트리]

tip cool은 철자상 c로 시작하지만 발음상으로는 [k]로 시작해요.

A 다음을 듣고, 단어 사이 연결되는 자음의 소리에 주목하여 맞는 것을 고르시오. **》정답과 해설 p.2**

1 ① grass store   ② grand store   ③ glass store

2 ① lots of cream   ② like cream   ③ lick cream

3 ① hot towel   ② hot shower   ③ hot town

4 ① depend   ② deep end   ③ deep pond

5 ① service station   ② self station   ③ surround the station

B 다음을 듣고, 빈칸을 채우시오.

1 Do you know how to _____ _____, Jennifer?

2 We worked so hard. Let's _____ _____ a break for a while.

3 Would you show me _____ _____ PC, please?

4 You should know that there are _____ _____ and _____ _____ in life.

5 _____ _____ always _____ _____ a lot when there are people around.

워크북 p.4 ◀

04 t를 조심해! (t의 약화 현상)

 MP3

혀끝이 윗니 뒤의 불룩한 부분에 닿았다가 터트리면서 내는 소리인 t는 주변에 어떤 소리가
오냐에 따라 공기가 파열되지 못하고 묻혀서 거의 들리지 않거나 약화되어 [ㄹ]처럼 들리게
돼요. city나 eaten처럼 한 단어 내에서도 모음 사이에 끼인 경우라면 거의 들리지 않아요.
이러한 t의 약화 현상은 미국식 영어에서 많이 나타나요.

🌿 따라
해봅시다

To play the piano is fun.
[투]

◀비교▶ I know how **t**o play the piano.
[루]

Dinner's ready. Let's eat. ◀비교▶ I have ea**t**en too much.
[이트]   [잍은]

A 다음을 듣고, 약화된 소리에 주목하여 맞는 것을 고르시오.   » 정답과 해설 p.2

1 ① part of them   ② pair of them   ③ pal of them

2 ① how you do it   ② how to do it   ③ I would do it.

3 ① ran through the door   ② went through the door   ③ lean to the door

4 ① eat and stay   ② hadn't stuck   ③ eaten steak

B 다음을 듣고, 괄호 안에서 알맞은 것을 고르시오.

1 How do you go (to, your) school?

2 (In her nation, International) relations are considered important.

3 You should speak and (act, accept) the same way.

C 다음을 듣고, 빈칸을 채우시오.

1 I don't know _____ _____ wrong.

2 Let me tell you how _____ _____ _____ the _____.

3 My parents like to play _____ on the weekend.

4 I've _____ that I had an _____ _____.

⇨ 워크북 p.5

05 d를 조심해! (d의 약화 현상)

 MP3

t와 마찬가지로 d도 혀끝이 윗니 뒤의 불룩한 부분에 닿았다가 터지면서 발음되며, 주변 소리들에 의해 발음이 약화되면 터져야 할 소리가 터지지 않고 [ㄹ]처럼 변하거나 잘 들리지 않기도 해요. headache이나 grandson처럼 두 단어가 만나 만들어진 합성어에서도 쉽게 약화되며, d의 약화 현상 역시 미국식 영어에서 많이 나타나요.

🌿 따라
해봅시다

This is what you need. ◀비교▶ **You need a haircut.**
[니드]　　　　　　　　　　　　　[니　　　러]

He gave up at the end. ◀비교▶ **There is endless work to do.**
[앤드]　　　　　　　　　　　　　　　[앤리스]

A 다음을 듣고, 약화된 소리에 주목하여 맞는 것을 고르시오.　　　　》 정답과 해설 p.3

1 ① her home　　　　② at home　　　　③ head home

2 ① May in USA　　　② made in USA　　③ met in USA

3 ① good keeper　　　② gold keeper　　③ goat keeper

4 ① Why did he　　　② While did it　　③ wildly

5 ① He said to the boys　　② He set to the boys

B 다음을 듣고, 빈칸을 채우시오.

1 She has _____ a lot of comic books for years.

2 Why _____ she say no to my offer?

3 He wanted to _____ _____ baby in his arms.

4 She suffered from a _____ _____ last weekend.

5 There were _____ arguments between Alice and Paul.

6 She _____ me a cup of cocoa and a _____ when I visited her.

워크북 p.6 ◀

12 Special Section 발음을 잡아라

→ 워크북 p.7

06 동사원형만 기억하면 안 돼! (동사의 변형) 🎧 MP3

동사는 동사원형보다는 변형된 형태로 더 많이 쓰여요. 일상생활과 관련된 sleep, eat, go, take 등의 기본 동사들의 과거형은 대부분 -ed가 붙지 않고 불규칙적으로 변하는데, 이는 영어에서 가장 흔히 만날 수 있는 동사들이니 이러한 기본 동사들의 불규칙 과거형의 발음을 기억해 두세요.

따라 해봅시다

I want to go to sleep. ◀비교▶ **I slept well last night.**
　　　　　　　　[슬맆]　　　　　　　　　　[슬렢트]

She will take a picture. ◀비교▶ **She took a picture.**
　　　　　[테이크]　　　　　　　　　　　[툭]

A 다음을 듣고, 알맞은 동사로 빈칸을 채우시오.　　　　　　　　　　≫ 정답과 해설 p.3

1 He will _____ asleep at his desk.

2 He was about to _____ up the phone.

3 The old man told us that the sun would _____ soon.

4 She saw an airplane _____ high into the sky.

5 _____ the car keys to me, please.

6 You don't have to _____ your feelings from me.

B 다음을 듣고, 알맞은 동사로 빈칸을 채우시오.

1 She _____ in love with a young man.

2 My dad _____ the painting on the wall.

3 A cloud of smoke _____ into the air.

4 A bird _____ in through the open window.

5 I _____ the ball back to Peter.

6 The child _____ the toy under the tree.

07 강세가 없는 첫 음절을 조심해! (첫 음절)

🎧 MP3

강세가 없는 a-나 re-로 시작하는 단어들은 뒤이은 부분에 강세가 강하게 가서 a-나 re-가 거의 안 들리는 경우가 많아요. remove는 마치 move처럼 들릴 수 있고, '일'을 뜻하는 affair는 fair로 들릴 수 있어요. 작은 부분이지만, 듣는 내용에 큰 영향을 미칠 수 있으므로 잘 구분해서 들어야 해요.

 따라
해봅시다

Please move this chair. ◀비교▶ **Please remove this chair.**
[무브]   [리무브]

The fact is that he is very rich.
[팩트]
◀비교▶ **It doesn't affect my decision.**
[어펙트]

A 다음을 듣고, 괄호 안에서 알맞은 것을 고르시오.   » 정답과 해설 p.3

1 Don't (remark, mark) about the (remarks, marks) on the skirt.

2 It looks (alike, like) the two sisters are (alike, like) in personality.

3 I can't (agree, green) with your (agree, green) politics.

4 Do you (mind, remind) if I (mind, remind) you about the rules?

5 He (tired, retired) as he was sick and (tired, retired) of working for her.

6 My (ahead, head) teacher arrived there five minutes (ahead, head) of time.

7 We will (main, remain) here until the (main, remain) event.

B 다음을 듣고, 빈칸을 채우시오.

1 It was an _____ movie! I really enjoyed it.

2 I am sure that he will _____ soon.

3 She wants to travel to North _____ this summer.

08 두 단어의 발음이 같은 거야? (동음이의어) MP3

fair와 fare는 발음이 둘 다 [페어]로 같지만, 뜻은 각각 '공정한'과 '요금'이라는 의미예요. 이렇듯 영어에는 두 단어의 발음이 같으나 뜻이 전혀 다른 동음이의어가 있어서 헷갈리기 쉬우니 듣기를 할 때 문맥에 맞는 단어를 적용해서 들어야 해요.

🖐 따라 해봅시다

It was a fair play. ◀비교▶ **The bus fare is not expensive.**
[페어]   [페어]

I like plain yogurt. ◀비교▶ **I want to travel by plane.**
[플레인]   [플레인]

A 다음을 듣고, 빈칸에 알맞은 것을 쓰고 괄호 안에서 알맞은 것을 고르시오.   » 정답과 해설 p.3

1 The _____ (blew, blue) everything away.

2 There was no _____ left. He ate the (hole, whole) of it.

3 He (road, rode) his _____ to work every day.

4 The _____ (flu, flew) high in the sky.

5 I will (meet, meat) my _____ at the theater.

6 The (night, knight) _____ many people in the forest.

B 다음을 듣고, 빈칸을 채우시오.

1 I felt _____ because I failed the exam.

2 Sam fixed the _____ in the roof.

3 There are lots of cars on the _____ this morning.

4 She came down with the _____.

5 He doesn't eat _____ because he is a vegetarian.

➡ 워크북 p.9

09 영국인과 미국인은 발음도 달라!

🎧 MP3

미국식 발음과 영국식 발음에는 많은 차이가 있어요. 미국식으로 water를 발음할 때는 t가 약화되어 [워러]처럼 하지만 영국에서는 t가 약화되지 않고 [워터]로 발음해요. 또한 미국식 영어가 좀 더 '굴려서' 발음되는 것처럼 들리는데 이는 r 발음이 미국식에서만큼 영국식에서는 발음에 크게 드러나지 않기 때문이에요.

**따라
해봅시다**

미국식 발음

heart
[하알트]

◀비교▶

영국식 발음

heart
[하트]

letter
[레러]

◀비교▶

letter
[레터]

A 다음을 듣고, 괄호 안에서 알맞은 것을 고르시오.

» 정답과 해설 p.4

1 He makes my (heart, hot) beat fast.

2 We (can't, can) stand him anymore.

3 Please tell me your date of (bus, birth).

4 She is going to (work, walk) part time at the restaurant.

5 I (oven, often) take a walk during my lunch break.

6 He is good at (running, learning) new things.

B 다음을 듣고, 빈칸을 채우시오.

1 You should _____ at the right _____.

2 She has such a _____ and _____ house in L.A.

3 This is our final _____. You should decide now.

4 I ate bread and _____ and a _____ for breakfast.

5 Can I have a _____ of _____, please?

워크북 p.10 ←

10 축약형 발음에 주의해! (축약형) 🎧 MP3

우리말과 다르게 영어에는 축약형 발음이 많이 있어요. 예를 들어 will not은 won't로, I have는 I've로, had not은 hadn't로 줄여 쓰며, 대부분 조동사나 부정어를 줄여 쓰는 경우가 많으므로 자칫하면 부정문을 긍정문으로 들어서 오해를 부를 수 있으니 주의해서 들어야 해요.

🖋 따라
해봅시다

She is my cousin. ◀비교▶ **She's my cousin.**
[쉬   이즈]   [쉬즈]

She has done it again. ◀비교▶ **She's done it again.**
[쉬   해즈]   [쉬즈]

I would believe you. ◀비교▶ **I wouldn't believe you.**
[우드]   [우든트]

A 다음을 듣고, 괄호 안에서 알맞은 것을 고르시오.   » 정답과 해설 p.4

1 (It will, It'll) be hot and sunny today.

2 (He has, He's) decided to quit his job because of his illness.

3 (I'd, I would) like to thank you for coming to my party.

4 She (had, hadn't) finished her household chores.

5 We (should, shouldn't) go back to work.

6 Children (must, mustn't) watch this video.

B 다음을 듣고, 빈칸을 채우시오.

1 You _____ have to wait long.

2 _____ worked at the company for ten years.

3 We _____ go outside because of the bad weather.

4 _____ saved some money to travel abroad.

5 He _____ played computer games for a long time.

6 _____ better stay home and take a rest.

→ 워크북 p.11

**Success is simple.
Do what's right,
the right way,
at the right time.**

- Arnold H. Glasow

성공이란 단순하다.
올바른 일을,
올바른 방법으로,
올바른 시간에 하라.

– 아널드 H. 글래소우

PART 1

유형을
잡아라

유형

그림 정보

대화나 담화를 듣고, 날씨, 사물의 모양이나 특징, 건물이나 사물의 위치, 설명하고 있는 대상 등을 그림에서 파악하는 문제예요. 문제를 풀기 전에 선택지의 그림을 살펴보고 각각의 특성이나 차이점을 눈여겨보도록 해요.

Focus
- **날씨** 오늘(특정일) 날씨, 특정 지역의 날씨
- **사물 묘사** 만든 카드(포스터, 표지), 구입할 물건, 가져갈 물건, 교통수단, 표지판
- **그림 상황에 맞는 대화** 동물(인물) 묘사, 쇼핑 상황 묘사, 활동 묘사

유형잡는 대표기출 1

다음을 듣고, 부산의 오늘 날씨로 가장 적절한 것을 고르시오.

①   ②    ③   ④   ⑤

M Good morning! This is today's weather. In Seoul, it will rain all day long.
③의 오답의 함정!
In Daejeon, it is cloudy this morning but it will snow a lot in the
⑤의 오답의 함정!
afternoon. In Busan, you will see a sunny sky all day. It will be a good
day for a picnic. Thank you very much.

원하는 지역의 날씨를 들어라!

특정 지역의 날씨를 묻는 경우 다른 지역의 날씨가 함께 언급되는 경우가 많다. 언제, 어느 곳의 날씨를 묻는지 정확히 파악하자.

유형잡는 대표기출 2

대화를 듣고, 여자가 만든 사진첩 표지로 가장 적절한 것을 고르시오.

①   ②   ③   ④   ⑤

W Dad, I'm making a cover for my photo album. Can you help me?

M Sure, Lucy. *"Happy Times."* That's a good title.

W Thanks. I put the title at the top. Now I want to put a picture under the title.   **M** You really like mountains. How about that mountain picture?

W Okay, I'll put it here. *[pause]* Done! But there's still some space under the picture.

M What about putting these three heart-shaped stickers under it?

W Like this? *[pause]* I love it!

선택지의 무늬를 꼼꼼히 파악하라!

무늬나 장식이 각각 다른 동일한 사물이 선택지에 제시되므로, 문제를 풀기 전에 선택지를 살펴보고 특징을 미리 파악하자. 포스터 제작 시 제목의 위치를 묻기도 하므로 해당 내용도 잘 들어보자.

다음 그림의 상황에 가장 적절한 대화를 고르시오.

①   ②

③   ④

⑤

① **W**   Where is the bakery?   **M**   It is near here.

② **W**   This Sunday is our family camping trip. Do you remember?

    M   Yes, I am so excited to go with Uncle Jim.

③ **W**   I want to go to a baseball game this Saturday.

    M   Great, let's go together.

④ **W**   Can you take off the baseball cap inside?

           ── 오답의 함정!

    M   Sorry. I forgot to take it off.

⑤ **W**   There are a lot of pop stars on the stage.   **M**   So that's why it is crowded now.

                                           ── 오답의 함정!

그림을 정확히 이해하자!

비교적 쉬운 유형에 해당되는데, 우선 그림을 잘 이해한 후 보기를 들으며 그림의 내용과 맞춰 본다. 일부 단어만을 듣고 답을 찾지 않도록 한다.

Useful Expressions   문제에 꼭 나오는 표현 모음

● 날씨

• chilly   쌀쌀한 / freezing   얼 정도로 추운 / partly cloudy   곳에 따라 흐린 / humid   습한 / foggy   안개가 낀 / stormy   폭풍우가 치는

• continue until tomorrow   내일까지 계속되다

● 사물 묘사

• What does your hat look like?   네 모자는 어떻게 생겼니?

• striped   줄무늬의 / checked   바둑판 무늬의
flower-printed   꽃무늬의 / plain   무늬가 없는
dotted   물방울 무늬의 / with the circle   원이 있는

• star-shaped   별 모양의 / heart-shaped   하트 모양의

● 인물 묘사

• The boy is short and chubby.   그 소년은 작고 통통해.

• thin   야윈 / slim(slender)   날씬한 / overweight   과체중의

• She is wearing her hair in a ponytail.
그녀는 머리를 하나로 묶고 있어.

• curly   곱슬머리의 / bald   대머리의

● 사물(건물)의 위치

• on   (~의 바로) 위에 / over   (~에서 떨어져서) 위에
under(below)   ~ 아래에 / behind   ~ 뒤에

• in the top(middle/bottom) drawer   위(중간/아래) 서랍장에

• next to   ~ 옆에 / across from, opposite   ~의 맞은편에
on the opposite side of   ~의 반대편에

• He lives just two doors away.
그는 우리 집에서 두 집 떨어진 곳에 산다.

● 길 안내

• How can I get to the KD Bank?   KD은행에 어떻게 갈 수 있어요?

• Go straight for two blocks.   두 블록을 곧장 가세요.

• Turn right at the traffic light.   신호등에서 우회전하세요.

• You can't miss it.   쉽게 찾을 거예요.

• around the corner   모퉁이 돌면 / on the right   오른편에 있는

1 대화를 듣고, 제주도의 내일 날씨로 가장 적절한 것을 고르시오.

2 대화를 듣고, 여자가 이용할 교통수단으로 가장 적절한 것을 고르시오.

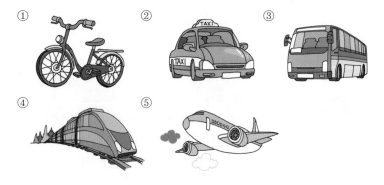

3 다음 그림의 상황에 가장 적절한 대화를 고르시오.

①   ②   ③   ④   ⑤

4 대화를 듣고, 여자가 그린 그림으로 가장 적절한 것을 고르시오.

① ②  ③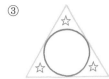

④  ⑤

5 대화를 듣고, 남자가 구입할 컵으로 가장 적절한 것을 고르시오.

①  ②  ③

④ ⑤

6 대화를 듣고, 여자의 지갑이 있는 위치로 가장 적절한 것을 고르시오.

7 다음을 듣고, 내일 날씨로 가장 적절한 것을 고르시오.

8 대화를 듣고, 남자가 생일 선물로 받은 컵으로 가장 적절한 것을 고르시오.

9 다음을 듣고, 'this'가 가리키는 것으로 가장 적절한 것을 고르시오.

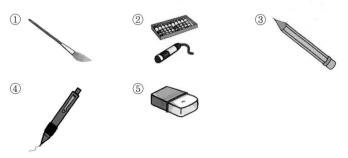

10 대화를 듣고, 남자의 상태로 가장 적절한 것을 고르시오.

①
②
③
④
⑤

11 대화를 듣고, 여자가 찾고 있는 장소를 고르시오.

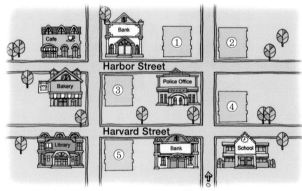

She's here.

고난도

12 대화를 듣고, 두 사람이 보고 있는 표지판으로 가장 적절한 것을 고르시오.

①
②
③
④
⑤

핵심 받아쓰기

» 정답과 해설 p.5

1

대화를 듣고, 제주도의 내일 날씨로 가장 적절한 것을 고르시오.

① ② ③
④ ⑤

◉ 희망, 기대 표현하기

I'm very excited.
설레거나 들뜰 때 또는 무엇인가가 기대될 때 사용하는 표현이다. I feel very excited.나 I'm looking forward to -ing ~.로 바꾸어 쓸 수 있다.

W Minho, are you ❶_____ _____ your trip to Jeju-do tomorrow?

M Yes, Mom. I've just ❷_____ _____.

W Did you check the weather in Jeju-do?

M Yes, I did. The ❸_____ _____ said it would be sunny this week.

W That's nice. It has been rainy here. I hope you enjoy your trip there.

M I think I will. I'm very excited.

2

대화를 듣고, 여자가 이용할 교통수단으로 가장 적절한 것을 고르시오.

① ② ③
④ ⑤

M Are you going to travel to Busan this Saturday?

W Yes, I am. I'm ❶_____ _____.

M Are you taking a KTX train or an express bus?

W Actually, they are ❷_____ _____ on Saturday. So I have no choice but to go to Busan by air.

M That's nice. ❸_____ _____ some time.

3

다음 그림의 상황에 가장 적절한 대화를 고르시오.

BASEBALL SHOP

① ② ③ ④ ⑤

◉ 의견 묻기

What do you think of ~?
'~에 대해 어떻게 생각하니?'라는 의미의 상대방의 의견을 묻는 표현으로 How do you feel about ~?이나 What is your opinion ~?으로 바꿔 쓸 수 있다.

---

① **M** This baseball game is really fun!

　 W Yes, it is! It is very exciting!

② **M** What do you think of this cap?

　 W It just ❶_____ _____ _____ you! I really like the star on it!

③ **M** I want to go camping this Sunday.

　 W Great, let's go together.

④ **M** Can I ❷_____ _____ _____?

　 W Yes. I'll have a burger, please.

⑤ **M** Where can I buy a ticket?

　 W The ticket box is ❸_____ _____.

---

¹ **prepare for** ~을 준비하다　**packing** 짐 싸기　**weather forecast** 일기예보　² **travel to** ~으로 여행하다　**excited** 신이 난　**express bus** 고속버스　**book** 예약하다　**have no choice** 선택의 여지가 없다　**by air** 비행기로　³ **fun** 재미있는　**perfect** 완벽한　**go camping** 캠핑하러 가다

4

대화를 듣고, 여자가 그린 그림으로 가장 적절한 것을 고르시오.

① 　② 　③

④ 　⑤

● 상기시켜 주기

Remember to ~

'~할 것을 기억하라'라는 의미로 상대방에게 무언가를 상기시켜 줄 때 사용하는 표현이다. Don't forget to ~로 바꿔 쓸 수 있다.

W Dad, I'm ready. Let's start.

M Okay. First, ❶＿＿＿＿ ＿＿＿＿ ＿＿＿＿.

W A triangle? That's easy.

M Then, draw a circle inside the triangle. But remember to make the circle touch all ❷＿＿＿＿ ＿＿＿＿ ＿＿＿＿ the triangle.

W Okay. The circle ❸＿＿＿＿ ＿＿＿＿ by all three sides of the triangle.

M Last, draw a little star inside the circle.

W A little star inside the circle. I'm done.

5 ★ 영국식 발음 녹음

대화를 듣고, 남자가 구입할 컵으로 가장 적절한 것을 고르시오.

① 　② 　③

④ 　⑤

● 물건 사기

How may I help you?

'도와드릴까요?'라는 의미로, 손님이나 고객 등에게 말을 걸 때 사용하는 표현이다. May I help you?와 같은 의미로 사용된다.

I'll take it.

물건을 살 때 여러 상품 가운데 최종적으로 하나를 선택한 후 구매 의사를 밝힐 때 사용할 수 있는 표현이다. '그것으로 하겠습니다'라는 의미이다.

W Hello, sir. How may I help you?

M I'd like to buy a mug for my daughter.

W Does she like bright colors? ❶＿＿＿＿ this pink one?

M She likes pink. She also likes pictures of animals.

W Here are our pink mugs. How about this one with a picture of ❷＿＿＿＿ ＿＿＿＿ ＿＿＿＿ on it?

M I think she would ❸＿＿＿＿ ＿＿＿＿ ＿＿＿＿ with kitties. I'll take this one.

6 … 〈고난도〉

대화를 듣고, 여자의 지갑이 있는 위치로 가장 적절한 것을 고르시오.

[Cellphone rings.]

M Sarah. What's up?

W Dad, I can't find my purse in my bag. ❶＿＿＿＿ ＿＿＿＿ ＿＿＿＿ ＿＿＿＿ my room and check there?

M Sure. Hold on, please. *[pause]*

W Did you find it? Is it on my bed?

M No, there is nothing on your bed, and I ❷＿＿＿＿ ＿＿＿＿ ＿＿＿＿ on your desk either.

W What about on the chair or under the desk?

M Oh, ❸＿＿＿＿ ＿＿＿＿ ＿＿＿＿. It's under the chair.

---

⁴ **triangle** 삼각형 **circle** 동그라미 **inside** ~의 안에 **touch** 닿다 **side** (삼각형·사각형 등의) 변 **I'm done.** 다 했어요. ⁵ **mug** 머그잔 **bright** 밝은 **prefer** ~을 (더) 좋아하다 ⁶ **What's up?** 무슨 일이니? **purse** 지갑 **check** 확인하다 **either** (부정문에서) 또한, 역시

7

다음을 듣고, 내일 날씨로 가장 적절한 것을 고르시오.

① ② ③ ④ ⑤

W Good morning. This is the weather report. Are you sick and ❶ _____ _____ the rainy weather these days? Fortunately, it will stop raining this morning, but it'll be windy and cloudy ❷ _____ _____. However, you will be able to see beautiful clear skies from tomorrow. So the weather will be perfect ❸ _____ _____ _____.

8

대화를 듣고, 남자가 생일 선물로 받은 컵으로 가장 적절한 것을 고르시오.

① ② ③

④ ⑤

◉ 동의하기

Yes, I agree.
동의를 구하는 상대방의 질문에 대해 동의를 하거나 맞장구를 쳐 줄 경우, Yes, I agree. / Same here. / I'm with you. 등으로 답할 수 있다.

W ❶ _____ _____ _____ _____! Is it yours?

M Yes, one of my classmates ❷ _____ _____ _____ _____ for my birthday.

W Cool. I like the snowman. He ❸ _____ _____.

M Yes, and I also like Santa Claus holding the birthday cake.

W Oh, you're right. They are both so cute. What do you think?

M Yes, I agree.

9 ··· 〈고난도〉

다음을 듣고, 'this'가 가리키는 것으로 가장 적절한 것을 고르시오.

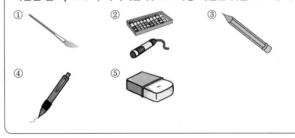

① ② ③ ④ ⑤

W People use this to draw pictures or write something on paper. Many students use this to ❶ _____ _____ when they study. To use it, you don't need to ❷ _____ _____ _____ it, but you have to sharpen it sometimes. When you sharpen it, it gets ❸ _____ _____ _____. If you make a mistake, you can easily fix it with an eraser. What is it?

---

7 **weather report** 일기예보 **sick and tired of** ~에 싫증난 **fortunately** 다행스럽게도 **picnic** 소풍 8 **cute** 귀여운 **classmate** 반 친구 **snowman** 눈사람 **both** 둘 다 **agree** 동의하다 9 **take notes** 필기하다 **put** 넣다 **inside** ~의 안에 **sharpen** (날카롭게) 깎다

10

대화를 듣고, 남자의 상태로 가장 적절한 것을 고르시오.

① ② ③
④ ⑤

W Oh, my goodness. What happened, Daniel?

M I ❶_____ _____ _____ _____ while playing soccer.

W It's terrible that you broke your right arm. How long do you have to ❷_____ _____ _____?

M For about one month.

W You feel uncomfortable, don't you?

M Yes, I have to write and eat ❸_____ _____ _____ _____. It's so hard for me.

W That's too bad.

11

대화를 듣고, 여자가 찾고 있는 장소를 고르시오.

She's here.

W Excuse me. ❶_____ _____ _____ _____ the Michigan Shopping Mall is?

M Sure. Just go straight two blocks to Harbor Street.

W Harbor Street?

M Yes, and then ❷_____ _____ and go one more block.

W Turn left and go one more block. Okay. And then?

M You'll see a bank on your right. It's ❸_____ _____ it.

W Thanks a lot.

12 … 고난도

대화를 듣고, 두 사람이 보고 있는 표지판으로 가장 적절한 것을 고르시오.

① ② ③
④ ⑤

⊙ 충고하기

You'd better ~
너는 '~하는 게 좋겠어'의 의미로 상대방에게 조언이나 충고를 할 때 쓸 수 있는 표현이다. 윗사람이 아랫사람에게 주로 쓰며 가끔 친구 사이에 쓰는데, Why don't you ~?로도 쓸 수 있다.

M Where should I ❶_____ _____ _____?

W Over there. Do you see the brown building?

M Okay. I'll drop you off right ❷_____ _____ _____ the gate.

W Thank you. Oh, look at that sign!

M What sign?

W I think we can't go this way. Instead, we have to go around the entire block to get to the building's front gate.

M I think you'd better ❸_____ _____ _____.

W Okay, I will. Thanks for the ride.

---

¹⁰ **run into** ~와 충돌하다(부딪히다) **break one's arm** ~의 팔이 부러지다 **wear a cast** 깁스를 하다 **uncomfortable** 불편한 ¹¹ **across from** ~의 맞은편인
¹² **drop off** 내려 주다 **instead** 그 대신에 **go around** (주위를) 돌다 **get off** 내리다 **ride** 태워 주기, 타기; 타다

숫자 정보

시간, 날짜, 금액, 인원수 등을 묻는 유형으로, 두 개 이상의 숫자를 이용하여 계산이 필요한 문제가 있으니 들리는 숫자를 메모하면 도움이 될 거예요. 또한, 혼동되는 숫자 발음에 유의하도록 해요.

> **Focus**
> - **시각** 현재 시각, 만날 시각, 출발 시각, 특정 날짜
> - **금액** 지불한(지불할) 금액, 거스름돈
> - **인원 수** 초대한 인원 수, 참석할 인원 수

유형잡는 대표기출 1

대화를 듣고, 밴드가 공연할 날짜를 고르시오.

① 5월 8일　　② 5월 9일　　③ 5월 10일　　④ 5월 11일　　⑤ 5월 12일

[Telephone rings.]

W　Hello. This is Jackie's Rock Band.

M　This is the manager of Daehan Culture Center.

W　How can I help you?　**M**　Could your band perform for our center?

W　When is the event?　**M**　It's on May 9th.
　　　　　　　　　　　　　　　②의 오답의 함정!

W　Sorry. Only the 11th is possible. Is that okay?

M　Let me check. May 11th will be fine.

> 🔖 **함정에 유의하라!**
> 대화에서 정확히 제시되는 시각이나 날짜는 함정일 경우가 많다. 그 시각이나 날짜의 앞이나 뒤가 아닌지 주목해서 듣자.

유형잡는 대표기출 2

대화를 듣고, 여자가 지불해야 할 금액을 고르시오.

① $20　　② $22　　③ $23　　④ $24　　⑤ $25

W　Hi, I'd like to buy this book.

M　Hi. It's 20 dollars.
　　　　　　　①의 오답의 함정!

W　Okay. Oh! These bookmarks are so pretty. How much are they?

M　The one with the rainbow is 2 dollars. The one with the clover is 3 dollars. They're all handmade.

W　My daughter would like the one with the clover. I'll get it with the book.

M　Okay. It'll be 20 dollars for the book and 3 dollars for the bookmark.

W　Here's my credit card.

> 🔖 **금액을 계산할 준비를 하라!**
> 최종 지불 금액은 물건의 개수, 할인 적용 여부 등에 대한 대화가 오간 뒤 최종 결정되므로 섣불리 답을 선택하지 않도록 한다.

유형잡는 대표기출 3

대화를 듣고, 저녁 식사에 참석할 인원수를 고르시오.

① 4   ② 5   ③ 6   ④ 7   ⑤ 8

M   Honey, I'm going to make a dinner reservation now.

W   Are we going to the Chinese restaurant?

M   Yes. There are eight of us, right?   ⑤의 오답의 함정!

W   Oh, Mr. and Mrs. Brown called and said they can't come.

M   Okay. Hmm... there will be six, then.

W   Yes, that's right.

M   Okay. I'll make a reservation right away.

인원 변동에 혼동되지 마라!

대화 속에서 화자가 처음 알고 있던 인원보다 많거나 적게 변동되는 경우가 많다. 처음 들리는 숫자로 답을 단정 짓지 말자.

Useful Expressions   문제에 꼭 나오는 표현 모음

I've got a 10% discount coupon.
(저에게 10% 할인 쿠폰이 있어요.)

Okay. That'll be 27 dollars.
(네, 27달러 되겠습니다.)

● 시각

- What time shall we meet? / What time shall we make it? 우리 몇 시에 만날까?
- Do you have the time? 몇 시니?
  cf. Do you have time? 너 시간 있니?
- It's almost 12. 12시 다 되어 가.
- an hour earlier 1시간 일찍
- an hour ago(later) 1시간 전에(후에)
- by noon 정오까지 / after midnight 밤 12시 이후에
- have 40 minutes left 40분 남다

- arrive at 9 p.m. 저녁 9시에 도착하다
- Let's meet in half an hour. 30분 후에 만나자.

● 물건 구매

- How much does it cost? 비용이 얼마나 드나요?
- How much would it cost by airmail?
  항공 우편으로 비용이 얼마나 드나요?
- The regular price was $60. 정가는 60달러였습니다.
- The total is $45. 총액은 45달러입니다.
- The price is $5.05(five dollars five cents).
  가격은 5달러 5센트입니다.
- It costs $15. 15달러입니다.
- $5 a(per) person 1인당 5달러
- two tickets for $25 표 두 장에 25달러
- 50% off 50% 할인 / get a discount 할인을 받다
- It's on sale now. 현재 할인 중입니다.
- I'll take it. 이것으로 할게요(살게요).
- I'll pay for it by credit card. 카드로 계산할게요.
- Here is your change. 여기 잔돈 받으세요.

핵심 유형 파고들기

» 정답과 해설 p.8

1 대화를 듣고, 현재 시각으로 가장 적절한 것을 고르시오.

① 10 : 10 ② 10 : 30 ③ 10 : 50
④ 11 : 00 ⑤ 11 : 10

2 대화를 듣고, 남자가 생일 파티에 초대한 친구가 총 몇 명인지 고르시오.

① 1명 ② 2명 ③ 3명
④ 4명 ⑤ 5명

3 대화를 듣고, 에어컨 수리 기사가 방문할 시각을 고르시오.

① 2:00 p.m. ② 3:00 p.m. ③ 4:00 p.m.
④ 5:00 p.m. ⑤ 6:00 p.m.

4 대화를 듣고, 여자가 지불한 금액으로 가장 적절한 것을 고르시오.

① $4 ② $5 ③ $6.50
④ $7.50 ⑤ $10

5 대화를 듣고, 남자가 구입할 티셔츠의 사이즈와 가격을 고르시오.

① Small - $10   ② Small - $20   ③ Medium - $10
④ Medium - $20   ⑤ Medium - $50

6 대화를 듣고, 도서관 책의 대여 기간으로 가장 적절한 것을 고르시오.

① 2일   ② 3일   ③ 7일
④ 10일   ⑤ 14일

7 대화를 듣고, 주말을 포함한 총 휴일 일수로 가장 적절한 것을 고르시오.

① 3일   ② 4일   ③ 5일
④ 6일   ⑤ 7일

8 대화를 듣고, 남자가 받을 거스름돈으로 가장 적절한 것을 고르시오.

① $1   ② $2   ③ $3
④ $4   ⑤ $5

1

대화를 듣고, 현재 시각으로 가장 적절한 것을 고르시오.
① 10:10   ② 10:30   ③ 10:50
④ 11:00   ⑤ 11:10

◉ 이의 제기하기
I don't think so.
'난 그렇게 생각하지 않는다.'라는 뜻으로 상대방의 질문이나 의견에 동의하지 않을 때 사용한다. I don't agree with you. / I don't believe so.와 바꿔 쓸 수 있다.

W What time does the movie start?
M It ❶_____ _____ 11 o'clock.
W Do you think we have time to buy some popcorn?
M I don't think so. There is ❷_____ _____ _____ _____ at the snack bar, and we only have ❸_____ _____ _____.
W Really? Okay. Then let's go in.
M All right.

2 ★ 영국식 발음 녹음

대화를 듣고, 남자가 생일 파티에 초대한 친구가 총 몇 명인지 고르시오.
① 1명   ② 2명   ③ 3명
④ 4명   ⑤ 5명

W Happy birthday, Daniel.
M Thank you for coming, Amy. Steven and Jessica ❶_____ _____ _____.
W Sorry. I'm ❷_____ _____ _____ because of the traffic jam.
M No problem.
W ❸_____ _____ _____ anyone else?
M No, that's it. I only invited my best friends.
W That's nice.

3

대화를 듣고, 에어컨 수리 기사가 방문할 시각을 고르시오.
① 2:00 p.m.   ② 3:00 p.m.   ③ 4:00 p.m.
④ 5:00 p.m.   ⑤ 6:00 p.m.

M Sejin Electronics. How can I help you?
W Hi. Our air conditioner isn't working. Can you please ❶_____ _____ _____ _____ it?
M Sure. Your name, please.
W I'm Jimin Park. ❷_____ _____ _____ _____ today?
M Just a moment. [typing sound] I'm sorry, but we're ❸_____ _____ today. How about tomorrow? We can send someone at two, three, or six in the afternoon.
W Six o'clock would be good.
M Okay. Then, the repair person will be there at 6.
W Thanks.

4 ··· 고난도

대화를 듣고, 여자가 지불한 금액으로 가장 적절한 것을 고르시오.
① $4   ② $5   ③ $6.50
④ $7.50   ⑤ $10

◉ 가격 묻기
How much is half the loaf?
How much ~?는 '~는 얼마입니까?'라는 의미로 물건의 가격을 묻는 표현이다. How much do I have to pay?와 같은 표현을 사용하기도 한다.

M How may I help you, ma'am?
W I'd like to buy this bread. How much is ❶_____ _____ _____?
M It's $2.50 for half a loaf.
W Then I'll have three.

---

¹ snack bar 스낵바(음료나 가벼운 식사를 제공하는 식당) ² because of ~ 때문에 traffic jam 교통 체증 expect (오기로 되어 있는 대상을) 기다리다 invite 초대하다 ³ electronic 전자 fix 고치다, 수리하다 book 예약하다 repair person 수리 기사 ⁴ half 반의 loaf 빵 한 덩이 whole 전체의 change 잔돈

M Then it's better to buy a whole loaf and a half. You can get a whole loaf for only $4.

W It's 1 dollar cheaper to buy a whole loaf than ❷_____ _____ _____. I get it.

M So you want to buy a whole loaf and a half?

W Yes. Thank you. Here's $10.

M ❸_____ _____ _____, $3.50. Thank you very much.

5

대화를 듣고, 남자가 구입할 티셔츠의 사이즈와 가격을 고르시오.
① Small – $10 ② Small – $20 ③ Medium – $10
④ Medium – $20 ⑤ Medium – $50

M Hi. I'm looking for a T-shirt. Would you recommend one?

W Sure. What about this green one?

M Well, I like the design and the color ❶_____ _____. Do you have it in medium?

W Yes. ❷_____ _____ _____.

M It looks great. How much is it?

W It was 20 dollars until last week, but now it's only 10.

M Wow, 50 percent off! ❸_____ _____ _____.

6

대화를 듣고, 도서관 책의 대여 기간으로 가장 적절한 것을 고르시오.
① 2일 ② 3일 ③ 7일
④ 10일 ⑤ 14일

M Excuse me. Can I ❶_____ _____ a book and a CD at the same time?

W Yes, you can borrow three books and two CDs ❷_____ _____ _____.

M How long can I keep them?

W You're supposed to return books in seven days and CDs in ten days.

M Okay. I'd like to check out these two books and one CD, please.

W Sure. ❸_____ _____ _____, please?

M Here it is.

7

대화를 듣고, 주말을 포함한 총 휴일 일수로 가장 적절한 것을 고르시오.
① 3일 ② 4일 ③ 5일
④ 6일 ⑤ 7일

W The school's foundation day is ❶_____ _____ _____.   **M** Really?

W Thursday, October 8, is the anniversary of my school's founding.

M Aha! So you ❷_____ _____ _____ go to school?

W No. Besides, the following Friday is *Hangeul* Day, which is also a holiday.

M Wow. And there's no school on Saturday and Sunday, right?

W Yes, it's like ❸_____ _____ _____.

8 ⬥ 고난도

대화를 듣고, 남자가 받을 거스름돈으로 가장 적절한 것을 고르시오.
① $1 ② $2 ③ $3
④ $4 ⑤ $5

M Hi. I'd like a *bulgogi* burger and fries to go, please.

W That'll be 7 dollars. Anything else?

M Yes. Can I have a small Coke?

W Sure. ❶_____ _____ 2 dollars.

M Okay. Then it's 9 dollars ❷_____ _____, right?

W Yes, but if you order Set A, which includes a *bulgogi* burger, fries, and a large Coke, you ❸_____ _____ _____ _____ 8 dollars.

M That'll be nice. Here is 10 dollars.

W Thanks. Here is your change.

---

⁵ **as well** 또한, 역시 **in medium** 중간 크기의 ⁶ **check out** ~을 대출하다 **at the same time** 동시에 **at a time** 한 번에 **be supposed to** ~하기로 되어 있다
⁷ **come up** ~이 다가오다 **anniversary** 기념일 ⁸ **to go** (음식을 식당에서 먹지 않고) 가지고 갈 **in total** 모두 합해 **include** 포함하다 **pay** 지불하다

목적 · 의도

대화나 담화를 듣고 특정 인물이 전화를 걸거나 어떤 행동을 하는 목적이나 말의 의도를 파악하는 문제 유형이에요.
목적이나 의도를 표현하는 말들을 미리 알아 두면 도움이 될 거예요.

Focus
- **목적** 전화를 건 목적, 편지를 쓰는 목적, 특정 장소에 온(가는) 목적 …
- **의도** 마지막 말의 의도, 말하는 사람의 의도

유형잡는 대표기출 1

대화를 듣고, 여자가 도서관에 온 목적으로 가장 적절한 것을 고르시오.

① 잡지를 만들기 위해서
② 책을 반납하기 위해서
③ 과학 수업을 듣기 위해서
④ 책장 청소를 돕기 위해서
⑤ 사회 프로젝트를 하기 위해서

M Hi, Alice.

W Hi, Karl. What are you doing here in the library?

M I'm doing my volunteer work. I am cleaning up bookshelves. What about
　　you?
　　　　　　　　　　　　　　——— ④의 오답의 함정!

W Well, I'm here to work on my social studies project.

M What is your project about?

W It is about saving children who need clean water in Africa.

M Oh, that's an interesting topic for a social studies project.

질문을 놓치지 마라!

특정 장소에 간 사람이 남자인지 여자인지 우선 파악하고, 둘 중 한 사람의 말에 집중하도록 한다. 특정 목적을 지닌 당사자 외에 상대방의 말이 곧 오답이므로 문제의 내용을 우선 파악하자.

유형잡는 대표기출 2

대화를 듣고, 남자의 마지막 말의 의도로 가장 적절한 것을 고르시오.

① 사과　　② 충고　　③ 동의　　④ 비난　　⑤ 감사

M Hey, Cathy. How do you like the new community center?

W I love it. It has many fun programs.　　M Good. What do they have?

W There are lots of sports programs.　　M Really? Like what?

W They have table tennis, badminton and swimming.

M I like swimming. Do you want to go together?

W Sounds great. Let's check the schedule and sign up.
　　　　　　　　　　　　　　——— ②의 오답의 함정!

M Yes. Good idea.

핵심 사건을 찾아라!

마지막 말의 의도는 일상생활에서 일어날 수 있는 축하, 사과, 거절, 승낙 등의 다양한 상황이 나타날 수 있는 사건을 중심으로 하는 대화가 많다. 사건을 잘 이해하고 대화자들의 어조 등을 잘 파악하자.

대화를 듣고, 남자가 체육관에 가는 목적으로 가장 적절한 것을 고르시오.

① 수영 연습을 하려고
② 봉사 활동을 하려고
③ 춤 연습을 하려고
④ 농구 경기를 하려고
⑤ 체육복을 가져오려고

W Where are you going, Minho?　M I'm going to the gym, Mom.

W Oh, are you playing another basketball game with your friends?
　　　　　　　　　　　　　　　　　　　　　　④의 오답의 함정!

M No, I'm going there to practice dancing. There is a dance festival this Friday. And my friends and I are going to take part in it.

W Oh, that sounds fun. Where will the festival take place?

M It's at City Culture Center. Are you going to come see us?

W Of course. I can't wait.

목적의 표현에 집중하자!
목적을 나타내는 단서들이 대부분 직접적으로 제시되는데, 해당 표현을 잘 듣도록 하자. 또한 목적을 나타내는 부탁, 문의, 약속 정하기 등의 일반적인 표현들을 집중해서 듣도록 하자.

Useful Expressions   문제에 꼭 나오는 표현 모음

I'm calling to change my order. (주문을 변경하고 싶어서 전화드렸어요.)

Okay. No problem. (네. 문제 없어요.)

● **목적**

〈문의·예약〉

• Is the museum open on Sundays? 박물관이 일요일에 여나요?
• I'd like to book a flight to Japan.
　저는 일본으로 가는 항공권을 예약하고 싶습니다.

〈일정·약속〉

• I'm afraid we have to put off our appointment.
　아무래도 우리의 약속을 연기해야 할 것 같아.
• Why don't we go inline skating after school?
　방과 후에 인라인 스케이트 타러 갈래?

〈불만 제기〉

• I found a problem with this product.
　이 제품에서 한 가지 문제를 발견했습니다.
• I don't want to exchange it. I'd like to get a refund.
　교환하고 싶지 않아요. 환불을 받고 싶습니다.

● **의도**

〈감사〉

• It's kind of you to say that. 그렇게 말해 주다니 친절하군요.
• I don't know how to thank you.
　뭐라고 감사드려야 할지 모르겠습니다.

〈반대·거절〉

• I don't agree. 네 말에 동의하지 않아.
• Sorry, but I can't. 미안하지만 할 수 없어.
• I'm afraid (that) I can't help you.
　미안하지만 널 도와줄 수 없을 것 같아.

〈기원〉

• (I wish you) Good luck. 행운을 빌어.
• I hope everything goes well. 모든 일이 잘 되길 바라.

〈동의〉

• You can say that again. 네 말이 맞아.
• That sounds like a perfect idea. 그거 좋은 생각이다.
• I can't agree with you more. 당신 의견에 전적으로 동의해요.

〈허가·불허〉

• Go ahead. 그러세요. / You should not take pictures here. 여기에서 사진을 찍으시면 안 됩니다.

〈수락〉

• Of course. 물론. / All right. 좋아.

핵심 유형 파고들기

» 정답과 해설 p.10

1 대화를 듣고, 여자의 마지막 말의 의도로 가장 적절한 것을 고르시오.

① 축하   ② 허가   ③ 사과   ④ 충고   ⑤ 감사

NOTE

2 대화를 듣고, 남자가 전화를 건 목적으로 가장 적절한 것을 고르시오.

① 친구 병문안을 제안하기 위해
② 담임 선생님의 연락처를 묻기 위해
③ 담당 의사의 약 처방에 대해 질문하기 위해
④ 감기를 예방할 수 있는 방법을 알려주기 위해
⑤ 여자가 학교에 오지 않은 이유를 확인하기 위해

3 대화를 듣고, 여자의 마지막 말의 의도로 가장 적절한 것을 고르시오.

① 격려   ② 사과   ③ 승낙   ④ 감사   ⑤ 축하

4 대화를 듣고, 여자가 전화를 건 목적으로 가장 적절한 것을 고르시오.

① 식당 예약을 위해
② 예약 변경을 위해
③ 예약 취소를 위해
④ 약속 장소의 위치를 확인하기 위해
⑤ 좋은 한식당을 추천받기 위해

5 대화를 듣고, 남자의 마지막 말의 의도로 가장 적절한 것을 고르시오.

NOTE

① 축하　　② 거절　　③ 기원　　④ 동의　　⑤ 감사

6 다음을 듣고, 여자가 안내 방송을 하는 목적으로 가장 적절한 것을 고르시오.

① 할인 행사 안내를 위해
② 분실물을 찾기 위해
③ 잃어버린 아이를 찾기 위해
④ 쇼핑몰 위치를 안내하기 위해
⑤ 엘리베이터 고장을 알리기 위해

7 대화를 듣고, 여자가 전화를 건 목적으로 가장 적절한 것을 고르시오.

① 책 반납을 요구하려고
② 책 대여를 부탁하려고
③ 도서관 위치를 물어보려고
④ 오늘 일정에 대해 문의하려고
⑤ 도서관에 같이 가자고 제안하려고

8 대화를 듣고, 남자가 병원을 방문한 목적으로 가장 적절한 것을 고르시오.

① 감기에 걸려서
② 상담 예약을 하려고
③ 건강 검진을 하려고
④ 아들을 만나려고
⑤ 여자와 점심을 먹으려고

1

대화를 듣고, 여자의 마지막 말의 의도로 가장 적절한 것을 고르시오.
① 축하　② 허가　③ 사과　④ 충고　⑤ 감사

W　Look at the baby monkey! It ❶_____ _____ _____ to its mom so tight!

M　Yeah, that's so cute. I want to give it some snacks.

W　You can't do it. ❷_____ _____ _____ "Don't feed the monkeys."

M　Really? Why not?

W　Maybe that's because it can ❸_____ _____ _____.

M　Oh, is it bad for their health?

W　Yes. You should not give our snacks to animals.

2

대화를 듣고, 남자가 전화를 건 목적으로 가장 적절한 것을 고르시오.
① 친구 병문안을 제안하기 위해
② 담임 선생님의 연락처를 묻기 위해
③ 담당 의사의 약 처방에 대해 질문하기 위해
④ 감기를 예방할 수 있는 방법을 알려주기 위해
⑤ 여자가 학교에 오지 않은 이유를 확인하기 위해

[Cellphone rings.]

W　Hello, Mr. Brown.

M　Hi, Minji. Are you not coming to school today?

W　Sorry. I was going to call you, but I'm terribly sick. I think I ❶_____ _____ _____.

M　Oh, I'm sorry to hear that. Did you ❷_____ _____ _____?

W　Not yet, but I'm going to.

M　Okay, and please don't forget to see a doctor.

W　Thank you. I'll ❸_____ _____ _____.

3

대화를 듣고, 여자의 마지막 말의 의도로 가장 적절한 것을 고르시오.
① 격려　② 사과　③ 승낙　④ 감사　⑤ 축하

◉ 격려하기

Cheer up!

상대방이 실망하거나 어려움을 겪고 있을 때 Cheer up! / Don't give up! 등으로 격려하는 표현을 쓸 수 있다.

W　Hi, Peter. How are you feeling today?

M　I'm feeling terrible.　W　❶_____ _____?

M　I ❷_____ _____ _____ _____ doing my art homework. Today is the deadline.

W　And?

M　While I was out for a few minutes, my little brother accidently fell and spilled paint on my canvas.

W　Oh, no. But I don't think he did that ❸_____ _____. Cheer up!

4 ··· 고난도

대화를 듣고, 여자가 전화를 건 목적으로 가장 적절한 것을 고르시오.
① 식당 예약을 위해
② 예약 변경을 위해
③ 예약 취소를 위해
④ 약속 장소의 위치를 확인하기 위해
⑤ 좋은 한식당을 추천받기 위해

[Telephone rings.]

M　Arirang Korean restaurant. How may I help you?

W　Hi. My name is Nancy Anderson. I ❶_____ _____ _____ for tonight.

M　Okay, hold on, please. [pause] Oh, yes, Ms. Anderson. Four people at six p.m.

W　Yes, but I ❷_____ _____ it today.

---

¹ hold 잡다　tight 단단히　² terribly 매우, 몹시　have a cold 감기에 걸리다　take medicine 약을 먹다　keep ~ in mind ~을 명심하다　³ stay up (늦게까지) 깨어 있다　deadline 기한, 마감일　spill 쏟다, 엎지르다　⁴ book a table (식사할) 좌석을 예약하다　cancel 취소하다　can't help it 어쩔 수 없다

M Do you mean you want to cancel the reservation?

W Yes. I'm sorry, but ❷ _____ _____ _____ _____.

M No problem, Ms. Anderson. I hope you visit us soon.   **W** Thank you.

5

대화를 듣고, 남자의 마지막 말의 의도로 가장 적절한 것을 고르시오.
① 축하   ② 거절   ③ 기원   ④ 동의   ⑤ 감사

◉ 바람, 소원, 요망 표현하기
I wish I could ~.
무언가가 아쉬울 때 사용하는 표현으로, '그러고 싶다'라는 의미이다. 사실상 지금은 그렇게 할 수 없다는 이미를 내포하고 있다.

W Daniel, I ❶ _____ _____ _____ _____.   **M** What is it?

W Jane won the English speech contest.

M Wow, that's great. She ❷ _____ _____ _____ for the contest.

W Yes, she did. So we are going to ❸ _____ _____ _____ _____ today. Why don't you come, too?

M I wish I could, but I have to have dinner with my grandparents today.

6

다음을 듣고, 여자가 안내 방송을 하는 목적으로 가장 적절한 것을 고르시오.
① 할인 행사 안내를 위해   ② 분실물을 찾기 위해
③ 잃어버린 아이를 찾기 위해   ④ 쇼핑몰 위치를 안내하기 위해
⑤ 엘리베이터 고장을 알리기 위해

W May I have your attention, please? We are looking for an eight-year-old girl named Sally. She ❶ _____ _____ _____ and is wearing a red shirt. She ❷ _____ _____ _____ on the fifth floor of the shopping mall. If you see her, please ❸ _____ _____ _____ _____ on the first floor. Thank you.

7

대화를 듣고, 여자가 전화를 건 목적으로 가장 적절한 것을 고르시오.
① 책 반납을 요구하려고   ② 책 대여를 부탁하려고
③ 도서관 위치를 물어보려고   ④ 오늘 일정에 대해 문의하려고
⑤ 도서관에 같이 가자고 제안하려고

[Cellphone rings.]

M Hello.

W Hello. This is Mary from Haneul Library. Is this Minho Park?

M ❶ _____, _____! Can I ask what your call is about?

W I'm calling to ❷ _____ _____ _____ _____ the two books you borrowed two weeks ago.

M Ah, I forgot about them. I'll ❸ _____ and return them today. I'm so sorry.

W No problem. See you soon.

8 ··· 고난도

대화를 듣고, 남자가 병원을 방문한 목적으로 가장 적절한 것을 고르시오.
① 감기에 걸려서   ② 상담 예약을 하려고
③ 건강 검진을 하려고   ④ 아들을 만나려고
⑤ 여자와 점심을 먹으려고

M Hi. Is Dr. Wilson ❶ _____ _____ _____ _____ ?

W Yes. Did you make a reservation?

M No, actually, I'm his father.

W Oh, hi, Mr. Wilson. Do you want me to tell him you're here?

M No, I don't want to bother him. It'll be lunchtime soon, right?

W Yes, Mr. Wilson. Lunchtime is ❷ _____ _____ _____ _____. Is there anything I can do for you?

M No, no. That's okay. ❸ _____ _____ _____.

---

⁵ **contest** 대회, 경연 **prepare** 준비하다 **throw a party** 파티를 열다 ⁶ **attention** 주의, 주목 **look for** ~을 찾다 **last** 마지막으로 **contact** 연락하다 ⁷ **return** 반납하다 **stop by** 잠시 들르다 ⁸ **make a reservation** 예약하다 **actually** 사실은 **bother** 귀찮게 하다, 신경 쓰이게 하다

유형 04 심정 · 이유

특정 인물이 처한 상황에서 느꼈을 심정이 어떤지, 또는 상황이나 사건에 대한 이유가 무엇인지를 추론하는 문제예요.
심정을 파악하는 문제에서는 전체 분위기와 상황을, 이유 문제에서는 지시문에 제시된 상황의 이유를 파악하는 것이
중요해요.

Focus
- **심정** 남자(여자)의 심정, 마지막 말에 드러난 심정
- **이유** 특정 장소에 가는(갈 수 없는) 이유, ~하는(할 수 없는) 이유 …

유형잡는 대표기출 1

대화를 듣고, 남자의 심정으로 가장 적절한 것을 고르시오.
① angry   ② bored   ③ excited   ④ relaxed   ⑤ worried

W Hey, John. You're still awake.

M Yes, Mom. I can't sleep because of the school trip.

W Why? Is there something wrong?

M No. I'm just so happy. This is my first visit to Gyeongju.
   └─⑤의 오답의 함정!

W I know. You'll learn a lot from this trip.

M Yeah. I'm really looking forward to seeing Cheomseongdae the most. I heard it's beautiful.

> **심정을 나타내는 형용사를 들어라!**
>
> 대화에서 언급되는 심정을 나타내는 형용사와 유사한 어휘가 정답이 되는 경우가 많으므로 형용사를 놓치지 않도록 집중하자.

유형잡는 대표기출 2

대화를 듣고, 여자가 남자와 함께 갈 수 없는 이유로 가장 적절한 것을 고르시오.
① 가족 여행을 가야 해서   ② 봉사 활동을 가야 해서   ③ 노래 연습을 하려고
④ 댄스 수업에 가려고   ⑤ 감기에 걸려서

W Hi, Jason. Where are you going?

M Hello, Mindy. I am going to school.

W But we're on vacation. What's going on?

M There's a singing festival next week and Jisu and I are practicing a song
   together.   W Wow. That's cool.
   └─③의 오답의 함정!

M Do you want to come with me? Jisu will be very happy to see you.

W I'd really love to. But I have to go to my dance lesson now. Maybe next
   time.   M All right. See you.

> **제안을 거절할 때 but 뒤에 오는 문장을 잘 들어라!**
>
> 상대방의 제안을 거절하며 그 이유를 나타낼 때에는 보통 하고 싶다는 말 다음에 역접의 접속사를 쓴 후 이유를 나타내므로 해당 부분을 잘 듣도록 한다.

대화를 듣고, 남자가 마스크를 써야 하는 이유로 가장 적절한 것을 고르시오.

① 황사가 있어서   ② 햇빛이 강해서   ③ 감기에 걸려서

④ 얼굴을 나져서   ⑤ 청소를 해야 해시

W   Hurry up, Minsu. It's time to go to school.

M   Okay, Mom. What time is it?

W   It's almost 7:30.   M   Is it raining outside?

W   No, but it's very cloudy.   M   Look! It's really hard to see outside.

W   I think it is because of the yellow dust.

M   Yeah, I think so, too.

W   Make sure you wear a mask before you go out.

문제가 무엇인지 잘 파악하라!

문제가 묻는 내용이 정확히 무엇인지 파악한 후, 그에 대한 답변이 무엇일지 생각하며 집중해서 듣도록 한다.

Useful Expressions   문제에 꼭 나오는 표현 모음

What's the matter? (무슨 일 있니?)

I have a stomachache. (배가 아파요.)

● 기분이나 안부 묻기

• What's wrong (with it)? (그게) 뭐가 잘못됐니?

• What's up? / What happened? 무슨 일이니?

• How are you feeling now? 지금 기분이 어때?

● 심정 말하기

〈긍정적 감정 표현〉

• pleased 기쁜 / relaxed 여유 있는, 편안한
satisfied 만족스러운 / excited 흥분한 / joyful 기쁜
thankful 고맙게 생각하는 / confident 자신 있는
proud 자랑스러운 / hopeful 희망찬

• That's amazing! 정말 놀랍다!

• I'm satisfied with my job. 나는 내 직업에 만족해.

• I was pleased with Mary's present.
난 Mary의 선물에 기뻤어.

〈부정적 감정 표현〉

• nervous 긴장한 / upset 속상한 / mad 화가 난
frightened 두려운 / embarrassed 당황한 / lonely 외로운
bored 지루해하는 / disappointed 실망한 / lazy 게으른
hopeless 절망적인 / jealous 질투

• uncomfortable 불편한 / exhausted 피곤한, 지친

• I'm worried about the presentation. 난 발표가 걱정돼.

• I'm afraid of catching a cold. 나는 감기에 걸릴까 두려워.

● 이유 묻기

• Why is the baby crying? 아기가 왜 울고 있니?

• What makes you think so? 너는 왜 그렇게 생각하니?

• Tell me the reason why he didn't go to the party.
그가 파티에 가지 않은 이유를 말해 줘.

● 이유 말하기

• Because I was too tired. 내가 너무 피곤했기 때문이야.

• I'm sorry I can't go there. I'm too busy.
미안하지만 난 그곳에 갈 수 없어. 너무 바쁘거든.

• I'm afraid I can't. I have to take care of my little sister.
미안하지만 난 안 돼. 여동생을 돌봐야 하거든.

핵심 파고들기

» 정답과 해설 p.13

1 대화를 듣고, 남자가 영화를 보러 갈 수 <u>없는</u> 이유로 가장 적절한 것을 고르시오.

① 부모님이 아프셔서 ② 가족 여행을 가야 해서
③ 체험 활동을 가야 해서 ④ 생일 파티에 가야 해서
⑤ 남동생을 돌봐야 해서

NOTE

2 대화를 듣고, 여자가 선생님을 찾아간 이유로 가장 적절한 것을 고르시오.

① 몸이 아파서 ② 전화를 빌려 쓰려고
③ 수업 시간이 다 되어서 ④ 휴대전화를 되찾으려고
⑤ 엄마 말씀을 전달하려고

3 대화를 듣고, 남자의 심정으로 가장 적절한 것을 고르시오.

① sad ② scared ③ bored
④ pleased ⑤ excited

4 대화를 듣고, 여자의 심정으로 가장 적절한 것을 고르시오.

① proud ② upset ③ lonely
④ worried ⑤ disappointed

5 대화를 듣고, 두 사람이 오늘 야구 경기를 보러 갈 수 <u>없는</u> 이유로 가장 적절한 것을 고르시오.

① 기말고사 준비를 해야 해서
② 오늘 경기가 없어서
③ 표가 모두 매진되어서
④ 비가 많이 와서
⑤ 여자가 오늘 식사 약속이 있어서

6 대화를 듣고, 여자의 심정으로 가장 적절한 것을 고르시오.

① excited
② upset
③ lonely
④ exhausted
⑤ disappointed

7 대화를 듣고, 여자가 최근 학교에 결석한 이유로 가장 적절한 것을 고르시오.

① 몸이 아파서
② 이사 준비로 인해
③ 시카고 여행을 해서
④ 할머니가 돌아가셔서
⑤ 부모님 일을 돕기 위해

8 대화를 듣고, 남자가 새 학교를 좋아하는 이유가 <u>아닌</u> 것을 고르시오.

① 선생님들이 친절해서
② 학급 친구들이 다정해서
③ 점심이 아주 맛있어서
④ 식당이 깨끗해서
⑤ 수영장을 사용할 수 있어서

1

대화를 듣고, 남자가 영화를 보러 갈 수 <u>없는</u> 이유로 가장 적절한 것을 고르시오.

① 부모님이 아프셔서　　　② 가족 여행을 가야 해서
③ 체험 활동을 가야 해서　　④ 생일 파티에 가야 해서
⑤ 남동생을 돌봐야 해서

[Cellphone rings.]

M　Hi, Nana.

W　Hi, James. ❶＿＿＿＿ ＿＿＿＿ ＿＿＿＿ to a movie with me tomorrow?

M　I'd love to, but I can't.

W　Why not? Do you ❷＿＿＿＿ ＿＿＿＿ ＿＿＿＿?

M　I have to stay home and look after my younger brother.　W　Really? Aren't your parents home?

M　No, they're out of town on a trip.

W　I got it. Then, let's ❸＿＿＿＿ ＿＿＿＿ ＿＿＿＿ on another day.

2　(★ 영국식 발음 녹음)

대화를 듣고, 여자가 선생님을 찾아간 이유로 가장 적절한 것을 고르시오.

① 몸이 아파서　　　　② 전화를 빌려 쓰려고
③ 수업 시간이 다 되어서　④ 휴대전화를 되찾으려고
⑤ 엄마 말씀을 전달하려고

◉ 감사하기
I appreciate it.
감사의 뜻을 전할 때 쓰는 표현으로 뒤에 구체적인 이유를 붙여 말할 수도 있다.

W　Excuse me, Mr. Song. Do you ❶＿＿＿＿ ＿＿＿＿ ＿＿＿＿?

M　Sure, Minjeong. Why? Is something wrong?

W　Actually, I need to call my mom, but ❷＿＿＿＿ ＿＿＿＿ ＿＿＿＿ my cellphone today.

M　Oh, ❸＿＿＿＿ ＿＿＿＿ ＿＿＿＿. Here! Use this phone.

W　Thank you, Mr. Song. I really appreciate it.

3

대화를 듣고, 남자의 심정으로 가장 적절한 것을 고르시오.

① sad　② scared　③ bored　④ pleased　⑤ excited

W　Kevin, we are ❶＿＿＿＿ ＿＿＿＿ ＿＿＿＿ ＿＿＿＿.

M　Mom, I don't want to go.

W　No way! Please ❷＿＿＿＿ ＿＿＿＿ ＿＿＿＿ your room right now.

M　I will do anything you want except go to the dentist.

W　If you don't go now, your teeth will hurt more.

M　I know, but I can't forget when ❸＿＿＿＿ ＿＿＿＿ ＿＿＿＿ ＿＿＿＿. It hurt awfully.

W　You're not a child, son.

4　⟨고난도⟩

대화를 듣고, 여자의 심정으로 가장 적절한 것을 고르시오.

① proud　　② upset　　③ lonely
④ worried　⑤ disappointed

M　The Korean speech contest is right around the corner, Carrie.

W　Yes, it's tomorrow. ❶＿＿＿＿ ＿＿＿＿ ＿＿＿＿ I can sleep tonight.

M　You're doing great. Just be confident.

W　How did you win first prize last year, Jack?

M　I was lucky. Now ❷＿＿＿＿ ＿＿＿＿ ＿＿＿＿. I'm sure you'll do great.

---

¹ out of town 도시를 떠난　appointment 약속　² bring 가져오다　appreciate 고마워하다　³ come out ~에서 나오다　except ~을 제외하고는　awfully 정말, 몹시　⁴ around the corner 코 앞에 닥친, 아주 가까운　confident 자신이 있는　win first prize 일등 상을 수상하다　can't help -ing ~하지 않을 수 없다

W Do you really think so?

M I know you can speak ❸_____ _____
_____ _____.

W Thanks, but I can't help feeling this way.

5

대화를 듣고, 두 사람이 오늘 야구 경기를 보러 갈 수 없는 이유로 가장 적절한 것을 고르시오.

① 기말고사 준비를 해야 해서　② 오늘 경기가 없어서
③ 표가 모두 매진되어서　④ 비가 많이 와서
⑤ 여자가 오늘 식사 약속이 있어서

W Finally, our final exams are over.

M Yeah, we're free now. ❶_____ _____
_____ _____ a baseball game today?

W That's a great idea. Let's book tickets online. I'll get access to the site. *[pause]* Uh-oh!

M Are they ❷_____ _____ _____?

W Yes. I guess it's because today's game is a big match.

M There's ❸_____ _____ then. Let's get something delicious to eat instead.

6

대화를 듣고, 여자의 심정으로 가장 적절한 것을 고르시오.

① excited　② upset　③ lonely
④ exhausted　⑤ disappointed

M Did you enjoy your picnic yesterday?

W Yes, I ❶_____ _____ _____ _____.
We went to Sangam Park. We had delicious food and played badminton for 2 hours.

M Sounds like you had a lot of fun.

W We did. Now I can't even lift a badminton racket. We are going there again next Saturday. Let's ❷_____ _____ this time.

M Well, I have an appointment next Saturday. I'm sorry.

W That's too bad. I really ❸_____ _____
_____ _____.

7

대화를 듣고, 여자가 최근 학교에 결석한 이유로 가장 적절한 것을 고르시오.

① 몸이 아파서　② 이사 준비로 인해
③ 시카고 여행을 해서　④ 할머니가 돌아가셔서
⑤ 부모님 일을 돕기 위해

⊙ 유감이나 동정 표현하기
I'm sorry to hear that.
상대방의 안타까운 소식을 듣고 유감을 표현할 때 쓰며 '그런 소식을 듣게 되어 안타깝다.'라는 의미이다. That's too bad.나 That's a pity.로 바꿔 쓸 수 있다.

M Olivia, are you okay?　**W** Yes. Why?

M I thought you were sick because you ❶_____
_____ _____ for a few days.

W Oh, no. I'm not sick.

M Then why were you absent?

W My grandma ❷_____ _____, so I stayed at my grandparents' house in Chicago for five days.

M Oh, ❸_____ _____ _____ _____ that.

8 ··· 〈고난도〉

대화를 듣고, 남자가 새 학교를 좋아하는 이유가 아닌 것을 고르시오.

① 선생님들이 친절해서　② 학급 친구들이 다정해서
③ 점심이 아주 맛있어서　④ 식당이 깨끗해서
⑤ 수영장을 사용할 수 있어서

M Hi, Julie.

W Hi, Brian. ❶_____ _____ _____
_____ your new school?

M It's great. The teachers are kind, and my classmates are ❷_____ _____.

W Good. How about lunch?

M Lunch is not ❸_____ _____ _____ I expected, but I like the cafeteria because it's clean.

W Oh, I see.

M Besides, students can use the swimming pool. I like it so much.

W You have a swimming pool at your school?
❹_____ _____ _____.

---

⁵ **book** 예약하다　**get access** 접근(접속)하다　**sold out** 매진된　**match** 경기, 시합　**choice** 선택(권)　**delicious** 맛있는　**instead** 대신에　⁶ **lift** 들어 올리다　**racket**
채, 라켓　⁷ **absent** 결석한　**pass away** 돌아가시다, 사망하다　⁸ **expect** 예상하다　**cafeteria** 구내식당　**besides** 게다가　**envy** 부러워하다

세부 정보 I (한 일/할 일)

대화를 듣고 인물들이 과거에 했던 일이나 앞으로 할 일을 찾는 문제예요. 부탁이나 요청에 관한 대화가 많으니, 부탁할 때 쓰이는 표현들도 잘 익혀 두세요.

Focus
• 할 일 할 일, 대화 직후에 할 일
• 한 일 한 일, 부탁한 일

유형잡는 대표기출 1

대화를 듣고, 두 사람이 대화 직후에 할 일로 가장 적절한 것을 고르시오.

① 책 구입하기　　② 교무실 가기　　③ 도서관 가기
④ 인터넷 검색하기　　⑤ 친구에게 전화하기

W　Brian, did you finish your project about ancient buildings?

M　Not yet. It's due next Monday, right? What about you?

W　I went to the library, but there was too much information.
　　└── ③의 오답의 함정!

M　I know. I searched the Internet, but it was difficult to find useful information.
　　└── ④의 오답의 함정!

W　Hmm.... Why don't we ask the teacher for help?

M　That's a good idea. Let's go to the teachers' office now.
　　　　　　　　　　　　　　└── 제안의 표현

W　Okay.

> **대화의 마지막에서 단서를 찾아라!**
>
> 대부분 대화의 마지막 부분에 나오는 Why don't you ~? / You should ~. 등과 같은 제안·권유의 표현에서 답이 유추되는 경우가 많다. 마지막 단서에 주목하자.

유형잡는 대표기출 2

대화를 듣고, 남자가 대화 직후에 할 일로 가장 적절한 것을 고르시오.

① 식탁 닦기　　② 설거지하기　　③ 접시 꺼내기
④ 딸기잼 가져오기　　⑤ 팬케이크 만들기

M　Good morning. Mom, it smells so good. What are you making?

W　Good morning, Sean. I am making some pancakes for breakfast.
　　　　　　　　　　　　　　　└── ⑤의 오답의 함정!(여자가 한 일)

M　Wow, they look so great. You know pancakes are my favorite food for breakfast. I just want some strawberry jam on them.
　　　　　　　　　　　　　　　　　　　└── ④의 오답의 함정!

W　It's already on the table. Can you take out some dishes?

M　All right. I'll get them right away.

> **누가 한 일인지를 파악하라!**
>
> 문제의 지시문을 정확히 읽고 남자가 한 일인지 여자가 한 일인지를 정확히 들어야 한다. 선택지에도 남녀가 한 일이 모두 주어지므로 혼동하지 말자.

대화를 듣고, 남자가 여자에게 부탁한 일로 가장 적절한 것을 고르시오.

① 버스표 구입하기　　② 입장료 알아보기　　③ 식사 장소 알아보기
④ 미술 작품 알아보기　　⑤ 미술관 위치 확인하기

W　Junkyu, how about going to the Modern Art Gallery for our field trip?

M　How long does it take to get there from the school?

W　It takes about one hour by bus.

M　Can we have lunch there?

W　Hmm... I don't think so. Maybe we need to find a place to eat.

M　Can you find a good restaurant nearby?
　　　　　　　　　　　　　　　　──── 부탁하는 표현

W　All right. I'll look for one.

📍 요청(부탁)하는 표현
을 잘 들어라!

Can(Could) you ~? 혹
은 동사로 시작하는 명령
문과 같은 부탁하는 표현
에 집중하자.

Useful Expressions　문제에 꼭 나오는 표현 모음

Could you bring me some water?
(물 좀 가져다주실래요?)

Just a moment, please.
(잠시만요.)

● 할(한) 일 묻고 답하기

• What are you going to do this vacation?
　너는 이번 방학에 무엇을 할 예정이니?
• I'm planning to go to the movies.
　나는 영화 보러 갈 계획이야.
• What else did you do?　그 밖에 너는 무엇을 했니?

● 여러 가지 할(한) 일

• stop by a convenience store　편의점에 들르다
• move into a new house　새로운 집으로 이사 가다
• make reservations for airline tickets
　비행기표를 예약하다
• fasten your seatbelt　안전벨트를 매다
• go jogging every morning　매일 아침 조깅하다
• take a nap　낮잠을 자다

• attend a meeting　회의에 참석하다
• get(take) a rest　휴식을 취하다
• turn off the gas　가스(밸브)를 잠그다
• turn on(off) the air conditioner　에어컨을 켜다(끄다)

● 부탁(요청)하기

• Could(Can) you pick me up at the bus stop?
　버스 정류장에 나를 태우러 올 수 있나요?
• Would you mind moving over one seat?
　한 자리만 옮겨 주시겠습니까?
• Please pick up some lemons on your way home.
　집에 오는 길에 레몬 좀 사 오세요.

● 제안, 권유하기

• You should go to see a doctor.
　너는 가서 진찰을 받아 보는 게 좋을 것 같아.
• How about going out for lunch?
　우리 점심 먹으러 나갈까?
• Shall we go mountain climbing this Saturday?
　이번 주 토요일에 우리 등산하러 갈까?
• Why don't you take off your shoes?
　신발을 벗는 게 어때?

핵심 파고들기

» 정답과 해설 p.15

1 대화를 듣고, 여자가 이번 주 일요일에 할 일로 가장 적절한 것을 고르시오.

NOTE

① 볼링 치러 가기　　② 가족과 외식하기
③ 엄마 도와드리기　　④ 엄마와 외출하기
⑤ 친구와 외출하기

2 대화를 듣고, 남자가 여자에게 부탁한 일로 가장 적절한 것을 고르시오.

① 셔츠 다려 주기　　② 셔츠 찾아 주기
③ 셔츠 세탁하기　　④ 행운 빌어 주기
⑤ 음식점 예약하기

3 대화를 듣고, 남자가 대화 직후에 할 일로 가장 적절한 것을 고르시오.

① 친구 기다리기　　② 자전거 구입하기
③ 자전거 수리하기　　④ 자전거 연습하기
⑤ 집으로 되돌아가기

4 대화를 듣고, 여자가 남자에게 부탁한 일로 가장 적절한 것을 고르시오.

① 숙제 도와주기　　② 애완견 돌보기
③ 애완견 산책시키기　　④ 병문안 함께 가기
⑤ 할머니 보살펴 드리기

5 대화를 듣고, 두 사람이 대화 직후에 할 일로 가장 적절한 것을 고르시오.

NOTE

① 기상청에 전화하기   ② TV 시청하기
③ 내일 일정 짜기   ④ 인터넷으로 날씨 정보 확인하기
⑤ 인라인 스케이트 타러 가기

6 대화를 듣고, 남자가 오늘 오후에 한 일로 가장 적절한 것을 고르시오.

① 부엌 청소하기   ② 저녁 식사 준비하기
③ 할머니 댁 찾아뵙기   ④ 할머니 일 도와드리기
⑤ 부엌 꾸미기

7 대화를 듣고, 여자가 오늘 오후에 한 일로 가장 적절한 것을 고르시오.

① 집 청소하기   ② 동생 숙제 돕기
③ 어머니 생신 선물 사기   ④ 미술 숙제하기
⑤ 어머니 도와드리기

8 대화를 듣고, 여자가 대화 직후에 할 일로 가장 적절한 것을 고르시오.

① 영화 관람   ② 저녁 식사
③ 도서 반납   ④ 서점 방문
⑤ 방 청소

핵심 받아쓰기

» 정답과 해설 p.15

1

대화를 듣고, 여자가 이번 주 일요일에 할 일로 가장 적절한 것을 고르시오.

① 볼링 치러 가기　　　　② 가족과 외식하기
③ 엄마 도와드리기　　　　④ 엄마와 외출하기
⑤ 친구와 외출하기

◉ 의무 표현하기

I'm supposed to ~.
의무를 나타내는 표현은 보통 조동사 should나 must를 써서 하지만, be supposed to를 써서 할 수도 있다.

M　Would you like to go bowling this Sunday?
W　❶ _____ _____ . When are you going?
M　Around 11:00 a.m.
W　Well, ❷ _____ _____ _____ help my mother bake a cake in the morning. How about after lunch?　M　I think that will be too late.
W　Well, ❸ _____ _____ _____ then.
M　Okay.

2

대화를 듣고, 남자가 여자에게 부탁한 일로 가장 적절한 것을 고르시오.

① 셔츠 다려 주기　　② 셔츠 찾아 주기　　③ 셔츠 세탁하기
④ 행운 빌어 주기　　⑤ 음식점 예약하기

M　Have you seen my black shirt, Mom? I can't find it anywhere.
W　Oh, I ❶ _____ _____ yesterday. It must be dry by now.　M　Thank goodness.
W　What's up? I know you wear it ❷ _____ _____ _____ .
M　I ❸ _____ _____ _____ with Becky tonight. Could you iron the shirt for me?
W　Sure. Have a good time, son.

3 ★ 영국식 발음 녹음

대화를 듣고, 남자가 대화 직후에 할 일로 가장 적절한 것을 고르시오.

① 친구 기다리기　　② 자전거 구입하기　　③ 자전거 수리하기
④ 자전거 연습하기　　⑤ 집으로 되돌아가기

[Cellphone rings.]

M　Jane, did you leave home?
W　Not yet. I was ❶ _____ _____ _____ . Is something wrong?
M　Actually, my bicycle broke down on my way to the mall, so I'm taking it to the repair shop. I'm afraid we will have to ❷ _____ _____ _____ _____ than scheduled.
W　No problem. What time ❸ _____ _____ _____ ?
M　I'll try to be there by six o'clock.
W　All right. See you then.

4 ⋯ 고난도

대화를 듣고, 여자가 남자에게 부탁한 일로 가장 적절한 것을 고르시오.

① 숙제 도와주기　　② 애완견 돌보기　　③ 애완견 산책시키기
④ 병문안 함께 가기　　⑤ 할머니 보살펴 드리기

◉ 감사하기

I can't thank you enough.
누군가에게 받은 도움에 감사의 표현을 하고 싶을 때 쓸 수 있는 표현으로 Thank you so much. / I appreciate it. 등과 바꿔 쓸 수 있다.

W　John, can I ask you for a favor?
M　Sure. ❶ _____ _____ _____ ?
W　Actually, I have to ❷ _____ _____ _____ my sick grandmother in the hospital for at least three days.
M　Oh, I'm sorry to hear that. What happened to her?

---

¹ go bowling 볼링을 치러 가다　bake (빵 등을) 굽다　² dry 마른, 건조한　by now 지금쯤　have a date with ~와 데이트를 하다　iron 다리미질을 하다　³ break down 고장 나다　on one's way to ~으로 가는(오는) 중에　repair shop 수리점　⁴ ask ~ a favor ~에게 부탁하다　traffic accident 교통사고

W She got hurt in a traffic accident. Can you take care of my dog ❸_____ _____ _____?

M Don't worry. I'll do that until you come back.

W Really? I can't thank you enough.

M No problem.

5

> 대화를 듣고, 두 사람이 대화 직후에 할 일로 가장 적절한 것을 고르시오.
> ① 기상청에 전화하기　　② TV 시청하기
> ③ 내일 일정 짜기　　④ 인터넷으로 날씨 정보 확인하기
> ⑤ 인라인 스케이트 타러 가기

M What are you going to do tomorrow?

W Dad, I want to go inline skating, but I heard it's going to rain ❶_____ _____ _____.

M ❷_____ _____. According to the weather forecast on the Internet, it's going to be sunny.

W Oh, really? I hope you're right.

M Oh, it's time for the TV news. ❸_____ _____ the two o'clock weather report.　　**W** Okay.

6

> 대화를 듣고, 남자가 오늘 오후에 한 일로 가장 적절한 것을 고르시오.
> ① 부엌 청소하기　　② 저녁 식사 준비하기
> ③ 할머니 댁 찾아뵙기　　④ 할머니 일 도와드리기
> ⑤ 부엌 꾸미기

◉ 사실적 정보 표현하기
I'm home.
집에 돌아왔을 때 하는 인사말로, '다녀왔다'는 의미로 사용한다. 비슷한 의미로 I'm back.이나 Here I am.도 사용할 수 있다.

W Tom, I'm home. Did you have dinner?

M Not yet. Did you ❶_____ _____ _____ _____ with Grandma?

W Yes, thanks to you. Look at the kitchen. It's so clean. Did you clean it?

M Well, you know, today's Mother's Day. I just ❷_____ _____ _____ you a little.

7

> 대화를 듣고, 여자가 오늘 오후에 한 일로 가장 적절한 것을 고르시오.
> ① 집 청소하기　　② 동생 숙제 돕기
> ③ 어머니 생신 선물 사기　　④ 미술 숙제하기
> ⑤ 어머니 도와드리기

W Chris, you ❶_____ _____.

M Yeah. It was a really busy afternoon. I cleaned the house and finished my art homework.

W You must be so tired. ❷_____ _____ _____.

M I think I should. How was your day, Mina?

W I bought a birthday present for my mom.

M ❸_____ _____ _____ a nice one?

W Yeah. I bought a scarf. I hope my mom likes it.

8 ⟨고난도⟩

> 대화를 듣고, 여자가 대화 직후에 할 일로 가장 적절한 것을 고르시오.
> ① 영화 관람　　② 저녁 식사　　③ 도서 반납
> ④ 서점 방문　　⑤ 방 청소

M Hey, hurry up! Mom ❶_____ _____ _____ _____ the room before we go to the movies.

W I know, but I ❷_____ _____ _____ _____ the library before we go.

M The library? Why?

W I have to return some books. They are overdue.

M All right. Then I ❸_____ _____ _____ the room. You go and return the books. Let's meet at the theater in twenty minutes.

W Okay. See you soon.

---

⁵ strange 이상한　according to ~에 의하면, ~에 따르면　catch ~을 보다[듣다]　⁶ thanks to ~덕분에　clean 깨끗한; 청소하다　⁷ exhausted 지친　scarf 스카프
⁸ stop by ~에 잠시 들르다　return 반납하다　overdue 기한이 지난　theater 극장

세부 정보 Ⅱ

들은 내용과 관련하여 세세한 세부 정보를 묻는 문제예요. 선택지를 미리 훑어보고 집중하여 개별 정보를 들은 후, 해당하거나 또는 해당하지 않는 것을 답으로 골라야 해요.

Focus
- ~ 아닌(알 수 없는) 것 구입할 물건이 아닌 것, 사용하지 않은 것, 가져가지 않을 것 …
- 언급하지(되지) 않은 것
- 그 외 세부 정보 나라, 행사, 물건, 교통수단, 도구

유형잡는 대표기출 1

대화를 듣고, 남자가 Space Camp에 대해 언급하지 않은 것을 고르시오.

① 주최 기관　　　② 개최 기간　　　③ 참가 대상
④ 활동 내용　　　⑤ 참가 비용

M Do you know that Midam University will run a Space Camp?
　　　　　　　　　　　　　　　①

W No, I don't. When is it?

M It's from July 2nd to the 6th.　　W Can we join the camp?
　　　　　　②

M Sure, it's for middle school students.
　　　　　　　　　③

W Sounds good. What can we do there?

M We can look at stars through telescopes.
　　　　　　　　　　④

W Cool. What else can we do?　M We can wear spacesuits and try space foods.
　　　　　　　　　　　　　　　　　　　④

> **선택지가 바로 힌트!**
> 문제에 주어진 선택지의 항목들이 대개 순서대로 대화에 언급되므로 대화를 들으며 체크하자. 체크되지 않는 것이 바로 정답이다.

유형잡는 대표기출 2

대화를 듣고, 두 사람이 Study Together 프로그램에 대해 언급하지 않은 것을 고르시오.

① 신청 가능 과목　　② 대상 학년　　③ 신청 방법
④ 시작 시기　　　　⑤ 종료 시기

M Have you heard about the Study Together program, Sohyeon?

W No. What's that, Bryan?

M Students from Hankuk University will come to our middle school. They will help us with Korean and math for free. It's only for second graders.
　　　　　　　　　①　　　　　　　　　　　　　　　　　　②

W Wow! Maybe that program can help me. I'm not good at math. How can I sign up?　M You can sign up on our school website.
　　　　　　　　　　　　　　　　　　　　　　③

W Thanks. When does it start?　M It starts next week.
　　　　　　　　　　　　　　　　④

> **하나라도 놓치지 마라!**
> 언급되지 않은 것을 찾는 문제 역시 세부 사항을 하나라도 놓치면 답을 놓치게 된다. 끝까지 대화를 집중하여 듣자.

유형잡는 대표기출 3

다음을 듣고, 오늘 오후 4시에 열릴 행사로 가장 적절한 것을 고르시오.

① 동아리 소개　　② 동영상 시청　　③ 그림 그리기
④ 글짓기 대회　　⑤ 글쓰기 수업

M Hello, everyone! Today is *Hangeul* Day. Let me tell you about today's schedule. At ten o'clock, there will be a class about how to write an essay. At two, we will have a writing competition. And at four, we will watch a video about King Sejong. I hope all of you will have a great time! Thank you.

⑤의 오답의 함정!
④의 오답의 함정!

지시문에 주어진 바로 그 정보를 찾아라!

선택지의 거의 모든 항목이 담화문에 등장한다. 다른 걸 찾지 말고 문제에서 물은 바로 그것을 찾자.

Useful Expressions 문제에 꼭 나오는 표현 모음

Which country did you like most? (어느 나라가 가장 좋았니?)

France was the best! (프랑스가 가장 좋았어!)

● **음식, 요리**
- May I take your order? 주문하시겠습니까?
- I'd like a salad and a cup of coffee.
  샐러드 하나와 커피 한 잔 주세요.
- I'd like to have a refill. 리필해 주세요.
- How would you like your steak?
  스테이크를 어떻게 해 드릴까요?
- Well-done, please. 바싹 익혀 주세요.
- medium 중간 정도로 익힌 / rare 약간만 익힌
- Help yourself! 마음껏 드세요!
- peel the apple 사과를 깎다 / boil an egg 달걀을 삶다 /
  chop the onion 양파를 다지다
- add more flour 밀가루를 더 넣다

● **구매**
- What did you buy for a birthday present?
  생일 선물로 무엇을 샀니?
- I bought a belt for my dad. 난 아빠께 드릴 벨트를 샀어.
- check the price 가격을 확인하다

● **다양한 활동**
〈운동 경기〉
- win(lose) the game 시합에서 이기다(지다)
- play badminton(table tennis) 배드민턴(탁구)을 치다
- do warm-up exercises 준비 운동을 하다
- go skiing 스키 타러 가다 / go jogging 조깅하러 가다
〈수업〉
- I'll take the guitar class. 난 기타 수업을 들을 거야.
- I have music class in the second period.
  2교시에는 음악 수업이 있어.
- Make sure to review what you've learned.
  배운 것을 반드시 복습하도록 하세요.
〈여행〉
- What(Which) countries did you visit?
  어느 나라에 방문했니?
- I went on a trip to Europe. 나는 유럽으로 여행 갔었어.
- How was your trip? 여행은 어땠니?
- It was awesome(enjoyable). 환상적이었어(즐거웠어).

핵심 유형 파고들기

» 정답과 해설 p.17

1 다음을 듣고, 행사에 관해서 알 수 <u>없는</u> 것을 고르시오.

① 구입 가능 물품　②제공되는 음료　③ 행사장의 위치
④ 행사 시간　⑤ 작가의 참석 여부

NOTE

2 대화를 듣고, 여자가 남자에게 빌려주기로 한 미술 도구를 고르시오.

① 연필　②붓　③ 물감
④ 팔레트　⑤ 스케치북

3 대화를 듣고, 남자가 오늘 아침에 이용한 교통수단을 고르시오.

① by bus　② by bike　③ by taxi
④ on foot　⑤ by subway

4 대화를 듣고, 여자가 다룰 줄 아는 악기가 <u>아닌</u> 것을 고르시오.

① piano　② violin　③ cello
④ guitar　⑤ flute

5 대화를 듣고, 과학 캠프에 대해 언급되지 <u>않은</u> 것을 고르시오.

① 캠프 시작 날짜   ② 참가비   ③ 등록 방법
④ 참여 가능 인원수   ⑤ 준비물

6 내화를 듣고, 남자가 이번 휴가 때 방문하려는 나라를 고르시오.

① 이탈리아   ② 미국   ③ 캐나다
④ 호주   ⑤ 프랑스

7 다음을 듣고, 음식의 재료로 언급되지 <u>않은</u> 것을 고르시오.

① 김치   ② 돼지고기   ③ 햄
④ 양파   ⑤ 물

8 다음을 듣고, 이번 주에 학생들이 가장 많이 검색한 단어를 고르시오.

① 연예인   ② 여름 방학   ③ 패션 브랜드
④ 온라인 게임   ⑤ 물놀이 장소

1

다음을 듣고, 행사에 관해서 알 수 <u>없는</u> 것을 고르시오.
① 구입 가능 물품   ② 제공되는 음료   ③ 행사장의 위치
④ 행사 시간   ⑤ 작가의 참석 여부

M   ❶_____ _____ _____ a special Friday night? Then come to the Smile's Book Show. You can buy many ❷_____ _____ _____ books here at low prices. You can also listen to famous authors read from their bestsellers. Coffee and tea will be ❸_____ _____ _____.
We are open from 5 p.m. to 11 p.m.

2 ★ 영국식 발음 녹음

대화를 듣고, 여자가 남자에게 빌려주기로 한 미술 도구를 고르시오.
① 연필   ② 붓   ③ 물감
④ 팔레트   ⑤ 스케치북

W   Jake, ❶_____ _____ _____ everything for art class?

M   Not yet. I have to buy some things.

W   What do you have to buy?

M   I ❷_____ _____ _____ paint and need a new sketchbook, too. I also lost my pallet and brushes.

W   Oh, I have some extra brushes. I can ❸_____ _____ _____.

M   Really? Thanks a lot.

W   You're welcome.

3

대화를 듣고, 남자가 오늘 아침에 이용한 교통수단을 고르시오.
① by bus   ② by bike   ③ by taxi
④ on foot   ⑤ by subway

W   Do you ❶_____ _____ _____?

M   No. I did before, but nowadays I ❷_____ _____ _____.

W   Then how about on rainy days?

M   On a rainy day like this morning, I take the subway. How do you go to school?

W   I take a bus. Maybe I should ❸_____ _____, too.   M   You should. It's really refreshing.

4 ··· ◇ 고난도

대화를 듣고, 여자가 다룰 줄 아는 악기가 <u>아닌</u> 것을 고르시오.
① piano   ② violin   ③ cello
④ guitar   ⑤ flute

◉ 관심 표현하기
I'm interested in ~
관심이 있는 대상을 in 뒤에 써 주어 관심사를 표현할 수 있으며, I'm into ~ / I'm fascinated by ~ 등으로 바꿔 쓸 수 있다.

M   Mina, I heard you can play many kinds of musical instruments. Is that true?

W   Yes. I ❶_____ _____ _____ the piano and flute since I was five.

M   What else can you play?

W   The violin and cello. My dad taught me ❷_____ _____ _____ _____.

M   Wow! How about the guitar?

W   I'm ❸_____ _____ _____, but I have had no chance to learn it.

M   You must have a special talent for music!

---

¹ **different kinds of** 여러 종류의 **author** 작가, 저자 **serve** 제공하다 ² **run out of** ~을 다 써 버리다 **sketchbook** 스케치북 **pallet** 팔레트 ³ **nowadays** 요즈음, 최근에 **refreshing** 기분이 상쾌한 ⁴ **musical instrument** 악기 **have a talent for** ~에 재능이 있다

5

대화를 듣고, 과학 캠프에 대해 언급되지 <u>않은</u> 것을 고르시오.
① 캠프 시작 날짜 ② 참가비 ③ 등록 방법
④ 참여 가능 인원수 ⑤ 준비물

[Telephone rings.]

M Daehan Science Museum. What can I do for you?

W Hello. I'd like to ❶ _____ _____ _____
the science camp. When does it start?

M It starts on August 16.

W Can I ask how much it is to sign up?

M It's 90 dollars. You can ❷ _____ _____
_____ our website.

W Okay. Do I need to prepare anything?

M A pen and a notebook will do. Other things
❸ _____ _____ _____.

6

대화를 듣고, 남자가 이번 휴가 때 방문하려는 나라를 고르시오.
① 이탈리아 ② 미국 ③ 캐나다
④ 호주 ⑤ 프랑스

W What ❶ _____ _____
do this vacation?

M I'm going to visit my grandparents. How about
you?

W I went to Italy last vacation, so I'm ❷ _____
_____ _____ _____ the U.S. and Canada
this vacation.

M Wow. That sounds great.

W Where do your grandparents live?

M They live in France. I'll stay there ❸ _____
_____ _____.

W I have never been to France. Take a lot of pictures
and show me later.

M Okay. I will.

7

다음을 듣고, 음식의 재료로 언급되지 <u>않은</u> 것을 고르시오.
① 김치 ② 돼지고기 ③ 햄
④ 양파 ⑤ 물

◉ 걱정, 두려움 묻기
Are you worried about ~?
상대방이 걱정하거나 두려워하는 것을 물을 때 쓰는 표현으로, Are you
concerned(anxious) ~?나 Are you afraid(scared) of ~?로도 쓸 수 있다.

M Are you worried about ❶ _____ _____
_____ for dinner tonight? How about *kimchi*
soup? It's not only delicious but is also ❷ _____
_____ _____. First, put *kimchi*, pork, and
some onions and garlic into a big pot. Then, add
some water and boil it for about 40 minutes. That's
all you have to do. Last, ❸ _____ _____
_____ _____.

8 ··· 〈고난도〉

다음을 듣고, 이번 주에 학생들이 가장 많이 검색한 단어를 고르시오.
① 연예인 ② 여름 방학 ③ 패션 브랜드
④ 온라인 게임 ⑤ 물놀이 장소

W I believe ❶ _____ _____ _____ enjoy
surfing the Internet. What words have students
searched for the most on online search engines
this week? They searched for the names of online
games, pop stars, and fashion brands. Interestingly,
however, ❷ _____ _____ _____ was
"places to go swimming." The reason was
probably that students want to enjoy swimming
❸ _____ _____ _____ _____ summer
vacation.

---

⁵ **sign up** ~에 등록하다 **provide** 제공하다 ⁶ **stay** 머물다 **later** 후에, 나중에 ⁷ **be worried about** ~에 대해 걱정하다 **onion** 양파 **garlic** 마늘 **pot** 냄비
⁸ **search** 검색하다 **interestingly** 흥미롭게도 **keyword** 핵심어, 키워드 **probably** 아마도 **at the end of** ~의 끝(말)에

Fun Fun English!

💬 난 너만 듣고 있어!

상대방의 말을 유심히 들을 때 쓸 수 있는 표현으로 '네가 하는 말에 귀를 쫑긋 세우고 몰두할게.'라는 뜻으로 I'm all ears. 라고 한답니다. 또한 뭔가를 유심히 보고 있을 때 '눈이 빠지게 보다'라는 말을 쓰죠. 영어에서는 I'm all eyes.라고 하는데 온통 눈투성이라고 과장한 표현이에요.

💬 넌 입이 참 싸구나!

'입이 싸다'를 영어로는 어떻게 표현할까요? 영어로는 '큰 입을 가지고 있다'라고 하여 have a big mouth라고 해요. 정말로 누군가의 입이 크다고 할 때는 보통 wide mouth라고 표현해요.

💬 누워서 떡 먹기죠!

Can you get me the largest steak in the world?

Sure.
It's a piece of cake.

A piece of cake?
I just need a steak.

'누워서 떡 먹기'라고 하면 아주 쉬운 일을 이르는 말이죠? 영어로는 '케이크 한 조각'이라고 한답니다. 말 속에서 음식 문화도 엿볼 수 있는 재미있는 표현이에요.

💬 넌 나의 이상형이야!

What do you think of me?

You are Mr. Right.

You were Mr. Wrong yesterday, but today you've become Mr. Right.

'딱 맞는'이라는 의미의 형용사 right을 사용하여 Mr. Right 혹은 Ms. Right이라고 하면 '이상형, 천생연분'을 나타내는 말이 돼요. 반대로 wrong을 활용하여 Mr. Wrong이라고 하면 '완전 최악의 남자'를, Mr. Clean이라고 하면 '청소광'이라는 의미로 쓰여요. '지저분한 사람'을 나타내는 Mr. Dirty라는 표현도 있답니다.

07 장소 · 관계 · 직업

대화를 나누고 있는 장소를 파악하거나, 여러 가지 단서들을 종합하여 두 인물 간의 관계를 추론하거나, 인물의 직업 및 장래 희망을 파악하는 문제예요. 대화 속에서 특정 직업과 관련된 어휘들이 많이 쓰이므로 다양한 직업인이 쓸 수 있는 표현에 주목하세요!

Focus
- 대화하는 장소 도서관, 영화관, 우체국, 극장, 약국 …
- 두 사람의 관계 • 직업/장래 희망

유형잡는 대표기출 1

대화를 듣고, 두 사람이 대화하는 장소로 가장 적절한 것을 고르시오.

① 은행　　　② 병원　　　③ 학교　　　④ 체육관　　　⑤ 관광 안내소

W　Welcome! What can I do for you?

M　Hi! I'd like to look around the city today.

W　Okay, do you need a city tour map?

M　Yes, please. Are there any famous places to visit?

W　There are Gyeongbokgung Palace and the National Museum nearby.

M　I see. Can I also find Korean restaurants on the map?

W　Sure. The map has all kinds of useful information.

M　Great. Thanks a lot.

> 용무가 무엇인지 파악하라!
>
> 장소 문제의 경우 여행객과 안내소 직원 간의 대화와 같이 특정 업무를 처리하는 곳에서 일어나는 대화가 많다. 들리는 동사에 집중하자.

유형잡는 대표기출 2

대화를 듣고, 두 사람의 관계로 가장 적절한 것을 고르시오.

① 요리사 — 고객　　　② 미용사 — 고객　　　③ 소설가 — 독자
④ 은행원 — 고객　　　⑤ 미술 교사 — 학생

M　How can I help you?

W　I'd like to get a haircut, please. How much will it cost?

M　It's 10 dollars.

W　That's good. And can you change my hair color, too?

M　What color do you want?

W　Hmm... I can't decide. What color is popular these days?

M　Brown is trendy now.　　W　That'll be nice.

> 핵심 어휘를 잡아라!
>
> 두 사람의 관계가 직접적으로 드러나지 않으므로 언급되는 핵심 어휘들, 두 사람 간의 호칭 등을 연관 지어 두 사람의 관계를 추측해 보자.

대화를 듣고, 남자의 장래 희망으로 가장 적절한 것을 고르시오.

① 농부　　　② 과학자　　　③ 미용사　　　④ 요리사　　　⑤ 회사원

M　Would you like to taste one of these tomatoes? They're from my grandma's farm.

W　Thanks. Mmm... they're delicious. Did she grow these herself?

M　Yes, she grows a lot of things. I want to be a farmer and live in the country like her someday.

W　Really? Living in the country is not easy. I think it's easier to live in a city as an office worker.
　　└─ ⑤의 오답의 함정!

M　It may be difficult, but I still like the country life.

관심사에 귀 기울이자!
장래 희망이나 직업을 찾는 문제는 좋아하는 관심사가 답으로 연결되는 경우가 많다. I'm interested in ~ 과 같은 표현에 귀 기울여 정답을 추론해 보자.

Useful Expressions　문제에 꼭 나오는 표현 모음

I'd like to send this package. (저는 이 소포를 보내고 싶어요.)

Okay. Please put the package on the scale.
(네. 소포를 저울 위에 올려 주세요.)

● 우체국
- How much is the postage?　우편 요금이 얼마인가요?
- I'd like to send this by registered mail.
　저는 이것을 등기 우편으로 보내고 싶어요.
- special delivery　특급 배송
- the postal(zip) code　우편번호
- Fragile. Handle with care.　깨지기 쉬움. 취급 주의.
- paste the stamps on the envelope　봉투에 우표를 붙이다

● 여행사, 공항, 기내
- I'd like to book a flight to New York.
　뉴욕행 비행기를 예약하고 싶습니다.
- Oneway or roundtrip?　편도인가요? 왕복인가요?
- confirm one's reservation　예약을 확인하다
- Please fasten your seatbelt.　안전벨트를 매 주세요.
- window seat　창가 쪽 자리 / aisle seat　통로 쪽 자리

● 도서관
- Can I see your library card?　도서 대출 카드를 보여 주시겠어요?
- You have to return it by Monday.
　당신은 월요일까지 그것을 반납하셔야 해요.
- check out　(책을) 빌리다, 대출하다 / return　반납하다
- due date　반납일 / overdue　연체된

● 호텔
- I'd like to check in(out) now.
　전 지금 체크인(체크아웃) 하고 싶습니다.
- a single(double) room　1인용(2인용) 침실
- make a reservation for a room　방을 예약하다
- Can I have a wakeup call?　모닝콜 해 주실 수 있으세요?

● 병원
- Do you have an appointment?　예약하셨어요?
- What is the trouble with you?　어디가 불편하세요?
- Let me check your blood pressure.　혈압을 재겠습니다.
- have a runny nose　콧물이 흐르다 / have a sore throat
　목이 붓다

● 여행지
- We'll be stopping here for 30 minutes.
　이곳에 30분간 머물겠습니다.
- To your left is the royal palace.
　여러분 좌측에 보이는 것이 왕궁입니다.

NOTE

1 대화를 듣고, 두 사람의 관계로 가장 적절한 것을 고르시오.

① 과학자 — 기자   ② 요리사 — 손님
③ 체육 교사 — 학생   ④ 지휘자 — 연주자
⑤ 주치의 — 축구 선수

2 대화를 듣고, 두 사람이 대화하는 장소로 가장 적절한 것을 고르시오.

① 도서관   ② 미술관   ③ 병원
④ 식당   ⑤ 영화관

3 대화를 듣고, 남자의 직업으로 가장 적절한 것을 고르시오.

① singer   ② actor   ③ doctor
④ post officer   ⑤ firefighter

4 대화를 듣고, 두 사람이 대화하는 장소로 가장 적절한 것을 고르시오.

① airplane   ② restaurant   ③ bank
④ baseball park   ⑤ police station

5 대화를 듣고, 두 사람의 관계로 가장 적절한 것을 고르시오.

① 승무원 — 탑승객
② 경찰관 — 시민
③ 간호사 — 환자
④ 택시 기사 — 승객
⑤ 여행 가이드 — 외국인

6 대화를 듣고, 두 사람이 대화하는 장소로 가장 적절한 것을 고르시오.

① 수영장
② 백화점
③ 헬스장
④ 박물관
⑤ 운동장

7 대화를 듣고, 두 사람의 관계로 가장 적절한 것을 고르시오.

① 점원 — 손님
② 경찰관 — 시민
③ 여행사 직원 — 관광객
④ 매표소 직원 — 고객
⑤ 우체국 직원 — 고객

8 대화를 듣고, 여자의 직업으로 가장 적절한 것을 고르시오.

① sales clerk
② police officer
③ cook
④ taxi driver
⑤ animal trainer

1

대화를 듣고, 두 사람의 관계로 가장 적절한 것을 고르시오.
① 과학자 — 기자   ② 요리사 — 손님   ③ 체육 교사 — 학생
④ 지휘자 — 연주자   ⑤ 주치의 — 축구 선수

○ 격려하기

I'll keep my fingers crossed for you.
'행운을 빌어 줄게.'라는 의미로 상대방을 격려할 때 쓰는 표현으로 Good luck to you.와 바꿔 쓸 수 있다.

M Jisu, you are doing really well in my P. E. class.

W Thank you, Mr. Song. I practice soccer on the playground every day.

M Great. You're beginning ❶ _____ _____ _____ a real soccer player.

W Really? Do you think I'm that good?

M Yes. Keep exercising, and you'll ❷ _____ _____ _____ the test next week.

W Okay, I'll do that.

M I'll ❸ _____ _____ _____ _____ _____ for you.

2

대화를 듣고, 두 사람이 대화하는 장소로 가장 적절한 것을 고르시오.
① 도서관   ② 미술관   ③ 병원
④ 식당   ⑤ 영화관

W Jack, ❶ _____ _____ _____ _____ about that painting?

M Do you mean the one over there?

W Yes. I can't understand ❷ _____ _____ _____.

M I think the artist is telling us about his happy childhood. **W** ❸ _____ _____ _____.

M Hey, there's a special exhibition of my favorite artist on the second floor.

W Okay. Let's go to see it.

3 ★ 영국식 발음 녹음

대화를 듣고, 남자의 직업으로 가장 적절한 것을 고르시오.
① singer   ② actor   ③ doctor
④ post officer   ⑤ firefighter

M Hi. What's your name?

W Hi. My name is Mary Wilson. I'm ❶ _____ _____ _____ _____ yours.

M Thank you. Have you seen my new movie?

W Yes. Of course.

M What did you ❷ _____ _____ _____?

W It's the best one I've ever seen.

M I really appreciate you saying that! ❸ _____ _____ _____ with my autograph. Have a good day.

4 … 고난도

대화를 듣고, 두 사람이 대화하는 장소로 가장 적절한 것을 고르시오.
① airplane   ② restaurant   ③ bank
④ baseball park ⑤ police station

○ 허가 여부 묻기

Do you mind if ~?
'~해도 될까요?'라는 의미로 상대방에게 허가를 물을 때 쓰는 표현으로 May I ~?나 I wonder if I could ~. 등으로 바꿔 쓸 수 있다.

M ❶ _____ _____ _____ today.

W Me, too. But there are many people ❷ _____ _____ _____.

M Yeah. It'll take about 15 minutes to get tickets to see the international match.

W I think so. Do you mind if I ❸ _____ _____ _____ something to drink in the meantime?

---

¹ playground 운동장 keep -ing 계속해서 ~하다 keep one's fingers crossed 행운을 빌다 ² painting 그림 childhood 어린 시절 exhibition 전시회
³ postcard 엽서 autograph (유명인의) 사인, 서명 ⁴ in the meantime 그동안에 neither (둘 중) 어느 것도 ~아니다 in a minute 곧, 금방

M Not at all.

W Do you want juice or water?

M Neither. Could you get me ❶ _____ _____ _____ _____?

W All right. I'll be back in a minute.

5

대화를 듣고, 두 사람의 관계로 가장 적절한 것을 고르시오.
① 승무원 — 탑승객 ② 경찰관 — 시민 ③ 간호사 — 환자
④ 택시 기사 — 승객 ⑤ 여행 가이드 — 외국인

M Good morning. ❶ _____ _____, ma'am?

W To the airport, please.

M ❷ _____ in Korea?

W Yes. I had a lot of fun here.

M Good. What time does your flight leave?

W At 5. ❸ _____ _____ _____ _____ get to the airport by 2?

M No problem. I'll get you there before 2.

6

대화를 듣고, 두 사람이 대화하는 장소로 가장 적절한 것을 고르시오.
① 수영장 ② 백화점 ③ 헬스장
④ 박물관 ⑤ 운동장

상기시켜 주기
Don't forget to ~
'~할 것을 잊지 마'라는 뜻으로, 상대방에게 해야 하는 일을 상기시켜 줄 때 사용하며, Remember to ~로도 쓸 수 있다.

M I've been waiting a long time to come here, Mary.

W Me, too. Let's ❶ _____ _____ _____ _____ our swimsuits right now.

M Okay. Where can we meet then?

W Why don't we ❷ _____ _____ _____ the red slide?

M Good idea. See you soon.

W Oh, don't forget to bring your goggles.

M Thanks for ❸ _____ _____.

7

대화를 듣고, 두 사람의 관계로 가장 적절한 것을 고르시오.
① 점원 — 손님 ② 경찰관 — 시민
③ 여행사 직원 — 관광객 ④ 매표소 직원 — 고객
⑤ 우체국 직원 — 고객

W Hello. What can I do for you?

M Hi. I'd like to ❶ _____ _____ _____ to Canada by express mail.

W Sure. Put it on the scale, please.

M How much ❷ _____ _____ _____?

W That will be 10 dollars and 50 cents. Could you fill out this form and ❸ _____ _____ _____ with the package?

M Okay.

8 ··· 고난도

대화를 듣고, 여자의 직업으로 가장 적절한 것을 고르시오.
① sales clerk ② police officer ③ cook
④ taxi driver ⑤ animal trainer

M Do you like your job?

W Sure. Sometimes it ❶ _____ _____ _____ _____, but I enjoy it.

M Even though ❷ _____ _____ _____ many people and be kind to all of them?

W Yeah. At least they are not bad or dangerous people, and I don't have to travel a lot by driving my car or taking the subway.

M I see. What's ❸ _____ _____ _____ _____ it, then?

W I can try many kinds of new products, and when I sell them, I can learn what people like. As you know, I want to open my own shop someday.

M That makes sense. Then working here can ❹ _____ _____ _____ _____.

W You are right.

---

⁵ flight 비행(편) leave 떠나다 ⁶ put on ~을 입다 swimsuit 수영복 (swimming) goggles 물안경 remind 상기시키다 ⁷ package 소포 express mail 특급(빠른) 우편 scale 저울 cost (값·비용이) ~이다 bring ~ back ~을 다시 가져오다 ⁸ at least 적어도 product 상품 experience 경험

주제 · 속담

대화나 담화의 주제 및 소재를 파악하거나, 대화의 핵심 내용에 어울리는 속담을 유추하는 문제예요. 속담 찾기 문제의 경우 전체 내용과 속담의 의미를 연결 지어 이해해야 해요. 또한 평소에 여러 속담 표현을 알아 두면 유용해요.

Focus
- **주제** 무엇에 관한 내용(설명), 무엇에 관한 안내
- **속담** 여자(남자)의 의견과 잘 어울리는 속담, 대화의 상황에 어울리는 속담

유형잡는 대표기출 1

다음을 듣고, 여자가 하는 말의 내용으로 가장 적절한 것을 고르시오.

① 감사하는 삶의 자세　　② 다양한 문화의 이해　　③ 가족 여행의 즐거움
④ 신속한 지진 대피 요령　　⑤ 규칙적인 생활의 중요성

W　Let me tell you a story about a girl living in Nepal. She lost her family in an earthquake. At that time many people offered to help her. After that ──④의 오답의 함정! she felt like the luckiest person in the world. I used to complain a lot before I read her story. But the story made me thankful. Now, I try my best to be thankful for everything in my life.

> 세부 정보에 흔들리지 마라!
>
> 주제를 찾는 문제에서는 내용 전체를 포함하는 답을 고르는 것이 중요하다. 대화에 나온 일부 내용만으로 답을 고르지 않도록 유의하자.

유형잡는 대표기출 2

대화를 듣고, 대화의 상황에 어울리는 속담으로 가장 적절한 것을 고르시오.

① 빈 수레가 요란하다.　　　　② 소 잃고 외양간 고친다.
③ 발 없는 말이 천 리 간다.　　④ 사공이 많으면 배가 산으로 간다.
⑤ 자라 보고 놀란 가슴 솥뚜껑 보고 놀란다.

[Cellphone rings.]

M　Hey, Minju. What are you doing?　　W　I'm retyping my essay.

M　Why? You told me that you finished it yesterday.

W　I did, but I lost my file. My computer got a virus.

M　What? I told you to update your virus software as often as possible.

W　Oh, I just updated it.

M　Come on. You should be more prepared to prevent something bad from happening.

> 대화의 상황을 파악하라!
>
> 속담 문제는 화자가 말하려는 의도를 파악하는 것이 중요하다. 전체적인 흐름을 파악한 후 해당 상황에 어울리는 속담을 골라 보자.

다음을 듣고, 남자가 하는 말의 내용으로 가장 적절한 것을 고르시오.

① 수영 강습 신청 방법　　② 수영장 안전 수칙　　③ 감기 예방 요령
④ 스트레칭 방법　　⑤ 수영 방법

M　Welcome to Rainbow Swimming Center. I'd like to tell you about some important rules for using the swimming pool. First, please do not run around the pool because the floor is very wet. Second, don't forget to stretch before you enter the pool. Last, if you feel cold in the pool, get out of the pool and get warm. I hope you have a great time in our center. Thank you.

④의 오답의 함정!

첫 문장을 잘 들어라!
대개 안내 방송의 경우에는 첫 부분에 내용의 중심이 되는 내용을 다루는 경우가 많다. 따라서 인사를 한 후 안내하는 첫 부분을 주의해서 잘 듣도록 하자.

Useful Expressions 문제에 꼭 나오는 표현 모음

May I have your attention, please?
(주목해 주시겠습니까?)

● 안내 방송 (행사 내용, 여행 일정, 학교 안내 방송 …)
• There'll be a speech contest in the auditorium.
　강당에서 말하기 대회가 열릴 예정입니다.
• Let me tell you about today's schedule.
　오늘 일정에 대해서 말씀드리겠습니다.
• Now, we're going to the museum. After that, we'll come back here to have dinner. 이제, 저희는 박물관에 갈 예정입니다. 그 후, 이곳으로 돌아와 저녁 식사를 하겠습니다.
● 의견 제시
• I'd like to suggest visiting our web site first.
　저는 저희 웹 사이트에 먼저 방문하기를 제안하고 싶습니다.
• I think we should take the train.
　제 생각에는 우리는 기차를 타야 할 것 같습니다.
• Why don't we look at some other products?
　다른 제품을 (알아)보는 게 어떨까요?

● 자연, 환경
• nature 자연 / forest 숲 / plains 평원
• flood 홍수 / typhoon 태풍 / drought 가뭄
• hurricane 허리케인 / volcanic eruption 화산 분출
• global warming 지구 온난화
• environmental pollution 환경 오염
• Please separate the trash before throwing it out.
　쓰레기는 버리기 전에 분류해서 버려 주세요.
● 속담
• Seeing is believing. 보는 것이 믿는 것이다.
• Practice makes perfect. 연습이 완벽함을 만든다.
• Well begun is half done. 시작이 반이다.
• Actions speak louder than words. 말보다는 행동
• Birds of a feather flock together. 유유상종
• Two heads are better than one. 백지장도 맞들면 낫다.
• Better late than never. 하지 않는 것보다 늦더라도 하는 게 낫다.
• A friend in need is a friend indeed.
　어려울 때 돕는 친구가 진정한 친구이다.
• Time heals all wounds. 시간이 약이다.
• Never put off till tomorrow what you can do today.
　오늘 할 일을 내일로 미루지 마라.
• You can't judge a book by its cover.
　겉모습으로 판단해서는 안 된다.

핵심  파고들기

» 정답과 해설 p.22

1 다음을 듣고, 무엇에 관한 설명인지 고르시오.

NOTE

① 냉면   ② 떡국   ③ 국수

④ 비빔밥   ⑤ 설렁탕

2 대화를 듣고, 대화의 상황에 어울리는 속담으로 가장 적절한 것을 고르시오.

① 돌다리도 두들겨 보고 건너라.   ② 행동보다 말이 쉽다.

③ 가재는 게 편이다.   ④ 무소식이 희소식이다.

⑤ 로마에 가면 로마법을 따르라.

3 다음을 듣고, 여자가 하는 말의 내용으로 가장 적절한 것을 고르시오.

① 건강하게 살 빼는 요령   ② 인기 있는 요리의 비밀

③ 건강한 식습관의 중요성   ④ 신선한 식재료의 중요성

⑤ 맛있는 요리를 만드는 비결

4 다음을 듣고, 무엇에 관한 안내 방송인지 고르시오.

① 엘리베이터 고장   ② 건물 대피

③ 층간 소음   ④ 식사 예절

⑤ 층별 매장

5 다음을 듣고, 남자가 주장하는 것을 고르시오.

① 쉽게 포기하지 마라.　　　② 자신감을 가져라.
③ 실패를 두려워하지 마라.　④ 새로운 것에 도전하라.
⑤ 성급하게 행동하지 마라.

6 대화를 듣고, 여자가 겪은 상황과 가장 잘 어울리는 속담을 고르시오.

① Walls have ears.　　　② Easy come, easy go.
③ Better late than never.　④ Practice makes perfect.
⑤ There's no place like home.

7 다음을 듣고, 남자가 하는 말의 내용으로 가장 적절한 것을 고르시오.

① 시상식 안내　　　② 동료 소개
③ 수상 소감　　　　④ 새 음반 안내
⑤ 학부모의 날 행사 개최

8 대화를 듣고, 남자의 의견과 가장 잘 어울리는 속담을 고르시오.

① Two heads are better than one.
② The early bird catches the worm.
③ Actions speak louder than words.
④ Seeing is believing.
⑤ You can't judge a book by its cover.

1

다음을 듣고, 무엇에 관한 설명인지 고르시오.

① 냉면　② 떡국　③ 국수　④ 비빔밥　⑤ 설렁탕

W This is one of ❶_____ _____ _____ traditional foods in Korea. This soup ❷_____ _____ _____ rice cakes in it. It is usually eaten on New Year's Day. In Korea, ❸_____ _____ _____ _____ everyone's age goes up one year only after he or she eats this soup.

2

대화를 듣고, 대화의 상황에 어울리는 속담으로 가장 적절한 것을 고르시오.

① 돌다리도 두들겨 보고 건너라.　② 행동보다 말이 쉽다.
③ 가재는 게 편이다.　④ 무소식이 희소식이다.
⑤ 로마에 가면 로마법을 따르라.

● 충고하기

(I think) You should ~
'너는 ~하는 게 좋을 거야, ~해야 한다'의 충고나 제안의 의미를 담고 있으며, I think와 함께 쓰이기도 한다. 또한, You'd better ~ / Why don't you ~? 등과 바꿔 쓸 수 있다.

M Oh, my gosh!

W What's the matter, Brian?

M Mom, I just finished my report, but ❶_____ _____.

W What do you mean? ❷_____ _____ _____ the file?

M When I was about to save it, the power suddenly went out. I never imagined that would happen.

W We never know what will happen in the future. You should save your files many times while you are ❸_____ _____ _____.

3

다음을 듣고, 여자가 하는 말의 내용으로 가장 적절한 것을 고르시오.

① 건강하게 살 빼는 요령　② 인기 있는 요리의 비밀
③ 건강한 식습관의 중요성　④ 신선한 식재료의 중요성
⑤ 맛있는 요리를 만드는 비결

W Think of one of your favorite foods. Is it sweet, salty or spicy? Maybe it's fried, or at least ❶_____ _____ a lot of oil. Popular foods usually ❷_____ _____ _____ _____, and that makes them delicious. However, these "delicious foods" are good for your mouth, but bad for your health. Try ❸_____ _____ _____, but healthier foods for your body.

4 고난도

다음을 듣고, 무엇에 관한 안내 방송인지 고르시오.

① 엘리베이터 고장　② 건물 대피　③ 층간 소음
④ 식사 예절　⑤ 층별 매장

M Your attention, please. The fire alarm is ringing now. Please go to the nearest exit and leave the building immediately. ❶_____ _____ _____ _____ the stairs and the main entrance. Remember to avoid using the elevators. If you are unable to ❷_____ _____ _____ _____ by yourself, our staff will help you. ❸_____ _____ _____ and do not rush.

---

¹ **traditional** 전통적인　**thinly sliced** 얇게 썬　² **mean** 의미하다　**be about to** 막 ~하려는 참이다　**power** 전기　**go out** (전기·전깃불이) 나가다(꺼지다)　³ **spicy** 매운　**flavor** 맛　⁴ **attention** 주의, 주목　**fire alarm** 화재 경보　**stairs** 계단　**avoid** 피하다　**by oneself** (남의 도움 없이) 혼자　**calm** 침착한, 차분한

5

다음을 듣고, 남자가 주장하는 것을 고르시오.

① 쉽게 포기하지 마라.　　② 자신감을 가져라.
③ 실패를 두려워하지 마라.　④ 새로운 것에 도전하라.
⑤ 성급하게 행동하지 마라.

M　Life is full of unknown things. Some people like to
❶ _____ _____ _____ . But others don't.
❷ _____ _____ _____ ? If you are open
to new things, you will learn from them. You'll get
more confidence as well as more knowledge.
Don't be afraid of trying new things. Just
❸ _____ _____ _____ _____ .

6　(★ 영국식 발음 녹음)

대화를 듣고, 여자가 겪은 상황과 가장 잘 어울리는 속담을 고르시오.

① Walls have ears.
② Easy come, easy go.
③ Better late than never.
④ Practice makes perfect.
⑤ There's no place like home.

┌─ ◑ 주제 바꾸기 ──────────────
By the way ~.
대화를 나누다가 화제를 전환할 때 쓰는 표현으로 Let's move on to ~.나 I'd
like to say something else ~.로도 쓸 수 있다.
└──────────────────────

M　Mina, ❶ _____ _____ _____ failed the
dance contest.
W　Yeah....
M　I never expected that. You've always ❷ _____
_____ _____ _____ in our school.
W　It was embarrassing. By the way, how did you
know that?
M　I heard it from one of my friends. Why?
W　❸ _____ _____ no one at our school saw
the contest.

7

다음을 듣고, 남자가 하는 말의 내용으로 가장 적절한 것을 고르시오.

① 시상식 안내　　　② 동료 소개
③ 수상 소감　　　　④ 새 음반 안내
⑤ 학부모의 날 행사 개최

┌─ ◑ 기쁨 표현하기 ──────────────
I can't express how much I appreciate this honor.
'나는 ~을 표현할 수 없어.'라는 의미로 기쁨을 표현할 때는 I can't express
how ~.를 쓸 수 있다.
└──────────────────────

M　Hi, everyone. I'm very glad to receive the award
for Musician of the Year. I can't express
❶ _____ _____ _____ _____ this
honor. I'd especially like to thank my parents
❷ _____ _____ _____ _____ .
Whenever I wanted to give up, they ❸ _____
_____ _____ . I really thank them for all
their help. This award is also for them.

8　… ◇고난도◇

대화를 듣고, 남자의 의견과 가장 잘 어울리는 속담을 고르시오.

① Two heads are better than one.
② The early bird catches the worm.
③ Actions speak louder than words.
④ Seeing is believing.
⑤ You can't judge a book by its cover.

W　Chris, ❶ _____ _____ _____ today.
M　Good idea! How about going to Wendy's
Restaurant?
W　You mean the small and old restaurant ❷ _____
_____ _____ ?
M　Right. I want to eat pizza there.
W　Hmm.... Actually, I don't like that old restaurant.
M　The restaurant doesn't look attractive. But my
friends told me that its pizza is the best in this
area.
W　❸ _____ _____ _____ _____ ? Okay,
let's try.

---

⁵ **be full of** ~으로 가득 차 있다　**unknown** 알려지지 않은　**confidence** 자신감　**A as well as B** B뿐만 아니라 A도　**knowledge** 지식　**give it a try** 시도하다, 한번 해
보다　⁶ **embarrassing** 난처한, 곤란한　⁷ **award** 상　**honor** 영예, 영광　**support** 지원, 지지　⁸ **attractive** 멋진, 매력적인　**judge** 판단하다　**cover** 표지

내용 일치

들려주는 내용과 일치하거나 일치하지 않는 것을 고르는 문제예요. 선택지에 제시되는 모든 정보를 듣는 내용과 비교하며 들어야 답을 찾을 수 있어요. 미리 선택지를 꼼꼼히 살펴보고 선택지 순서대로 파악하며 듣는 습관을 기르세요.

Focus • 일치하는(일치하지 않는) 것 방송 내용, 특정 사물, 영화, 특정인이 말하는 내용

유형잡는 대표기출 1

다음을 듣고, Highlands Zoo에 대한 내용으로 일치하지 않는 것을 고르시오.

① 전 세계의 많은 종류의 동물들이 있다. ② 중국에서 온 판다 두 마리가 있다.
③ 오늘 판다를 볼 수 있다. ④ 동물들에게 약간의 먹이를 줄 수 있다.
⑤ 동물 우리에 물건을 던지면 안 된다.

M Thank you for visiting the Highlands Zoo. We have many kinds of animals from all over the world. Let me tell you some special news before you look around the zoo. Two pandas arrived from China a month ago and you can see them today. Before we start, please remember you must not give any food to the animals. Also, you must not throw anything into the cage. Are you ready? Let's go!

> 들으면서 모든 선택지를 확인하라!
>
> 선택지의 내용이 순서대로 언급되는 경우가 많다. 대화를 들으며 일치하는 정보에 ○ 표시를, 일치하지 않는 정보에 ✕ 표시를 하여 대화가 모두 끝난 후 혼동이 없도록 하자.

유형잡는 대표기출 2

대화를 듣고, 여자가 다녀온 여행 내용으로 일치하지 않는 것을 고르시오.

① Singapore에 다녀왔다. ② 여행 기간 내내 비가 왔다. ③ 4일 동안 머물렀다.
④ 여행지에서 친구와 만났다. ⑤ 유명한 식당에 다녀왔다.

M Hey, Kate. How was your summer vacation?

W Hi, Minjun. It was wonderful. My family went to Singapore. The weather was beautiful all the time.

M Singapore? Wow, how long did you stay there?

W For four days.

M I see. What did you do there?

W We met my friend, Ming and went to a famous restaurant together.

M Oh, a famous restaurant? How was it?

W The food was really delicious. We had sea foods and traditional noodles.

> 모든 화자의 말을 잘 들어라!
>
> 특정 사물이나 상황에 대해 설명하는 대화에서 상대방의 질문에 중요한 단서가 나올 수 있고, 이에 대해 Yes/No로 간략하게 대답하는 경우가 있으므로 모든 정보와 단서를 놓치지 말자.

다음을 듣고, 여자의 말에 대한 내용으로 일치하지 않는 것을 고르시오.

① Dream Resort에서 머물 예정이다.
② 4일 동안 지금 도착한 숙소에 머물 것이다.
③ 오늘은 얼음낚시를 할 예정이다.
④ 오늘 저녁에는 비프 스테이크를 먹을 것이다.
⑤ 내일은 수영장을 무료로 이용할 수 있다.

W May I have your attention, please? We're finally here at Dream Resort.
We're going to stay here for 2 days. Today, we're going ice fishing on the
①   ③
river near here. After that, you will have beef steak for dinner. Tomorrow,
④
you can use the swimming pool and water slides for free in the resort. It
⑤
will be fun!

첫 부분이라고 얕보지
마라!

방송 내용은 주로 담화로
출제되며, 기장의 안내 방
송, 학교 방송 등이 주로
나온다. 첫 부분에 언급된
지명, 건물명, 인명 등도
문제로 나오는 경우가 있
으니 집중하여 듣자.

 Useful Expressions 문제에 꼭 나오는 표현 모음

● 다양한 소재 설명

〈휴대전화〉

• cellphone / cellular phone / mobile phone 휴대전화
• Please text me. 나에게 문자 보내 줘요.
• turn off(on) your cellphone 네 휴대전화를 끄다(켜다)
• cellphone charger 휴대전화 충전기 / contacts 연락처

〈놀이 기구〉

• ride the viking(pirate ship) 바이킹 타다
• You must be taller than 80 centimeters to go on this
  ride. 이 기구를 타려면 당신은 키가 80cm 이상이어야 해요.
• I'm dizzy. 나 어지러워.
• They are waiting in line to ride on the rollercoaster.
  그들은 롤러코스터를 타기 위해 줄을 서서 기다리고 있다.

〈연극〉

• play 연극 / stage 무대 / script 대본 / director 감독, 연출자
• character 등장인물 / plot 줄거리 / costume 의상, 분장

〈인터넷 예절〉

• netiquette 네티켓(인터넷 사용 시 지켜야 할 예절)
• use bad words 나쁜 말(욕설)을 사용하다
• private information 사생활 정보
• communicate online 온라인으로 통신(연락)하다
• write(leave) a comment 댓글을 달다(남기다)

Ladies and gentlemen, this is your captain speaking. Today, we will...
(신사 숙녀 여러분, 여러분의 기장이 말씀드립니다. 오늘, 우리는 …)

● 기내 방송

• flight attendant 승무원 / captain 기장
• flight 207 for Paris 파리행 207 비행기
• fasten(unfasten) a seatbelt 안전벨트를 매다(풀다)
• We will be taking off shortly. 곧 이륙하겠습니다.
• We will be landing in about 10 minutes.
  약 10분 후에 착륙하겠습니다.

● 학교 방송

• Attention, please. / May I have your attention, please?
  안내 말씀 드리겠습니다.
• The school sports day is coming up.
  학교 운동회 날이 다가오고 있습니다.
• Don't forget to ~. ~할 것을 잊지 마세요.

핵심 파고들기

» 정답과 해설 p.25

1 다음을 듣고, 여자의 말에 대한 내용으로 일치하지 <u>않는</u> 것을 고르시오.

① 오늘 방과 후에 교사와 학부모 간담회가 있다.
② 1교시를 일찍 시작한다.
③ 각 수업은 10분씩 단축된다.
④ 오늘 각 교시 수업 시간은 40분이다.
⑤ 오늘 수업은 3시에 종료한다.

NOTE

2 대화를 듣고, 효과적인 숙면에 대한 내용으로 일치하지 <u>않는</u> 것을 고르시오.

① 차를 마신다.
② 따뜻한 우유를 마신다.
③ 잠들기 직전에 샤워를 한다.
④ 침실을 어둡게 만든다.
⑤ 가벼운 저녁 식사를 한다.

3 대화를 듣고, 남자의 휴대전화에 대한 설명으로 일치하지 <u>않는</u> 것을 고르시오.

① 떨어뜨려서 액정 화면이 깨졌다.
② 한달 전에 구입했다.
③ 수리 비용은 200달러 정도이다.
④ 구입 가격이 수리 비용의 2배이다.
⑤ 남자는 휴대전화를 새로 구입할지 고민 중이다.

4 대화를 듣고, 눈썰매장 이용에 대한 설명으로 일치하는 것을 고르시오.

① 6세 미만의 어린이는 무료이다.
② 입장권의 가격은 어른은 10달러이고, 아이는 6달러이다.
③ 키가 120cm가 되지 않는 어린이는 눈썰매를 탈 수 없다.
④ 눈썰매장은 오후 5시에 문을 닫는다.
⑤ 눈썰매장의 개장 시간은 오전 10시이다.

5 다음을 듣고, 여자의 말에 대한 내용으로 일치하는 것을 고르시오.

① 오늘은 5월 8일이다.
② 버블 쇼는 주최측의 사정으로 취소되었다.
③ 페이스 페인팅 행사는 정문 앞에서 진행된다.
④ 영화는 1시에 상영된다.
⑤ 모든 사람에게 풍선을 나누어 준다.

6 대화를 듣고, 남자의 주문에 대한 내용으로 일치하지 <u>않는</u> 것을 고르시오.

① 치킨 버거를 주문했다.
② 음료수로 오렌지 주스를 주문했다.
③ 현금으로 계산하기를 원한다.
④ 멤버십 카드를 가지고 있지 않다.
⑤ 쿠폰을 사용하여 할인을 받았다.

7 다음을 듣고, 남자의 말에 대한 내용으로 일치하지 <u>않는</u> 것을 고르시오.

① 공항에서 방송되고 있다.
② 승객 한 명을 찾고 있다.
③ 비행기는 5분 후 이륙한다.
④ 탑승구는 15번 게이트이다.
⑤ 비행기는 부산에서 출발한다.

8 대화를 듣고, 내용과 일치하지 <u>않는</u> 것을 고르시오.

① 여자는 태국 여행을 예약하려 한다.
② 여행을 가려는 인원은 총 4명이다.
③ 여자는 5월 6일에 출발할 계획이다.
④ 10세 미만의 어린이는 상품 가격의 50%를 할인 받는다.
⑤ 요금의 일부를 입금하면 예약이 확정된다.

1

다음을 듣고, 여자의 말에 대한 내용으로 일치하지 <u>않는</u> 것을 고르시오.

① 오늘 방과 후에 교사와 학부모 간담회가 있다.
② 1교시를 일찍 시작한다.
③ 각 수업은 10분씩 단축된다.
④ 오늘 각 교시 수업 시간은 40분이다.
⑤ 오늘 수업은 3시에 종료한다.

W Attention, Westwood Middle School students.
❶ _____ _____ _____ _____, we
have parent-teacher meetings ❷ _____ _____
today. So we will ❸ _____ _____ _____
by 10 minutes. Each period will last for 40
minutes. As a result, today's last class will end at
3 o'clock, not 4. Thank you.

2 ★ 영국식 발음 녹음

대화를 듣고, 효과적인 숙면에 대한 내용으로 일치하지 <u>않는</u> 것을 고르시오.

① 차를 마신다.　　　　② 따뜻한 우유를 마신다.
③ 잠들기 직전에 샤워를 한다.　④ 침실을 어둡게 만든다.
⑤ 가벼운 저녁 식사를 한다.

W I can't get a good night's sleep these days.
M That's too bad. Why don't you ❶ _____ _____
_____ or warm milk?
W I do that every day.
M Then ❷ _____ _____ _____ _____
a couple of hours before going to bed.
W Will that really help?
M Of course! In addition, make your bedroom dark.
And remember that heavy dinners can keep you
from falling asleep.
W Thanks. ❸ _____ _____ _____ _____.

3

대화를 듣고, 남자의 휴대전화에 대한 설명으로 일치하지 <u>않는</u> 것을 고르시오.

① 떨어뜨려서 액정 화면이 깨졌다.
② 한달 전에 구입했다.
③ 수리 비용은 200달러 정도이다.
④ 구입 가격이 수리 비용의 2배이다.
⑤ 남자는 휴대전화를 새로 구입할지 고민 중이다.

W Oh, my gosh. ❶ _____ _____ _____
your cellphone?
M I accidentally dropped it yesterday and the screen
broke.
W But you bought it a month ago, didn't you?
M Right. Now, I have to spend another 200 dollars
to ❷ _____ _____ _____.
W ❸ _____ _____ _____ _____ to buy
a new cellphone with that money.
M I know. I'm seriously thinking of ❹ _____
_____ _____.

4 ··· 고난도

대화를 듣고, 눈썰매장 이용에 대한 설명으로 일치하는 것을 고르시오.

① 6세 미만의 어린이는 무료이다.
② 입장권의 가격은 어른은 10달러이고, 아이는 6달러이다.
③ 키가 120cm가 되지 않는 어린이는 눈썰매를 탈 수 없다.
④ 눈썰매장은 오후 5시에 문을 닫는다.
⑤ 눈썰매장의 개장 시간은 오전 10시이다.

W Next, please.
M I'd like to buy two snow sled tickets, one for me
and ❶ _____ _____ _____ _____.
W It's ❷ _____ _____ _____ _____
under 5 years old.
M Oh, she's 6 years old.

---

¹ shorten 단축하다　last 계속되다; 마지막의　as a result 결과적으로　² get a good night's sleep 충분한 숙면을 취하다　heavy dinner 많은 양의 저녁 식사　keep A
from -ing A가 ~하는 것을 막다　³ accidentally 우연히　drop 떨어뜨리다　seriously 진지하게　⁴ sled 썰매　slope 경사지, 눈썰매장

W Then it's $17, $10 for one adult and $7 for one child. But she has to be taller than 110 cm to ride the sled.

M That's fine. She is taller than that. Here is $17. When does the slope close?

W It closes at 6 p.m. You only have 1 hour left.

M I think we should ❸_____ _____ _____ _____. When does it open?

W It opens at 10 a.m. Enjoy the slope.

5

다음을 듣고, 여자의 말에 대한 내용으로 일치하는 것을 고르시오.
① 오늘은 5월 8일이다.
② 버블 쇼는 주최측의 사정으로 취소되었다.
③ 페이스 페인팅 행사는 정문 앞에서 진행된다.
④ 영화는 1시에 상영된다.
⑤ 모든 사람에게 풍선을 나누어 준다.

W ❶_____ _____ Children's Grand Park. Since it is Children's Day, we have some special events for children. We have a bubble show and a face-painting event in front of the fountain. We will also ❷_____ _____ _____ *Batman* in the theater at 1 p.m. If you are a child, ❸_____ _____ _____ get a balloon before you leave.

6

대화를 듣고, 남자의 주문에 대한 내용으로 일치하지 <u>않는</u> 것을 고르시오.
① 치킨 버거를 주문했다.
② 음료수로 오렌지 주스를 주문했다.
③ 현금으로 계산하기를 원한다.
④ 멤버십 카드를 가지고 있지 않다.
⑤ 쿠폰을 사용하여 할인을 받았다.

◉ 바람, 소원, 요망 표현하기
I'd like (to) ~
'나는 ~하고 싶다'라는 의미로 바람이나 소원을 표현할 때 쓰며, I'm looking forward to ~ / I wish ~ 등과 바꿔 쓸 수 있다.

W You have ordered a *bulgogi* burger, French fries, and orange juice. ❶_____ _____ _____?

M I ordered a chicken burger, not a *bulgogi* burger.

W Oops, sorry. And ❷_____ _____ _____ _____ to pay, cash or credit?

M I'd like to pay with cash.

W Do you have a membership card?

M No. What are the benefits for members?

W You can ❸_____ _____ _____ _____.

M Well, I'll get one next time.

8 ⬥고난도

대화를 듣고, 내용과 일치하지 <u>않는</u> 것을 고르시오.
① 여자는 태국 여행을 예약하려 한다.
② 여행을 가려는 인원은 총 4명이다.
③ 여자는 5월 6일에 출발할 계획이다.
④ 10세 미만의 어린이는 상품 가격의 50%를 할인 받는다.
⑤ 요금의 일부를 입금하면 예약이 확정된다.

[Telephone rings.]

M Red Balloon Tours. How may I help you?

W ❶_____ _____ _____ _____ a tour package to Thailand, the one for 4 days and 3 nights.

M For how many people? And on which date do you want to leave?

W We have four people, three adults and one 7-year-old boy. We want to leave on May 6. ❷_____ _____ _____?

M Yes, the package on that departure date is available, and the price is 50% off for children under 10.

W That's good. Do I ❸_____ _____ _____ now?

M Yes, but it will be canceled if you don't pay the full cost within 24 hours.

W Okay. I'll ❹_____ _____ _____ now.

---

⁵ **event** 행사, 이벤트 **bubble** 버블, 비눗방울 **fountain** 분수대 **balloon** 풍선 ⁶ **correct** 맞는, 정확한 **cash** 현금 **credit** 신용 카드 **membership** 회원(자격) **benefit** 혜택 ⁸ **tour package** 여행 상품 **departure** 출발 **available** 이용 가능한 **cancel** 취소하다 **charge** 요금 **pay for** 지불하다

도표 정보

막대 그래프, 원 그래프와 같은 도표, 초대장, 입장 안내문과 같은 다양한 시각 자료와 관련된 세부 정보가 옳은지를 묻는 문제예요. 비교급, 최상급이 그래프에 자주 등장하며, 시각·날짜·가격과 같은 숫자 정보도 자주 등장해요.

Focus ·**도표** 막대 그래프, 원 그래프 ·**광고문** 안내문, 초대장 ·**그 외** 달력, 메모

유형잡는 대표기출 1

다음을 듣고, 도표의 내용과 일치하지 <u>않는</u> 것을 고르시오.

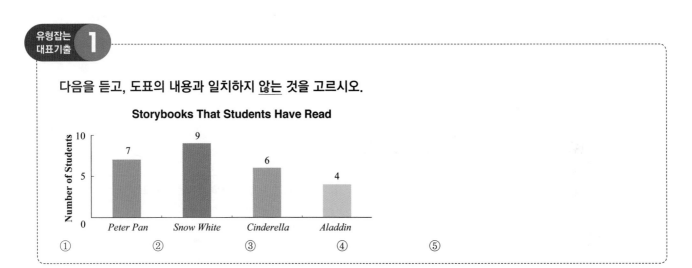

Storybooks That Students Have Read

① ② ③ ④ ⑤

① **W** *Peter Pan* was read by seven students.
② **W** *Snow White* was read by the largest number of students.
③ **W** *Cinderella* was read by more students than *Aladdin*.
④ **W** *Cinderella* was read by six students.
⑤ **W** *Aladdin* was read by ~~nine~~ students.
　　　　　　　　　　　　　└ four

📍 **도표를 미리 읽어라!**
미리 도표의 제목, 가로축, 세로축과 수치를 확인한 후 들으면 답을 고르기 수월하다. 또한 비교급, 최상급 표현이 자주 나오므로 미리 공부해 두자.

유형잡는 대표기출 2

다음을 듣고, 광고문의 내용과 일치하지 <u>않는</u> 것을 고르시오.

The Exhibition
The Magician of Colors, Chagall

Opening Hours	Ticket Price
• Tue – Sat: 10 a.m. – 9 p.m.	• Adults: $12
• Sun & Holidays: 10 a.m. – 8 p.m.	• Children (Age 7-12): $8
• Mon: CLOSED	

① ② ③ ④ ⑤

① **W** The opening hour is 10 a.m. on Fridays.
② **W** You can't enter after 8 p.m. on Sundays.
③ **W** The exhibition is closed every Monday.
④ **W** Ticket price is $12 for adults.
⑤ **W** You can get a discount if you are ~~13~~ years old.
　　　　　　　　　　　　　　　　└ 12

📍 **시간과 가격을 확인하라!**
전시나 공연 광고문에는 시간과 가격 정보가 꼭 나온다. 요일에 따른 개장 시간, 나이에 따른 입장료의 차이에 주목하자.

다음을 듣고, 광고문의 내용과 일치하지 <u>않는</u> 것을 고르시오.

2018 Weekend Classes

Title	Day & hours	Fee
Family Newspaper	Sat. 09 : 00 ~ 12 : 00	$15
Cake Baking	Sat. 14 : 00 ~ 16 : 00	$24
Card Magic	Sun. 09 : 00 ~ 11 : 30	$20
Clay Art	Sun. 14 : 00 ~ 17 : 00	$30

①   ②   ③   ④   ⑤

① **W**   These four classes are for Saturdays or Sundays.

② **W**   You can take the Family Newspaper class in the morning.

③ **W**   The Cake Baking class fee is $24.

④ **W**   You have to pay $15 for the Card Magic class.
                                $20

⑤ **W**   The Clay Art class is the most expensive one.

광고문의 제목으로 주제를 재빨리 파악하라!

생소한 도표의 경우 무슨 표일까 하고 생각하는 순간 선택지가 다 지나가 버린다. 도표 제목은 내용을 한눈에 요약해 준다.

Useful Expressions
문제에 꼭 나오는 표현 모음

● 도표

Fruit Preferences

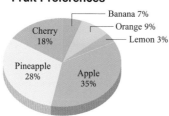

- bar graph 막대 그래프 / pie chart 원 그래프
- increased(= went up) 늘었다 / decreased(= went down) 줄었다
- more(less) ~보다 더(덜) 한 / compared with ~와 비교하여
- Apples(Lemons) are the most(least) popular fruits with students. 사과(레몬)가 학생들에게 가장 인기가 많은(없는) 과일이다.
- Twenty-eight percent of the students like pineapples. 28%의 학생들이 파인애플을 좋아한다.
- Lemons are not as popular as bananas. 레몬은 바나나만큼 인기가 있지 않다.

● 안내문

- The store is open from Monday to Friday. 그 가게는 월요일부터 금요일까지 영업한다.
- The admission for children under 12 is free. 12세 미만 어린이는 입장료가 무료이다.
- Groups of 15 or more receive a 20% discount. 15명 이상의 단체는 20%의 할인을 받는다.
- You should not drink here. 여기서 음료를 마셔서는 안됩니다.

● 메모

- message 메시지, 용건 / date 날짜 / cancel 취소하다
- to ~에게 / from ~으로부터
- put off 연기하다 / appointment 약속 / call back 다시 전화 걸다

● 초대장

- throw(have) a party 파티를 열다 / invitation 초대
- housewarming party 집들이 / engagement party 약혼식
- farewell party 환송회 / birthday party 생일 파티
- Snacks will be provided. 스낵이 제공될 것입니다.

핵심 파고들기

» 정답과 해설 p.27

1 다음을 듣고, 안내문의 내용과 일치하지 <u>않는</u> 것을 고르시오.

Houston Zoo

<u>Ticket Prices</u>
* Children (Age under 2): FREE / (Age 2-13): $12
* Teenagers (Age 14-19): $13
* Adults (Age 20-64): $15 / (Age 65+): $8.50

<u>Opening Hours</u>
* Tuesday – Friday: 9 a.m. – 6 p.m.
* Saturday, Sunday: 9 a.m. – 8 p.m.
* Monday: CLOSED

① ② ③ ④ ⑤

2 다음을 듣고, 도표의 내용과 일치하지 <u>않는</u> 것을 고르시오.

Bill's English Score

① ② ③ ④ ⑤

3 대화를 듣고, 오늘의 날짜를 고르시오.

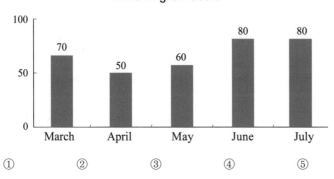

May

Sun	Mon	Tue	Wed	Thu	Fri	Sat
			1	2	3	4
①5	②6	7	③8	9	10	11
12	13	14	④15	16	17	⑤18

4 다음을 듣고, 도표의 내용과 일치하지 <u>않는</u> 것을 고르시오.

Pets That Claire's Classmates Raise

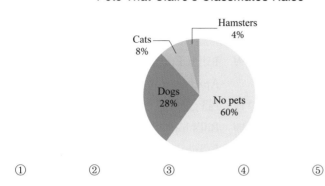

①   ②   ③   ④   ⑤

5 대화를 듣고, 대화의 내용과 일치하지 <u>않는</u> 것을 고르시오.

Memo

To: ① *6th grade class president*

From: ② *Mr. Johnson*

Message: ③ *Stay in the classroom for P.E. class (5th period).*

Date: ④ *Wednesday, April 21*

Things to prepare: ⑤ *P.E. textbook*

고난도

6 다음을 듣고, 초대장의 내용과 일치하지 <u>않는</u> 것을 고르시오.

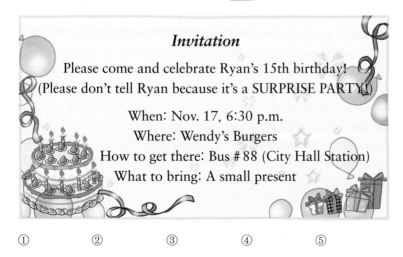

Invitation
Please come and celebrate Ryan's 15th birthday!
(Please don't tell Ryan because it's a SURPRISE PARTY!)

When: Nov. 17, 6:30 p.m.
Where: Wendy's Burgers
How to get there: Bus # 88 (City Hall Station)
What to bring: A small present

①   ②   ③   ④   ⑤

1

다음을 듣고, 안내문의 내용과 일치하지 <u>않는</u> 것을 고르시오.

Houston Zoo

Ticket Prices
* Children (Age under 2): FREE / (Age 2-13): $12
* Teenagers (Age 14-19): $13
* Adults (Age 20-64): $15 / (Age 65+): $8.50

Opening Hours
* Tuesday – Friday: 9 a.m. – 6 p.m.
* Saturday, Sunday: 9 a.m. – 8 p.m.
* Monday: CLOSED

① ② ③ ④ ⑤

① **W** Children under two can enter the zoo **❶**_____ _____.

② **W** Adults under 64 **❷**_____ _____ _____ 15 dollars to enter the zoo.

③ **W** Adults over 65 can purchase a ticket for less than 10 dollars.

④ **W** On weekends, **❸**_____ _____ _____ _____ 6 p.m.

⑤ **W** The zoo is open every day except Monday.

2 ★ 영국식 발음 녹음

다음을 듣고, 도표의 내용과 일치하지 <u>않는</u> 것을 고르시오.

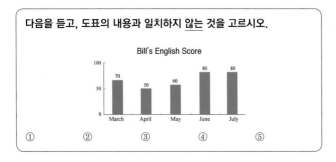

① ② ③ ④ ⑤

① **W** Bill's English score **❶**_____ _____ in April than in March.

② **W** Bill got **❷**_____ _____ _____ in April.

③ **W** Bill's highest score was 80.

④ **W** In July, Bill got the same score as in June.

⑤ **W** Bill's grade increased by 20 **❸**_____ _____ _____ from the last month.

3

대화를 듣고, 오늘의 날짜를 고르시오.

May

Sun	Mon	Tue	Wed	Thu	Fri	Sat
			1	2	3	4
①5	②6	7	③8	9	10	11
12	13	14	④15	16	17	⑤18

M **❶**_____ _____ _____ _____ yesterday, Jessica?

W I had my birthday party **❷**_____ _____ _____.

M Oh, were you born on Children's Day?

W Yeah. And my brother was born on Parents' Day, and my dad was born on Teachers' Day.

M **❸**_____ _____.

---

¹ **under** (양·나이 등이) ~ 미만의 **enter** 들어가다, 입장하다 **for free** 무료로 **adult** 성인 **pay** 지불하다 **over** ~ 이상의 **purchase** 구입하다 **except** ~을 제외하고는 ² **score** 점수 **low** 낮은 **grade** 성적, 학점 **increase** 오르다, 증가하다 ³ **have a party** 파티를 열다 **be born** 태어나다

4

다음을 듣고, 도표의 내용과 일치하지 <u>않는</u> 것을 고르시오.

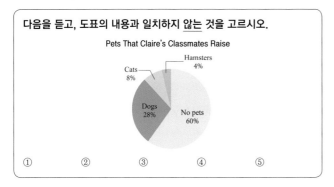

Pets That Claire's Classmates Raise

Hamsters 4%
Cats 8%
Dogs 28%
No pets 60%

① ② ③ ④ ⑤

① **W** There are more students who have cats than hamsters.

② **W** Sixty ❶ _____ _____ _____ _____ don't have any pets.

③ **W** Dogs are the most popular pet that ❷ _____ _____.

④ **W** ❸ _____ _____ _____ eight students raise cats.

⑤ **W** Four percent of the students raise hamsters.

5

대화를 듣고, 대화의 내용과 일치하지 <u>않는</u> 것을 고르시오.

Memo

To: ① *6th grade class president*
From: ② *Mr. Johnson*
Message: ③ *Stay in the classroom for P.E. class (5th period).*
Date: ④ *Wednesday, April 21*
Things to prepare: ⑤ *P.E. textbook*

◉ 경고하기

Be sure to ~
'꼭(틀림없이) ~해야 해'라는 의미이며 다른 사람에게 할 일을 확인시키는 말로 쓰인다.

M Are you ❶ _____ _____ _____ class president?

W No, she went to the restroom. What's up?

M Here's ❷ _____ _____ _____ Mr. Johnson. Please give it to her.

W Sure. What is it about?

M He says not to come to the gym for P.E. class tomorrow.

W Do you mean on Wednesday?

M Right. Just ❸ _____ _____ _____ _____ and be sure to prepare your notebooks.

6 ··· 고난도

다음을 듣고, 초대장의 내용과 일치하지 <u>않는</u> 것을 고르시오.

Invitation

Please come and celebrate Ryan's 15th birthday!
(Please don't tell Ryan because it's a SURPRISE PARTY!)

When: Nov. 17, 6:30 p.m.
Where: Wendy's Burgers
How to get there: Bus # 88 (City Hall Station)
What to bring: A small present

① ② ③ ④ ⑤

① **W** This is an invitation card for Ryan's birthday.

② **W** Ryan's birthday party ❶ _____ _____ _____ 5:30 p.m.

③ **W** The party will be held ❷ _____ _____ _____ named Wendy's Burgers.

④ **W** You have to take bus number 88 to City Hall Station.

⑤ **W** ❸ _____ _____ _____ _____ to bring a small present.

---

⁴ pet 애완동물 popular 인기 있는 raise (아이·동물 등을) 키우다, 기르다 a total of 총 ~의 ⁵ grade 학년; 점수 class president (학급의) 반장 restroom 화장실 gym 체육관 P.E. (학교의) 체육 ⁶ invitation card 초대장 be held 열리다 present 선물

어색한 대화 고르기

짝지어진 대화의 연결이 어색한 것을 고르는 문제예요. 주로 의문문에 대해 대답하는 형식의 대화가 주어지지만, 평서문 – 평서문, 평서문 – 의문문의 대화도 있으니 주의해서 들어야 해요.

Focus
- 의문문 – 응답 형식의 대화
  Who/When/What ~? …   Do you/Will you/Can you/May I ~? …
- 평서문 – 응답 형식의 대화 명령문, 감탄문 …

유형잡는 대표기출 1

대화를 듣고, 두 사람의 대화가 <u>어색한</u> 것을 고르시오.

①   ②   ③   ④   ⑤

① **W**   Why are you late?

    M   I'm sorry. I missed the bus.

② **W**   What are you going to do this Saturday?
                        └─ 미래 시제

    M   I went to America three years ago.
           └─ 과거 시제

③ **W**   Sam, have you ever met Jenny?

    M   No, I haven't.

④ **W**   Watch out! There is a car coming!

    M   Oh, my! Thank you.

⑤ **W**   Tony! I lost my bag. What should I do?

    M   Don't worry. Let's find it together.

> **의문사와 시제에 주목하라!**
>
> 의문사로 시작하는 의문문에서는 의문사와 대답이 밀접한 관계를 가지므로 의문사가 무엇을 묻는지 정확히 이해해야 한다. 또한 의문문의 시제에 맞게 대답했는지 기억해야 한다.

유형잡는 대표기출 2

대화를 듣고, 두 사람의 대화가 <u>어색한</u> 것을 고르시오.

①   ②   ③   ④   ⑤

① **W** Can I talk to you for a minute?   **M** Sorry, I'm busy right now.
                                                 ─ 거절의 대답

② **W** Would you like something to drink?   **M** No, thank you. ─ 거절의 대답

③ **W** Can I use your phone for a minute?   **M** Sure. Go ahead. ─ 허가의 대답

④ **W** When will you come back home?

                              └─ 미래 시제

    M Yes, I came back yesterday.
                  └─ 과거 시제로 답함.

⑤ **W** May I help you?   **M** Yes, I'm looking for a blue shirt. ─ 긍정의 대답

> **주요 기능문을 익혀라!**
>
> 감사, 제안, 거절, 승낙, 허가 등과 같은 기능적 표현들이 대화에 자주 등장하므로 이런 표현들은 미리 익혀둔다. 또한 대답의 시제가 맞는지도 잘 들어야 한다.

유형잡는 대표기출 **3**

대화를 듣고, 두 사람의 대화가 <u>어색한</u> 것을 고르시오.

①   ②   ③   ④   ⑤

① **W** How often do you play soccer?   **M** Once a week.

② **W** What do you want to wear?   **M** I want to wear blue jeans.

③ **W** Can you fix my skateboard?   **M** Let me see. I'll try.

④ **W** How do you get to the library?   **M** I don't feel well.
        └─ 교통수단을 묻는 질문   └─ 건강 상태를 답하는 말

⑤ **W** Thank you for your help.   **M** Sure, anytime!

> **질문의 내용을 정확히 이해해라!**
>
> 의문사가 있는 의문문이 구체적으로 묻고 있는 것이 무엇인지 정확하게 이해해야 한다. 첫 부분만 듣고 내용을 짐작하지 않는다.

Useful Expressions   문제에 꼭 나오는 표현 모음

Did you change your hairstyle? (너는 헤어 스타일을 바꿨니?)

Yes, I did. (응, 그랬어.)

● **의문사 의문문 – 응답**

• Why did you argue with her? – Because she teased me.   넌 왜 그녀와 싸웠니? – 왜냐하면 그녀가 날 놀렸기 때문이야.

• Where are you going to meet him? – At the gym.
너는 그를 어디서 만날 거야? – 체육관에서.

• Who is that boy wearing the blue cap? – He is my cousin.   파란 모자를 쓰고 있는 저 소년은 누구니? – 내 사촌이야.

• How do you go to school? – By subway.
너는 학교에 어떻게 가니? – 지하철 타고.

• How often do you eat out? – I eat out once a week.
너는 얼마나 자주 외식을 하니? – 나는 일주일에 한 번 외식해.

• How long will you stay in Paris? – About five days.
너는 파리에 얼마나 머무를 거니? – 5일 정도.

● **일반 의문문 – 응답**

• Did you buy anything at the mall? – Yes, I bought a cap.   넌 쇼핑몰에서 뭐 좀 샀니? – 응, 난 모자를 샀어.

• Are you interested in classical music? – Yes, I am.
너는 고전(클래식) 음악에 관심이 있니? – 응, 있어.

• Is there a park near here? – Yes, it's right across the street.   이 근처에 공원이 있니? – 응, 바로 길 건너편에 있어.

• Have you ever been to Hawaii? – No, I haven't.
너는 하와이에 가 본 적 있니? – 아니, 난 없어.

● **평서문 – 응답**

• I'd like to buy a ticket for Busan. – Sorry, but no seats are left.   전 부산행 표를 한 장 사고 싶어요. – 죄송하지만 남은 좌석이 없습니다.

• I'm looking for a blue shirt. – Sure. The blue shirts are right over there.
저는 파란 셔츠를 찾고 있어요. – 네. 파란 셔츠들은 저기 있어요.

● **주요 기능문**

• Do you mind if I open the door? – No, I don't mind at all.   문을 열어도 될까요? – 네, 그럼요.

• I'm sorry to hear that. (유감 표현) / I'd love to. (수락) / You can say that again. (동의) / I'm afraid I can't. (거절)

핵심 파고들기

» 정답과 해설 p.29

1 대화를 듣고, 두 사람의 대화가 <u>어색한</u> 것을 고르시오.

①   ②   ③   ④   ⑤

NOTE

2 대화를 듣고, 두 사람의 대화가 <u>어색한</u> 것을 고르시오.

①   ②   ③   ④   ⑤

3 대화를 듣고, 두 사람의 대화가 <u>어색한</u> 것을 고르시오.

①   ②   ③   ④   ⑤

고난도

4 대화를 듣고, 두 사람의 대화가 <u>어색한</u> 것을 고르시오.

①   ②   ③   ④   ⑤

5 대화를 듣고, 두 사람의 대화가 <u>어색한</u> 것을 고르시오.

①   ②   ③   ④   ⑤

6 대화를 듣고, 두 사람의 대화가 <u>어색한</u> 것을 고르시오.

①   ②   ③   ④   ⑤

7 대화를 듣고, 두 사람의 대화가 <u>어색한</u> 것을 고르시오.

①   ②   ③   ④   ⑤

고난도

8 대화를 듣고, 두 사람의 대화가 <u>어색한</u> 것을 고르시오.

①   ②   ③   ④   ⑤

1

대화를 듣고, 두 사람의 대화가 어색한 것을 고르시오.
① ② ③ ④ ⑤

① M Do you mind if I borrow your English book?
　W No, I don't ❶_____ _____ _____.
② M Why were you late this morning?
　W I missed the bus.
③ M Will you ❷_____ _____ _____
　　　_____?
　W That sounds good.
④ M Thank you for helping me with my math homework.
　W ❸_____ _____ _____.
⑤ M What prize did you get in the dance contest?
　W I'm so happy to hear that.

2

대화를 듣고, 두 사람의 대화가 어색한 것을 고르시오.
① ② ③ ④ ⑤

① M What are you interested in?
　W I'm into rock music.
② M Can I have two hamburgers to go?
　W Of course. ❶_____ _____ _____.
③ M I got all A's on my mid-term exams.
　W Wow! I ❷_____ _____ _____.
④ M Do you know ❸_____ _____ _____ crayons?
　W Sure. I can lend you mine.
⑤ M Excuse me. Where is the restroom?
　W It's on the second floor.

3

대화를 듣고, 두 사람의 대화가 어색한 것을 고르시오.
① ② ③ ④ ⑤

① M How long will you stay in Busan?
　W It takes four hours.
② M What did you think of the soccer match yesterday?
　W Well, ❶_____ _____ _____ _____ quite exciting.
③ M I helped my mom plant those flowers.
　W ❷_____ _____ _____ _____!
④ M Do you believe Jake will come to the party?
　W Yes. I have no doubt.
⑤ M Did you change your hairstyle?
　W Yes, I ❸_____ _____ _____ _____ _____.

4 ··· 고난도

● 걱정, 두려움 표현하기 ┄┄┄┄┄┄┄┄┄┄┄┄┄┄
I'm (rather) worried about ~
'난 ~이 (다소) 염려스럽다'라는 의미로 걱정이나 두려움을 표현할 때 쓸 수 있다. I'm (rather) anxious about ~으로 바꿔 쓸 수 있다.

① M May I leave a message for him?
　W Sure. ❶_____ _____ _____ _____.
② M Is there a camera shop near here?
　W Yes, we have many kinds of cameras.
③ M ❷_____ _____ _____ _____ if I forget my lines on the stage?
　W Come on. That won't happen.

---

¹ **join** 함께하다 **prize** 상, 상품 ² **be into** ~에 빠져 있다 **restroom** (공공장소의) 화장실 ³ **match** 경기, 시합 **quite** 꽤, 상당히 **plant** 심다 **doubt** 의심, 의문
⁴ **hold on** (전화에서) 잠시 기다리다 **line** (연극·영화의) 대사 **stage** 무대 **be afraid of** ~을 두려워하다 **transfer to** ~으로 전학 가다

④ M Are you afraid of transferring to a new school?

W I'm rather ❷ _____ _____ _____.

⑤ M Go ahead. Help yourself to this soup.

W No, thanks. I'm full.

5

대화를 듣고, 두 사람의 대화가 <u>어색한</u> 것을 고르시오.

①   ②   ③   ④   ⑤

① M Do you know the tall woman over there?

W Yes, she is my aunt.

② M May I see your passport, sir?

W ❶ _____ _____ _____.

③ M Can I ❷ _____ _____ _____ on this?

W Sure. Please give me your receipt.

④ M What time do we need to be at the airport?

W Let's make it by 3 o'clock.

⑤ M Why do you ❸ _____ _____ ?

W Come on. We'll miss you a lot.

6 ★ 영국식 발음 녹음

대화를 듣고, 두 사람의 대화가 어색한 것을 고르시오.

①   ②   ③   ④   ⑤

① M Hello. ❶ _____ _____ _____ _____ for you?

W I'm looking for running shoes.

② M What does your sister ❷ _____ _____ ?

W She is tall and has bright blue eyes.

③ M Would you like to come to my birthday party this Saturday?

W ❸ _____ _____ _____ _____.

④ M How often do you go jogging?

W I usually jog about one mile.

⑤ M I'm so sad because my dog is very sick.

W I am sorry to hear that.

7

대화를 듣고, 두 사람의 대화가 <u>어색한</u> 것을 고르시오.

①   ②   ③   ④   ⑤

◉ 동의하기

That makes two of us.
'나도 마찬가지야.'라는 의미로, 상대방의 말이나 생각에 동의하기 위한 표현이다. Me, too. / I agree. / I think the same. 등과 바꿔 쓸 수 있다.

① M May I borrow this book?

W That ❶ _____ _____ _____ _____.

② M What are you going to make for your art homework?

W I'm going to make a vase.

③ M ❷ _____ _____ _____ go have ice cream now?

W I'd love to, but I can't.

④ M Does the airplane depart at 11:00?

W Yes, it does.

⑤ M I heard you ❸ _____ _____ _____. Congratulations!

W Thank you.

8 ··· ◇고난도◇

대화를 듣고, 두 사람의 대화가 어색한 것을 고르시오.

①   ②   ③   ④   ⑤

① M Did you have a lot of fun in Hawaii?

W Yes, I visited so many wonderful places.

② M Why don't you ❶ _____ _____ _____ a doctor right now?

W Exactly. I want to be a doctor in the future.

③ M Which stop should I ❷ _____ _____ at?

W Get off at the second stop from here.

④ M How do you stay so healthy?

W I never skip meals, and I go jogging every morning.

⑤ M ❸ _____ _____ _____ _____ the dance contest tomorrow?

W Yes. I'm so nervous.

---

⁵ receipt 영수증 depressed 우울한, 침울한 ⁶ look for ~을 찾다 running shoes 운동화 go jogging 조깅하러 가다 ⁷ vase 꽃병 depart 떠나다, 출발하다
⁸ visit 방문하다 see a doctor 진찰을 받다 get off 내리다 stay healthy 건강을 유지하다 skip a meal 식사를 거르다 nervous 불안해하는

적절한 응답 찾기

대화를 듣고 마지막 말에 자연스러운 응답을 찾거나, 특정 상황을 담화로 듣고 그 상황에서 상대방에게 할 수 있는 말을 고르는 문제예요. 선택지가 모두 영어로 출제되므로 문제를 풀기 전에 선택지를 미리 읽어 두면 도움이 돼요.

Focus
- **마지막 말에 이어질 말** 의문문에 이어질 응답, 평서문에 이어질 응답
- **상황에 적절한 말** ~가 …에게 할 말

유형잡는 대표기출 1

대화를 듣고, 여자의 마지막 말에 이어질 남자의 응답으로 가장 적절한 것을 고르시오.

Man: _____

① Enjoy your meal.　　　　② See you next time.
③ Have a wonderful time.　　④ Text him that you are sorry.
⑤ Of course, I'll be there on time.

W　Chris, I have something to tell you.　　M　What is it, Mina?
W　I had some trouble with Danny.　　M　What happened?
W　I forgot to do my part of the group project, so we couldn't finish it in time.
M　Really?　　　　　　　　W　Yeah, so I think he's angry at me.
M　He must be upset. Did you try to call him?
W　I did, but he didn't answer my call. What should I do?

> 🔍 **마지막 말은 절대 놓치지 마라!**
> 마지막 말에 이어질 응답을 찾는 문제에서는 마지막 질문을 놓치지 않는 것이 중요하다. 중요한 단서가 나오므로 마지막 말에 집중하자.

유형잡는 대표기출 2

대화를 듣고, 남자의 마지막 말에 이어질 여자의 응답으로 가장 적절한 것을 고르시오.

Woman: _____

① Please help yourself.　　　② Happy birthday to you!
③ Let me introduce my family.　④ Thank you for joining our club.
⑤ Really? That's very sweet of you.

W　Alex. What are you going to do this weekend?
M　I'm going to Central Park with my friends.
W　That sounds fun. I love Central Park. What are you going to do?
M　We're going to ride our bikes there. How about going with us?
W　Thanks, but I don't know how to ride a bike.
M　Don't worry. I'll teach you how.

> 🔍 **선택지로 소재를 미리 파악하라!**
> 영어로 된 선택지들을 훑어보면 대화의 소재를 파악할 수 있다. 선택지를 읽으며 대화에 등장할 소재나 화제를 미리 예측해 보자.

다음을 듣고, James가 민지에게 할 말로 가장 적절한 것을 고르시오.

James: _____

① I like badminton the most.
② I want to win every game.
③ Congratulations! You won the game!
④ Hurry up! I need to do my homework.
⑤ Don't be disappointed. You will do better next time.

W Minji and James like playing badminton. Every Sunday, they play badminton at a park together. Today, they went to the park to play badminton. Minji wanted to win the game this time. However, she lost the game. In this situation, what could James say to Minji to encourage her?

등장 인물과 사건을 들어라!

누가 등장하는지 지시문에 미리 주어지므로 담화 속 등장 인물의 이름을 잘 듣고 그들이 처한 주요 사건을 파악하자.

Useful Expressions 문제에 꼭 나오는 표현 모음

How long will you stay here?
(이곳에 얼마 동안 머무를 예정인가요?)

I will stay here for six days and five nights.
(이곳에서 5박 6일 동안 머무를 예정이에요.)

● 의문문 – 응답

• How does this dress look on me? – It looks good on you. 이 원피스는 나한테 어때? – 너에게 잘 어울려.
• Do you think he will win the race? – Sure, I do.
  그가 경주에서 이길 거라고 생각하니? – 물론, 그렇게 생각해.

● 평서문 – 응답

• My sister broke her right arm while skiing. – I'm sorry to hear that. 우리 언니가 스키를 타다가 오른쪽 팔이 부러졌어.
  – 그 말을 들으니 안타깝다.
• That's a beautiful necklace you're wearing. – Thanks. I bought it yesterday.
  넌 참 아름다운 목걸이를 하고 있구나. – 고마워. 어제 구입했어.

● 상황을 묻는 질문

• In this situation, what would(could) Mr. Kim say to Mina? 이 상황에서, 김 선생님은 미나에게 뭐라고 말하겠습니까?
• In this situation, what could James (most likely) say to Jina to encourage her? 이 상황에서, James는 지나를 격려하기 위해 뭐라고 (가장) 말할 것 같은가?

● 상황에 적절한 응답하기

〈감사·사과하기〉

• Thank you for the birthday gift. 생일 선물 고마워.
• I can't thank you enough. 그저 감사할 따름이에요.
• Forgive me for being late. 늦어서 죄송합니다.
• I'm sorry. It was my fault. 미안해. 그것은 내 실수였어.

〈위로·격려하기〉

• Everything will be okay. 모두 다 잘될 거야.
• You can do it! Go for it. 넌 할 수 있어! 힘내렴.
• What a pity! try to cheer up. 안됐구나! 기운을 내도록 해.

〈권유·제안하기〉

• Help yourself (to ~). (~을) 마음껏 드세요.
• Would you like some more milk? 우유 좀 더 드려요?
• How about working as a freelancer?
  프리랜서로 일하는 게 어때요?

핵심 파고들기

» 정답과 해설 p.32

NOTE

1 대화를 듣고, 여자의 마지막 말에 이어질 남자의 응답으로 가장 적절한 것을 고르시오.

Man: _____

① My laptop is not new.
② How about using my laptop?
③ I don't know how to fix the computer.
④ Then wait a moment. I have something urgent to do.
⑤ Don't worry about it. I'll help your homework.

2 대화를 듣고, 여자의 마지막 말에 이어질 남자의 응답으로 가장 적절한 것을 고르시오.

Man: _____

① Where does it hurt?
② You don't have to wait for me.
③ You should wait more than 15 minutes.
④ Your doctor's appointment has been canceled.
⑤ It'll take about five minutes to get to the nearest hospital.

3 다음을 듣고, Peter가 Wilson 선생님에게 할 말로 가장 적절한 것을 고르시오.

Peter: _____

① You can call me Peter.
② Let me introduce myself.
③ My name was not called.
④ You already called my name.
⑤ Your name is not on the list.

고난도

4 대화를 듣고, 여자의 마지막 말에 이어질 남자의 응답으로 가장 적절한 것을 고르시오.

Man: _____

① No, thanks. I'll call you back.
② I'd like to check in.
③ That leaves me no choice. I'll take the room.
④ I need to make a reservation for one night.
⑤ I'm sorry, but you can't cancel your reservation.

5 대화를 듣고, 남자의 마지막 말에 이어질 여자의 응답으로 가장 적절한 것을 고르시오.

Woman: _____

① Please enjoy your stay.
② Yes, let me pay by credit card.
③ You may keep the change.
④ No, I don't need it.
⑤ Sure. I'm glad you like it.

6 대화를 듣고, 남자의 마지막 말에 이어질 여자의 응답으로 가장 적절한 것을 고르시오.

Woman: _____

① Please leave me alone.
② Sure. Let's bake them together.
③ Thanks, but I can fix it myself.
④ I'm afraid they are not delicious.
⑤ What do you think of my cookies?

7 대화를 듣고, 여자의 마지막 말에 이어질 남자의 응답으로 가장 적절한 것을 고르시오.

Man: _____

① Don't worry. I will.
② What can I do for you?
③ That's too bad. I'm sorry to hear that.
④ You'd better share your place with others.
⑤ Cheer up. You'll do better next time.

고난도

8 다음을 듣고, Esther가 점원에게 할 말로 가장 적절한 것을 고르시오.

Esther: _____

① May I change the size?
② Sorry, but this is too expensive.
③ I want to get a refund for this blouse.
④ Excuse me. I'm looking for a blouse.
⑤ I'd like to buy one more blouse in another color.

1

대화를 듣고, 여자의 마지막 말에 이어질 남자의 응답으로 가장 적절한 것을 고르시오.

Man: _____

① My laptop is not new.
② How about using my laptop?
③ I don't know how to fix the computer.
④ Then wait a moment. I have something urgent to do.
⑤ Don't worry about it. I'll help your homework.

W Dad, ❶ _____ _____ _____ _____ _____ for about an hour?

M Why?

W I need to ❷ _____ _____ _____ for my science homework.

M What about your desktop computer? ❸ _____ _____ _____ _____ it?

W It is not working, so I can't use it now.

M Then wait a moment. I have something urgent to do.

2

대화를 듣고, 여자의 마지막 말에 이어질 남자의 응답으로 가장 적절한 것을 고르시오.

Man: _____

① Where does it hurt?
② You don't have to wait for me.
③ You should wait more than 15 minutes.
④ Your doctor's appointment has been canceled.
⑤ It'll take about five minutes to get to the nearest hospital.

W Good morning. I'd like to see a doctor.

M Okay. Is this the first time ❶ _____ _____ _____ our hospital?

W No, ❷ _____ _____ _____ _____ before.

M May I have your name, please?

W It's Mary Williams. How long will I have to wait to ❸ _____ _____ _____ ?

M You should wait more than 15 minutes.

3 ★ 영국식 발음 녹음

다음을 듣고, Peter가 Wilson 선생님에게 할 말로 가장 적절한 것을 고르시오.

Peter: _____

① You can call me Peter.
② Let me introduce myself.
③ My name was not called.
④ You already called my name.
⑤ Your name is not on the list.

W It was the first day of school. Peter went into the classroom and ❶ _____ _____ _____ his classmates. ❷ _____ _____ _____, Ms. Wilson came and introduced herself. Then, she ❸ _____ _____ the students' names to see if everybody was there. But she missed Peter's name. In this situation, what would Peter say to Ms. Wilson?

4 … 고난도

대화를 듣고, 여자의 마지막 말에 이어질 남자의 응답으로 가장 적절한 것을 고르시오.

Man: _____

① No, thanks. I'll call you back.
② I'd like to check in.
③ That leaves me no choice. I'll take the room.
④ I need to make a reservation for one night.
⑤ I'm sorry, but you can't cancel your reservation.

[Telephone rings.]

W Lakewood Hotel. May I help you?

M Do you have any rooms available for tonight?

---

¹ **urgent** 긴급한, 중요한 ² **see a doctor** 진찰을 받다 **appointment** 약속 ³ **after a while** 잠시 후 **introduce oneself** 자기자신을 소개하다 **miss** 빠트리다, 빼먹다 ⁴ **available** 구할(이용할) 수 있는 **double** 2인실 **price** 가격 **tax** 세금 **service charge** 봉사료 **leave ~ no choice** ~에게 선택의 여지를 남기지 않다

W ❶ _____ _____ _____ _____ would you like, sir?

M I have two kids, so I prefer a double with two queen-sized beds.

W No problem. And ❷ _____ _____ _____ _____ two hundred dollars per night plus a 10% tax and a 10% service charge.

M That's pretty expensive. Don't you have a cheaper room?

W ❸ _____ _____ _____ _____ for tonight.

M That leaves me no choice. I'll take the room.

5

대화를 듣고, 남자의 마지막 말에 이어질 여자의 응답으로 가장 적절한 것을 고르시오.

Woman: _____

① Please enjoy your stay.
② Yes, let me pay by credit card.
③ You may keep the change.
④ No, I don't need it.
⑤ Sure. I'm glad you like it.

◉ 반복 요청하기
Pardon me?
상대방의 말을 못 알아들었을 때 다시 말해 달라고 요청할 때 쓸 수 있는 표현으로, 정중하게 Would you say that again?로 물을 수 있다.

W I'd like to buy two tickets ❶ _____ _____, please.

M Okay. That'll be 40 dollars.

W Pardon me? Isn't it 18 dollars for each one? I ❷ _____ _____ _____ on your web site.

M It's 18 dollars in case you buy a ticket online. It's 20 dollars if you buy one here.

W Oh, I see. Here's 40 dollars.

M Good. Do you ❸ _____ _____ _____ ?

W No, I don't need it.

7

대화를 듣고, 여자의 마지막 말에 이어질 남자의 응답으로 가장 적절한 것을 고르시오.

Man: _____

① Don't worry. I will.
② What can I do for you?
③ That's too bad. I'm sorry to hear that.
④ You'd better share your place with others.
⑤ Cheer up. You'll do better next time.

W Jake, meet my cat Biscuit.

M ❶ _____ _____ _____ _____ ! Hi, Biscuit.

W Thank you so much for doing me this favor. I couldn't find anyone ❷ _____ _____ _____ _____ _____ while I'm away.

M No problem. I hope she gets along with my cats. Is there anything I should know about her?

W Well, she is a little shy, so please ❸ _____ _____ _____ _____ for her. Will you?

M Don't worry. I will.

8 … 〈고난도〉

다음을 듣고, Esther가 점원에게 할 말로 가장 적절한 것을 고르시오.

Esther: _____

① May I change the size?
② Sorry, but this is too expensive.
③ I want to get a refund for this blouse.
④ Excuse me. I'm looking for a blouse.
⑤ I'd like to buy one more blouse in another color.

M Esther bought a new blouse at the shopping mall ❶ _____ _____ _____ . When she got home and ❷ _____ _____ _____ again, she was surprised. One of the buttons came off, and there was ❸ _____ _____ _____ _____ . She was upset and went back to the store. In this situation, what would Esther say to the clerk?

---

⁵ in case 만약 ~인 경우에는 online 온라인으로 receipt 영수증 keep the change 잔돈(거스름돈)을 가지다 ⁷ go out 외출하다 get prepared 준비하다
⁸ get home 귀가하다 try on 입어 보다 come off (단추 등이) 떨어지다 spot 얼룩 upset 화난, 기분 나쁜 clerk 점원

Fun Fun English!

💬 볼일이 급합니다!

Nature calls!

But don't worry passengers! Fortunately, it's number one.

'볼일이 급해요'라고 하면 용변이 급하다는 얘기죠. 영어로는 '자연이 부른다'라고 표현해요.

우리말에서 구어체로 '작은 것(오줌)'과 '큰 것(똥)'으로 구분하듯이 영어에서는 각각을 'number one'과 'number two'로 구분한답니다.

💬 서먹한 분위기를 깨자!

.... uhhhhhhhh ....

Let's break the ice.

I guess we have such a big ice to break between you and me.

누군가를 처음 만나게 되어 할 말이 없을 때는 아주 서먹한 분위기가 되죠. 이런 서먹한 분위기를 깬다라는 의미로 break the ice라는 표현을 사용해요. 또한 말을 먼저 시작하여 분위기를 살리려고 애쓰는 사람을 ice breaker라고 한답니다.

💬 내 눈에 흙이 들어가기 전에는 안 돼.

Dad, let me marry Jolly, please.

Over my dead body.

What about the girl you brought home last week?

over my dead body는 직역 하면 '내 시체를 넘어서'라는 의 미로 '무슨 일을 하려면 나를 먼 저 죽여야 한다'라는 뉘앙스로 '내 눈에 흙이 들어가기 전에는 안 돼'라는 우리말과 일맥상통 하는 말이에요.

💬 그녀가 날 바람 맞혔어.

You look down.

Jolly stood me up last night.

I was standing for such a long time that my legs were killing me.

stand up은 직역하면 '계속 세워 두다'라는 의미로, 기다리게 하 다가 결국 바람 맞혔다는 의미가 된답니다. 또한 바람 맞힌 사람 이 누군지 꼭 밝히지 않고 수동의 입장으로 I was stood up.이 라고 표현하기도 해요.

To acquire knowledge,
one must study,
but to acquire wisdom,
one must observe.

- Marilyn Savant

지식을 얻으려면
공부를 해야 하고,
지혜를 얻으려면
관찰을 해야 한다.

- 마릴린 사반트

PART

2

실전에
대비하라

0**1**_회 실전 모의고사

» 정답과 해설 p.34

01 다음을 듣고, 내일의 날씨로 가장 적절한 것을 고르시오.

02 대화를 듣고, 여자가 구입할 옷으로 가장 적절한 것을 고르시오.

03 대화를 듣고, 여자의 심정으로 가장 적절한 것을 고르시오.

① happy   ② proud   ③ satisfied
④ lonely   ⑤ worried

04 대화를 듣고, 남자가 오전에 한 일로 가장 적절한 것을 고르시오.

① 축구하기   ② 수영 강습 받기
③ 도서관 가기   ④ 영화 보기
⑤ 학교에서 공부하기

05 대화를 듣고, 두 사람이 대화하는 장소로 가장 적절한 것을 고르시오.

① 식당   ② 공항   ③ 기차
④ 비행기   ⑤ 백화점

06 대화를 듣고, 남자의 마지막 말의 의도로 가장 적절한 것을 고르시오.

① 칭찬   ② 사과   ③ 축하
④ 감사   ⑤ 위로

07 대화를 듣고, 영화를 보러 갈 인원수를 고르시오.

① 2   ② 3   ③ 4
④ 5   ⑤ 6

08 대화를 듣고, 두 사람이 대화 직후에 할 일로 가장 적절한 것을 고르시오.

① 줄 서기   ② 점심 먹기   ③ 집에 가기
④ 도서관 가기   ⑤ 식당 청소하기

09 대화를 듣고, 두 사람이 먹을 점심 메뉴를 고르시오.

① 피자   ② 햄버거   ③ 비빔밥
④ 스테이크   ⑤ 스파게티

10 다음을 듣고, 남자가 하는 말의 내용으로 가장 적절한 것을 고르시오.

① 동아리 홍보   ② 유명한 야구 선수 소개
③ 학교 생활 안내   ④ 야구 규칙 소개
⑤ TV 프로그램 안내

11 대화를 듣고, 여자가 전화를 건 목적으로 가장 적절한 것을 고르시오.

① 환불을 받으려고
② 상품 배송을 부탁하려고
③ 상품 할인을 요구하려고
④ 영수증을 재발급 받으려고
⑤ 새 상품으로 교환 받으려고

12 다음을 듣고, 강아지에 대한 내용으로 일치하지 않는 것을 고르시오.

① 흰색 털이 있고 몸집이 작은 편이다.
② 빨간 스웨터를 입고 갈색 개 목걸이를 하고 있었다.
③ 어제 저녁에 공원에서 잃어버렸다.
④ 잃어버린 지 일주일 정도 되었다.
⑤ 여자가 지금 데리고 있지 않다.

13 대화를 듣고, 여자가 구입한 물건이 아닌 것을 고르시오.

① 펜　　　　② 공책　　　　③ 연필
④ 필통　　　　⑤ 지우개

14 대화를 듣고, 두 사람의 관계로 가장 적절한 것을 고르시오.

① 학생 — 교사　　　② 아들 — 엄마
③ 환자 — 의사　　　④ 배우 — 감독
⑤ 손님 — 점원

15 대화를 듣고, 여자가 남자에게 부탁한 일로 가장 적절한 것을 고르시오.

① 표 구입하기　　　② 사진 찍어 주기
③ 플래시 사용하기　　④ 박물관 안내해 주기
⑤ 가방 안에 카메라 넣기

16 대화를 듣고, 남자가 친구들을 만나러 갈 수 없는 이유로 가장 적절한 것을 고르시오.

① 삼촌을 모시러 가야 해서
② 아픈 동생을 돌봐야 해서
③ 호주 여행을 계획 중이라서
④ 다른 친구와 이미 약속이 있어서
⑤ 아르바이트를 위해 공항에 가야 해서

17 다음 그림의 상황에 가장 적절한 대화를 고르시오.

①　　②　　③　　④　　⑤

18 대화를 듣고, 대화의 상황에 어울리는 속담으로 가장 적절한 것을 고르시오.

① 친구 따라 강남 간다.
② 소 잃고 외양간 고치기
③ 천 리 길도 한 걸음부터
④ 말 한마디에 천 냥 빚도 갚는다.
⑤ 낮말은 새가 듣고 밤말은 쥐가 듣는다.

[19~20] 대화를 듣고, 여자의 마지막 말에 이어질 남자의 응답으로 가장 적절한 것을 고르시오.

19 Man: _____

① I have no idea.
② Come with me.
③ It's my pleasure.
④ I can't believe it.
⑤ You can say that again.

20 Man: _____

① I will. Thank you.
② Why not? Please go with me.
③ I am looking for foreign books.
④ That's why I like history books.
⑤ Yes. I'm going to visit there next week.

01

다음을 듣고, 내일의 날씨로 가장 적절한 것을 고르시오.

① ② ③
④ ⑤

M   Good morning. This is the weather report. You'll probably ❶_____ _____ _____ or a raincoat today because it'll be rainy and windy as well. The temperature will get lower tomorrow, so the rain will ❷_____ _____ _____. We'll have snowy days for a while, and it'll be ❸_____ _____ on Friday. Thank you.

02 ★ 영국식 발음 녹음

대화를 듣고, 여자가 구입할 옷으로 가장 적절한 것을 고르시오.

① ② ③
④ ⑤

M   May I help you?
W   Yes, please. I'm ❶_____ _____ _____ _____ for my thirteen-year-old daughter.
M   How about this shirt? Stripes are popular with teenagers these days.
W   She has many shirts ❷_____ _____. Could you please show me that one?
M   Do you mean the blouse with the ribbon around the neck?
W   Yes. I think that one is pretty.
M   I'm sure ❸_____ _____ _____.   W   Okay. I'll take it.

03

대화를 듣고, 여자의 심정으로 가장 적절한 것을 고르시오.

① happy   ② proud   ③ satisfied
④ lonely   ⑤ worried

M   Oh, look at this cute puppy. She must be ❶_____ _____ _____.
W   Yes, she came to my home just ❷_____ _____ _____. But she hasn't eaten anything for the last two days!
M   Really? How come?
W   I don't know. I wish she could talk to me.
M   Maybe you should ❸_____ _____ _____ _____ right away.   W   I think you're right.

04

대화를 듣고, 남자가 오전에 한 일로 가장 적절한 것을 고르시오.

① 축구하기   ② 수영 강습 받기
③ 도서관 가기   ④ 영화 보기
⑤ 학교에서 공부하기

M   Phew.... Sorry ❶_____ _____.
W   Why is your hair wet? Are you coming from your swimming lesson?
M   No, I'm coming from school.
W   School? ❷_____ _____? Today is Saturday.
M   I played soccer with my classmates in the morning and ❸_____ _____ _____ afterward.   W   Aha. I got it.

---

01 probably 아마도 raincoat 우비 temperature 온도 change into ~으로 변하다 for a while 잠시 동안 **02** look for ~을 찾다 stripe 줄무늬 be popular with ~에게 인기가 있다 teenager 십대 **03** vet 수의사 **04** wet 젖은 take a shower 샤워를 하다 afterward 나중에, 그 후에

05

대화를 듣고, 두 사람이 대화하는 장소로 가장 적절한 것을 고르시오.

① 식당   ② 공항   ③ 기차
④ 비행기   ⑤ 백화점

W   Would you like to have meat with rice or fish with vegetables?

M   I'd like to ❶_____ _____ with rice, please.

W   Okay. And anything to drink?

M   Just water ❷_____ _____ _____, please. What time are we going to arrive in England?

W   The flight time is seven hours, so we'll arrive at Heathrow Airport ❸_____ _____ _____.

M   Thank you very much.

W   You're very welcome, sir.

06   (★ 영국식 발음 녹음)

대화를 듣고, 남자의 마지막 말의 의도로 가장 적절한 것을 고르시오.

① 칭찬   ② 사과   ③ 축하
④ 감사   ⑤ 위로

M   Hey, Sarah. How did your Korean language test go?

W   It didn't ❶_____ _____.

M   Really? But I know you ❷_____ _____ _____ Korean very hard.

W   I think I have, but maybe I'm not that ❸_____ _____ learning languages.

M   Cheer up! Things will get better.

07

대화를 듣고, 영화를 보러 갈 인원수를 고르시오.

① 2   ② 3   ③ 4
④ 5   ⑤ 6

M   So can I book movie tickets now?

W   Yes. There will be five ❶_____ _____ _____ _____, right?

M   No, four.

W   Four? Somebody is not coming?

M   Grace called me and said she had already seen the movie.

W   Already? But she promised to ❷_____ _____ _____ _____ with us this time.

M   She said she was sorry. I'm sure she will ❸_____ _____ _____ the next time.

⁰⁵ vegetable 채소 flight time 비행시간 in an hour 한 시간 후에   ⁰⁶ language 언어 go well 잘 되어가다 get better 좋아지다, 호전되다   ⁰⁷ book 예약하다 including ~을 포함하여

08

대화를 듣고, 두 사람이 대화 직후에
할 일로 가장 적절한 것을 고르시오.

① 줄 서기　　② 점심 먹기
③ 집에 가기　　④ 도서관 가기
⑤ 식당 청소하기

09

대화를 듣고, 두 사람이 먹을 점심 메
뉴를 고르시오.

① 피자　　② 햄버거
③ 비빔밥　　④ 스테이크
⑤ 스파게티

10

다음을 듣고, 남자가 하는 말의 내용
으로 가장 적절한 것을 고르시오.

① 동아리 홍보
② 유명한 야구 선수 소개
③ 학교 생활 안내
④ 야구 규칙 소개
⑤ TV 프로그램 안내

11

대화를 듣고, 여자가 전화를 건 목적
으로 가장 적절한 것을 고르시오.

① 환불을 받으려고
② 상품 배송을 부탁하려고
③ 상품 할인을 요구하려고
④ 영수증을 재발급 받으려고
⑤ 새 상품으로 교환 받으려고

[School bell rings.]

M　Finally, it's lunchtime. Let's go!

W　Well, I don't want to waste my time ❶_____ _____ _____.

M　❷_____ _____ _____ you're not eating lunch?

W　No, I'm going to read some books in the school library first.

M　Aha, and you'll go to the cafeteria later when the line is not long.

W　❸_____ _____ _____.

M　That's not a bad idea. Let's go together then.

M　What would you like to ❶_____ _____ _____?

W　I know a great pizza restaurant around here.

M　Actually, I had pizza and hamburgers three days ❷_____ _____
_____. Can we have something else which is not fatty?

W　What about some Korean food?

M　Oh, I know a good Korean restaurant ❸_____ _____. People
say that its *bibimbap* is some of the best in Seoul.

W　Okay. Let's go there!

M　Do you like baseball? Do you ❶_____ _____ _____ a great
player like Ryu Hyunjin or Choo Shinsoo? We are the school baseball
club *Butterfly*. We are looking for people who ❷_____ _____
_____ in baseball. Anyone who likes baseball can ❸_____
_____ our door. If you're interested, visit us anytime. Thank you.

[Telephone rings.]

M　Tom's Food Market. May I help you?

W　Hello. I bought ❶_____ _____ _____ _____ there
yesterday. I think they were bad.

M　Oh, I'm so sorry. Please bring the can to the store with the receipt,
and we'll ❷_____ _____ _____ a new one.

W　Well, I don't want to have beans. I want to get a refund.

M　Then we'll ❸_____ _____ _____ _____.

W　Thank you. When do you close today?

M　We close at 9 p.m.

⁰⁸ finally 마침내　waste 낭비하다　stand in line 한 줄로 서다　cafeteria (교내) 식당　later 나중에　⁰⁹ in a row 잇달아, 연달아　fatty 지방이 많은　¹⁰ look
for ~을 찾다(구하다)　have an interest in ~에 관심을 갖다　knock 두드리다　¹¹ bean 콩　receipt 영수증　exchange 교환하다　refund 환불

12

다음을 듣고, 강아지에 대한 내용으로 일치하지 <u>않는</u> 것을 고르시오.

① 흰색 털이 있고 몸집이 작은 편이다.
② 빨간 스웨터를 입고 갈색 개 목걸이를 하고 있었다.
③ 어제 저녁에 공원에서 잃어버렸다.
④ 잃어버린 지 일주일 정도 되었다.
⑤ 여자가 지금 데리고 있지 않다.

[Telephone rings.]

W Hello. Hana Dog Shelter.

M Hello. I'm looking for my puppy. Do you have a very little white dog?

W Please ❶ _____ _____ _____ about your dog. I can't be sure because there are too many little white puppies here.

M Well, she was wearing a red sweater and a brown dog collar.

W Where and when did you lose her?

M At Sadang Park at around 7 p.m. yesterday.

W Yesterday? We ❷ _____ _____ any white puppies this week. I'm sorry but she can't be here.

M Can you call me if you find her? My phone number is 070-1234-5678.

W Okay. Don't worry too much. ❸ _____ _____ _____ soon.

13 ★영국식 발음 녹음

대화를 듣고, 여자가 구입한 물건이 아닌 것을 고르시오.

① 펜　　② 공책　　③ 연필
④ 필통　　⑤ 지우개

M Hi, Jenny. Where are you coming from?

W Hi. ❶ _____ _____ _____ the stationery store.

M What did you buy?

W I bought some pens and notebooks, and I also bought some presents for my brother.

M For his birthday?

W No. My little brother ❷ _____ _____ elementary school. So I bought him some pencils ❸ _____ _____ _____ _____.

M Oh, you're such a nice sister.

14

대화를 듣고, 두 사람의 관계로 가장 적절한 것을 고르시오.

① 학생 — 교사　　② 아들 — 엄마
③ 환자 — 의사　　④ 배우 — 감독
⑤ 손님 — 점원

M Excuse me, Ms. Moore.

W Hi, Minjoon. What's up?

M I ❶ _____ _____ _____, and it's getting worse.

W Then you should see a doctor. I don't have any classes in the afternoon. I can ❷ _____ _____ _____ at the hospital.

M Actually, I called my mom, and she ❸ _____ _____ _____ soon.

W Okay. Don't worry about the rest of your classes.

M Thank you, Ms. Moore.

---

¹² **dog shelter** 유기견 보호소　**dog collar** 개 목걸이　　¹³ **stationery store** 문구점　**elementary school** 초등학교　　¹⁴ **have a fever** 열이 나다　**get worse** 악화되다　**drop ~ off at** ~에 내려 주다　**rest** 나머지

15

대화를 듣고, 여자가 남자에게 부탁한 일로 가장 적절한 것을 고르시오.

① 표 구입하기
② 사진 찍어 주기
③ 플래시 사용하기
④ 박물관 안내해 주기
⑤ 가방 안에 카메라 넣기

W May I see your ticket, please?

M Sure. ❶_____ _____ _____.

W Thank you, sir. Oh, you can't take pictures in this museum.

M Really? Even taking pictures ❷_____ _____ _____ is not allowed?

W Sorry, sir. You can't. So can you ❸_____ _____ _____ in your bag?

M Okay.

W Thank you for your cooperation.

---

16 ★ 영국식 발음 녹음

대화를 듣고, 남자가 친구들을 만나러 갈 수 <u>없는</u> 이유로 가장 적절한 것을 고르시오.

① 삼촌을 모시러 가야 해서
② 아픈 동생을 돌봐야 해서
③ 호주 여행을 계획 중이라서
④ 다른 친구와 이미 약속이 있어서
⑤ 아르바이트를 위해 공항에 가야 해서

W I'm thinking of hanging out with Minji and Tony this afternoon. Would you like to ❶_____ _____ _____?

M I'd love to, but I can't.

W Why not? Do you have some other plans?

M Yes. I should ❷_____ _____ my uncle coming from Australia.

W So are you going to the airport?

M Yes. Maybe ❸_____ _____ _____ the next time.

W Okay. See you.

17

다음 그림의 상황에 가장 적절한 대화를 고르시오.

① ② ③ ④ ⑤

① M Could you please pick me up at five?

   W No problem. Call me ❶_____ _____ _____.

② M How long does it take from your home to school?

   W It takes about thirty minutes.

③ M Would you ❷_____ _____ _____ _____ _____?

   W What is it? Tell me.

④ M How do you like your dress?

   W I like it very much. Thanks, Dad.

⑤ M May I have a window seat?

   W I'm afraid ❸_____ _____ _____ _____.

---

¹⁵ **take a picture** 사진을 찍다 **museum** 박물관 **be allowed** 허용되다 **cooperation** 협조, 협력 ¹⁶ **hang out** 놀다, 시간을 보내다 **plan** 계획 **pick up** ~을 데리러 가다 **join** 함께 하다, 합류하다 ¹⁷ **pick up** ~을 데리러 가다; ~을 뽑다 **favor** 호의, 친절

18

대화를 듣고, 대화의 상황에 어울리는 속담으로 가장 적절한 것을 고르시오.

① 친구 따라 강남 간다.
② 소 잃고 외양간 고치기
③ 천 리 길도 한 걸음부터
④ 말 한마디에 천 냥 빚도 갚는다.
⑤ 낮말은 새가 듣고 밤말은 쥐가 듣는다.

[19~20] 대화를 듣고, 여자의 마지막 말에 이어질 남자의 응답으로 가장 적절한 것을 고르시오.

19

Man: _____

① I have no idea.
② Come with me.
③ It's my pleasure.
④ I can't believe it.
⑤ You can say that again.

20 ★ 영국식 발음 녹음

Man: _____

① I will. Thank you.
② Why not? Please go with me.
③ I am looking for foreign books.
④ That's why I like history books.
⑤ Yes. I'm going to visit there next week.

M What are you doing, Olivia?

W I'm trying to ❶_____ _____ _____ about my life, but I haven't written anything for an hour.

M What's the problem?

W I don't know ❷_____ _____ _____, and I just can't write a long story about my life.

M Then think about writing only the first paragraph. You can add more paragraphs one by one after that.

W That's ❸_____ _____ _____ _____. Thanks.

W Hi. ❶_____ _____ _____ some jeans. Can you recommend some?

M Sure. These are popular these days because many famous movie stars advertise them.

W I like the design, but do you have them ❷_____ _____ _____?

M Absolutely. Here you are. Why don't you ❸_____ _____ _____?

W Okay. Where is the fitting room?

M Come with me.

M Excuse me, ❶_____ _____ _____ _____ American history books?

W They are in Section D. Go straight and turn left at the corner.

M Isn't Section D foreign books?

W Yes, it is. ❷_____ _____ _____ _____ American books?

M No. I want to find history books about American history.

W I'm sorry. Then ❸_____ _____ _____ Section E?

M I will. Thank you.

---

¹⁸ **essay** (짧은) 쓰기 과제물 **paragraph** (글의) 단락 **one by one** 하나씩, 차례차례 ¹⁹ **jeans** 청바지 **recommend** 추천하다 **advertise** 광고하다 **fitting room** 탈의실 ²⁰ **go straight** 직진하다 **foreign** 외국의

01 대화를 듣고, 여자가 여행한 곳의 날씨로 가장 적절한 것을 고르시오.

① ② ③ ④ ⑤

02 대화를 듣고, 남자가 학급 소풍에 가져갈 것이 <u>아닌</u> 것을 고르시오.

① ② ③ ④ ⑤

03 대화를 듣고, 남자의 마지막 말에 드러난 심정으로 가장 적절한 것을 고르시오.

① proud　② happy　③ lonely
④ scared　⑤ worried

04 대화를 듣고, 남자가 여자를 위해 할 일로 가장 적절한 것을 고르시오.

① 숙제 도와주기　② 전자우편 보내기
③ 영화 표 예매하기　④ 선생님께 전화하기
⑤ 약속 시간 변경하기

05 대화를 듣고, 두 사람이 대화하는 장소로 가장 적절한 것을 고르시오.

① 병원　② 공항　③ 비행기
④ 여행사　⑤ 공연장

06 대화를 듣고, 여자의 마지막 말의 의도로 가장 적절한 것을 고르시오.

① 권유　② 칭찬　③ 거절
④ 요청　⑤ 동의

07 대화를 듣고, 여자의 디지털카메라에 대한 설명으로 일치하지 <u>않는</u> 것을 고르시오.

① 어제 새로 구입했다.
② 동영상을 찍을 수 있다.
③ 웃는 사람을 자동으로 찍는다.
④ 무게가 300g밖에 되지 않는다.
⑤ 인터넷 선을 연결해야 인쇄할 수 있다.

08 대화를 듣고, 여자가 대화 직후에 할 일로 가장 적절한 것을 고르시오.

① 여행 가방 찾기　② 화장실 가기
③ 비행기 타기　④ 공항으로 가기
⑤ 집에 전화하기

09 다음을 듣고, 학생들에게 가장 인기가 <u>없는</u> 운동을 고르시오.

① tennis　② basketball　③ badminton
④ soccer　⑤ volleyball

10 다음을 듣고, 오늘 오전 11시에 열릴 행사로 가장 적절한 것을 고르시오.

① 단체 사진 찍기　② 동영상 시청
③ 노래자랑 대회　④ 그룹 활동 참여
⑤ 초대 가수 공연

11 다음을 듣고, 남자가 하는 말의 내용으로 가장 적절한 것을 고르시오.

① 감기 빨리 낫는 법
② 추운 날씨의 원인
③ 올바른 손 씻기의 중요성
④ 손을 바르게 씻는 방법
⑤ 추위를 이겨 내는 법

12 대화를 듣고, 남자가 전화를 건 목적으로 가장 적절한 것을 고르시오.

① 상품을 주문하려고
② 주문을 취소하려고
③ 환불을 요청하려고
④ 교환을 요청하려고
⑤ 주문 내용을 변경하려고

13 대화를 듣고, 남자가 지불한 금액을 고르시오.
① $10   ② $17   ③ $20   ④ $30   ⑤ $40

14 대화를 듣고, 두 사람의 관계로 가장 적절한 것을 고르시오.

① 아들 — 엄마
② 경찰 — 운전자
③ 웨이터 — 손님
④ 택시 기사 — 승객
⑤ 여행 가이드 — 관광객

15 대화를 듣고, 남자가 여자에게 부탁한 일로 가장 적절한 것을 고르시오.

① 책상을 옮길 것
② 책상을 살펴볼 것
③ 교실을 청소할 것
④ 다시 전화해 줄 것
⑤ 지갑을 맡아 줄 것

16 대화를 듣고, 남자가 제안을 거절한 이유로 가장 적절한 것을 고르시오.

① 다른 곳에 놀러 가기로 해서
② 물놀이를 좋아하지 않아서
③ Ted나 Sue와 친하지 않아서
④ 여자의 할머니 댁이 너무 멀어서
⑤ 가족들과 대청소를 하기로 해서

17 다음 그림의 상황에 가장 적절한 대화를 고르시오.

① ② ③ ④ ⑤

18 다음을 듣고, 가을 정기 연주회에 대해 언급되지 <u>않</u>은 것을 고르시오.

① 연주회 날짜
② 연주회 시간
③ 연주회 장소
④ 연주하는 악기
⑤ 입장권 구입 방법

[19~20] 대화를 듣고, 여자의 마지막 말에 이어질 남자의 응답으로 가장 적절한 것을 고르시오.

19 Man: _____

① Of course not.
② I'm looking forward to it.
③ Yes, I have no doubt.
④ That interests me a lot.
⑤ I'm pleased to hear that.

20 Man: _____

① I heard it the day before yesterday.
② This is her first time to visit Japan.
③ It takes about two hours by airplane.
④ She is thinking of studying there for two years.
⑤ She and I have known each other since we were five.

01

대화를 듣고, 여자가 여행한 곳의 날씨로 가장 적절한 것을 고르시오.

① ② ③
④ ⑤

02

대화를 듣고, 남자가 학급 소풍에 가져갈 것이 <u>아닌</u> 것을 고르시오.

① ② ③
④ ⑤

03 (★영국식 발음 녹음)

대화를 듣고, 남자의 마지막 말에 드러난 심정으로 가장 적절한 것을 고르시오.

① proud   ② happy   ③ lonely
④ scared   ⑤ worried

04

대화를 듣고, 남자가 여자를 위해 할 일로 가장 적절한 것을 고르시오.

① 숙제 도와주기
② 전자우편 보내기
③ 영화 표 예매하기
④ 선생님께 전화하기
⑤ 약속 시간 변경하기

M Lucy, how was your vacation? I'm very ❶_____ _____ _____ _____ to the Rocky Mountains.

W It was great. I enjoyed some beautiful snowy days in the mountains.

M Did you also enjoy skiing there?

W Absolutely. Now, ❷_____ _____ _____ your trip.

M Oh, I went to Osaka, but it was cloudy and rainy. I couldn't ❸_____ _____ _____ _____.

W Peter, ❶_____ _____ _____ for the class picnic?

M Yes, Mom. I have some *gimbap*, a bottle of water, and a book.

W That's it? What about your cellphone?   M   It's in my pocket.

W And your digital camera? You might want to ❷_____ _____.

M Don't worry, Mom. I can use my cellphone.

W Okay, I see. ❸_____ _____ _____ _____!

W John, you look tired. What's wrong?

M I ❶_____ _____ my final exams.

W Oh, I can guess exactly ❷_____ _____ _____. You must be exhausted.   M   Yeah, I am. But at least this semester is finally over.

W That's good. Are you ❸_____ _____ _____?

M I don't know. But I feel good now because I can enjoy my vacation from today.

M Would you like to go to a movie tonight?

W ❶_____ _____ _____, but I have a lot of homework to do.

M Do you mean your science homework?

W Yes. I have to e-mail it to my science teacher by 6 p.m.

M I'll help you so that you can ❷_____ _____ _____. Then we can go to a movie, right?

W Oh, really? Then ❸_____ _____ _____ the tickets.

M Sounds nice. Let's hurry up!

⁰¹ **curious** 궁금한; 호기심이 많은   ⁰² **pack** (짐을) 싸다, 챙기다   **pocket** 주머니   ⁰³ **guess** 추측하다, 짐작하다   **exactly** 정확히   **exhausted** 지친, 기진맥진한   **at least** 적어도   **semester** 학기   **expect** 기대하다   **grade** 성적, 학점   ⁰⁴ **early** 빨리, 일찍   **pay for** ~의 비용을 지불하다

05 ★ 영국식 발음 녹음

대화를 듣고, 두 사람이 대화하는 장소로 가장 적절한 것을 고르시오.

① 병원   ② 공항   ③ 비행기
④ 여행사   ⑤ 공연장

M ❶ _____ _____ _____ your e-ticket and passport, please?

W Here you are.

M ❷ _____ _____ would you like to check?

W Just one, please.

M Okay. ❸ _____ _____ _____ _____ have a window seat or an aisle seat?

W A window seat, please.

M All right. Here are your boarding pass and your passport. Have a nice trip.

06 ★ 영국식 발음 녹음

대화를 듣고, 여자의 마지막 말의 의도로 가장 적절한 것을 고르시오.

① 권유   ② 칭찬   ③ 거절
④ 요청   ⑤ 동의

W Mike, ❶ _____ _____ _____ _____ your new house?

M It's very nice. We painted the wall of the house blue, and I really like the color.

W Isn't your new house ❷ _____ _____ _____ ?

M It is a bit far. It takes about 30 minutes on foot.

W Why don't you ❸ _____ _____ _____ ?

M There's no bus stop near my house.

W Then you'd better try riding a bike. Thirty minutes is too long.

07

대화를 듣고, 여자의 디지털카메라에 대한 설명으로 일치하지 <u>않는</u> 것을 고르시오.

① 어제 새로 구입했다.
② 동영상을 찍을 수 있다.
③ 웃는 사람을 자동으로 찍는다.
④ 무게가 300g밖에 되지 않는다.
⑤ 인터넷 선을 연결해야 인쇄할 수 있다.

M Did you buy a new digital camera?

W Yes! I ❶ _____ _____ yesterday.

M Wow, does it have any special functions?

W I can make videos with this camera, and it automatically takes pictures if people smile at it.

M Cool, but it looks ❷ _____ _____ _____ .

W Not at all. It's only 300 grams. There's one more thing. I can print the pictures ❸ _____ _____ a cable.

M That's unbelievable.

---

05 **e-ticket** 전자 항공권 **passport** 여권 **aisle seat** 통로 쪽 자리 **boarding pass** 탑승권   06 **far from** ~에서 멀리 떨어진 **had better** ~하는 게 낫다
07 **function** 기능 **automatically** 자동으로 **unbelievable** 믿을 수 없는, 놀라운

02회 실전 모의고사 **113**

08 ★ 영국식 발음 녹음

대화를 듣고, 여자가 대화 직후에 할 일로 가장 적절한 것을 고르시오.

① 여행 가방 찾기
② 화장실 가기
③ 비행기 타기
④ 공항으로 가기
⑤ 집에 전화하기

M Long time no see, Minji.
W Hi, Brian. Thanks for ❶_____ _____ _____.
M No problem. How was your trip?
W It was quite enjoyable. The flight time ❷_____ _____ _____ though.
M You must be exhausted. Let's hurry home. Your mom is waiting for you.
W All right, but can you wait ❸_____ _____ _____? I need to go to the restroom.
M Sure. I'll wait here.

09

다음을 듣고, 학생들에게 가장 인기가 없는 운동을 고르시오.

① tennis   ② basketball
③ badminton   ④ soccer
⑤ volleyball

M We asked a thousand middle school boys about ❶_____ _____ _____ in P.E. Among the many different types of sports, soccer is ❷_____ _____ _____ one. Basketball is second and is followed by badminton. Students don't seem to like volleyball. Actually, it is ❸_____ _____ _____ sport.

10

다음을 듣고, 오늘 오전 11시에 열릴 행사로 가장 적절한 것을 고르시오.

① 단체 사진 찍기 ② 동영상 시청
③ 노래자랑 대회 ④ 그룹 활동 참여
⑤ 초대 가수 공연

M Hi, everyone! ❶_____ _____ _____, the school festival is today. You'll take a group photo with your classmates and ❷_____ _____ _____ about last year's festival between 9 a.m. and 10 a.m. There will be a singing contest at 11. After lunch, you will ❸_____ _____ _____ a variety of group activities until 3. I hope you enjoy the festival. Thank you.

11

다음을 듣고, 남자가 하는 말의 내용으로 가장 적절한 것을 고르시오.

① 감기 빨리 낫는 법
② 추운 날씨의 원인
③ 올바른 손 씻기의 중요성
④ 손을 바르게 씻는 방법
⑤ 추위를 이겨 내는 법

M How do you think you ❶_____ _____ _____ _____? Maybe you think it was because the weather was very cold at that time, but it was actually because of a cold virus. Just by washing your hands well, you can ❷_____ _____ _____ many viruses. Washing your hands well is also the easiest and the cheapest way to take care of your health. If you wash your hands well, you can ❸_____ _____ _____. After using the bathroom or before cooking, you should always wash your hands well.

⁰⁸ pick up ~을 데리러 가다 enjoyable 즐거운 though 그렇지만, 하지만 restroom (공공장소의) 화장실 ⁰⁹ among ~ 중에서 follow 뒤를 잇다; 뒤따르다
¹⁰ festival 축제 contest 대회, 시합 variety 여러 가지, 각양각색 ¹¹ at that time 그때 get rid of ~을 없애다 cheap 싼, 저렴한 prevent 예방하다

12

대화를 듣고, 남자가 전화를 건 목적으로 가장 적절한 것을 고르시오.

① 상품을 주문하려고
② 주문을 취소하려고
③ 환불을 요청하려고
④ 교환을 요청하려고
⑤ 주문 내용을 변경하려고

[Telephone rings.]

W Smile Photos. How may I help you?

M Hi. ❶ _____ _____ _____ the framed picture I ordered the day before yesterday.

W Oh, is there a problem, sir?

M ❷ _____ _____ _____ in the top right corner, so I'd like you to send me a new one. I'm very disappointed.

W Oh, I'm sorry to hear that. We'll make a new one and ❸ _____ _____ _____ _____ right away.

M Thanks.

13

대화를 듣고, 남자가 지불한 금액을 고르시오.

① $10　② $17　③ $20
④ $30　⑤ $40

M Hi. Can my puppy ❶ _____ _____ _____ here?

W Sure, but I'm working on another dog right now. Can you wait?

M Okay, but how much ❷ _____ _____ _____ ?

W The regular price is twenty dollars, but you will get a fifty-percent discount between 9 a.m. and 11 a.m.

M Oh, it's 10 a.m. now. Then it's quite a reasonable price.

W Have a seat. ❸ _____ _____ _____ in 10 minutes.

M Thanks.

14

대화를 듣고, 두 사람의 관계로 가장 적절한 것을 고르시오.

① 아들 — 엄마
② 경찰 — 운전자
③ 웨이터 — 손님
④ 택시 기사 — 승객
⑤ 여행 가이드 — 관광객

M Where to, ma'am?

W Arirang Restaurant in Koreatown, please.

M All right. Oh, ❶ _____ _____ _____ . Be sure to fasten your seatbelt.

W Okay. By the way, how long ❷ _____ _____ _____ to get there?

M It ❸ _____ _____ traffic, but it usually takes about 20 minutes from here.

W That's not bad.

---

12 receive 받다　the day before yesterday 그저께　crack (갈라져 생긴) 금, 틈　disappointed 실망한　**13** haircut 이발　cost (값·비용 등이) ~이다[들다]　regular price 정가　reasonable 적당한, 합리적인　**14** fasten 매다, 채우다　seatbelt 안전벨트　depend on ~에 달려 있다; 의존하다

15

대화를 듣고, 남자가 여자에게 부탁한 일로 가장 적절한 것을 고르시오.

① 책상을 옮길 것
② 책상을 살펴볼 것
③ 교실을 청소할 것
④ 다시 전화해 줄 것
⑤ 지갑을 맡아 줄 것

[Telephone rings.]

W Hello?

M Hello, Jinhee. This is Jason. Are you in the classroom now?

W No, I'm not. ❶_____ _____ _____?

M I've just realized that I've lost my wallet. I thought it ❷_____ _____ _____ my desk.

W I'm not in the classroom, but I'm still at school. I'll go check ❸_____ _____ _____ or not.

M Could you do that? Thank you so much.

16

대화를 듣고, 남자가 제안을 거절한 이유로 가장 적절한 것을 고르시오.

① 다른 곳에 놀러가기로 해서
② 물놀이를 좋아하지 않아서
③ Ted나 Sue와 친하지 않아서
④ 여자의 할머니 댁이 너무 멀어서
⑤ 가족들과 대청소를 하기로 해서

W Minho, are you going somewhere ❶_____ _____?

M Not really. Why are you asking?

W Well, I'm visiting my grandparents with Ted and Sue this weekend. Do you want to come with us? It's near a seashore, so we can play in the water.

M I'd love to, but I think it's ❷_____ _____ _____ _____.

W Why not? Don't you get along with them?

M Oh, ❸_____ _____ _____. I just have to do spring cleaning with my family.

17

다음 그림의 상황에 가장 적절한 대화를 고르시오.

① ② ③ ④ ⑤

① **M** What do you think of the movie?
  W I really liked it.
② **M** Do you know ❶_____ _____ _____ *baduk*?
  W No, not really.
③ **M** ❷_____ _____ _____ for you?
  W Everything is great, thanks.
④ **M** These are my family members.
  W You resemble your father a lot.
⑤ **M** ❸_____ _____ do you practice yoga?
  W Two or three times a week.

---

¹⁵ wallet 지갑 still 여전히 whether ~인지 ¹⁶ seashore 해안 get along with ~와 잘 지내다 spring cleaning 봄맞이 대청소 ¹⁷ perfectly 완벽히
resemble 닮다 practice 연습하다

18

다음을 듣고, 가을 정기 연주회에 대해 언급되지 않은 것을 고르시오.

① 연주회 날짜
② 연주회 시간
③ 연주회 장소
④ 연주하는 악기
⑤ 입장권 구입 방법

M How are the plans going for our regular fall concert?

W Everything is ❶_____ _____ _____. Oh, the date is fixed. It's Friday, November 27. Can you come?

M I will definitely go. What time is it?

W It's 7 o'clock, at the Dobong Art Center. Please come and ❷_____ _____ my successful violin performance.

M Sure. How can I buy tickets?

W You don't need to. I'll give you invitation tickets. Just tell me how many tickets you need.

M Thank you. I'm sure you'll put on ❸_____ _____ _____.

[19~20] 대화를 듣고, 여자의 마지막 말에 이어질 남자의 응답으로 가장 적절한 것을 고르시오.

19

Man: _____

① Of course not.
② I'm looking forward to it.
③ Yes, I have no doubt.
④ That interests me a lot.
⑤ I'm pleased to hear that.

M Minji, let's watch the baseball game. It ❶_____ _____ _____ begin.

W Today's game is the final one, right?

M Yes. The winner will be the champion.

W I'd like to watch it, but I have a math test tomorrow. I need to ❷_____ _____ _____ _____.

M I'm sorry to hear that.

W That's okay, Dad, but do you mind ❸_____ _____ the volume a little bit?

M Of course not.

20 ★ 영국식 발음 녹음

Man: _____

① I heard it the day before yesterday.
② This is her first time to visit Japan.
③ It takes about two hours by airplane.
④ She is thinking of studying there for two years.
⑤ She and I have known each other since we were five.

M Hi, Jimin.

W Hey, ❶_____ _____ _____ _____? Is everything okay?

M Not really. My best friend Jihyeon ❷_____ _____ _____ Tokyo soon.

W Really? Do you mean she is going to live there forever?

M No. She is going to study Japanese there for a while.

W Oh, you ❸_____ _____ _____ _____. How long is she planning to stay there?

M She is thinking of studying there for two years.

---

¹⁸ **regular** 정기적인 **so far** 지금까지 **fix** 확정하다 **definitely** 분명히 **root for** ~을 응원하다 ¹⁹ **be about to** 막 ~하려고 하다 **champion** 챔피언, 선수권 대회 우승자 **turn down** (소리·온도 등을) 낮추다 **volume** 음량, 볼륨 ²⁰ **long face** 시무룩한 얼굴 **forever** 영원히 **for a while** 잠시 동안, 얼마간

01 다음을 듣고, 내일 오전의 날씨로 가장 적절한 것을 고르시오.

① ② ③
④ ⑤

02 대화를 듣고, 남자의 가방으로 가장 적절한 것을 고르시오.

① ② ③
④ ⑤

03 대화를 듣고, 남자의 마지막 말에 드러난 심정으로 가장 적절한 것을 고르시오.

① bored ② jealous ③ scared
④ worried ⑤ disappointed

04 대화를 듣고, 남자가 할 일로 가장 적절한 것을 고르시오.

① 선물 사기 ② 카드 만들기 ③ 케이크 굽기
④ 풍선 불기 ⑤ 풍선 구입하기

05 대화를 듣고, 두 사람이 대화하는 장소로 가장 적절한 것을 고르시오.

① library ② hospital ③ bookstore
④ post office ⑤ supermarket

06 대화를 듣고, 여자의 마지막 말의 의도로 가장 적절한 것을 고르시오.

① 충고 ② 제안 ③ 거절
④ 요청 ⑤ 질문

07 대화를 듣고, 소풍에 가져가야 하는 것이 <u>아닌</u> 것을 고르시오.

① 도시락 ② 차비 ③ 입장료
④ 물 ⑤ 모자

08 대화를 듣고, 여자가 남자에게 부탁한 일로 가장 적절한 것을 고르시오.

① 슬리퍼 교환하기
② Susan에게 슬리퍼 가져다주기
③ 건전지 사다 주기
④ 우체국에서 소포 부치기
⑤ 빨리 돌아오기

09 대화를 듣고, 여자가 구입할 기념품으로 가장 적절한 것을 고르시오.

① 펜 ② 자석 ③ 열쇠고리
④ 태극기 ⑤ 티셔츠

10 다음을 듣고, 무엇에 관한 안내 방송인지 가장 적절한 것을 고르시오.

① 할인 행사 ② 직원 모집
③ 휴점 ④ 사은품 증정
⑤ 영업 마감 시간

11 대화를 듣고, 여자의 건강 비결로 언급되지 <u>않은</u> 것을 고르시오.

① 규칙적인 운동하기
② 패스트푸드 먹지 않기
③ 채소와 과일 섭취하기
④ 음식을 적게 먹기
⑤ 충분한 수면 취하기

12 대화를 듣고, 남자가 전화를 건 목적으로 가장 적절한 것을 고르시오.

① 이메일 확인 요청
② 레스토랑 예약 부탁
③ 할인 쿠폰 출력 여부 확인
④ 외식 장소 추천 부탁
⑤ 할인 쿠폰 구하는 방법 문의

13 대화를 듣고, 두 사람이 만날 시각으로 가장 적절한 것을 고르시오.

① 2 : 25   ② 2 : 30   ③ 2 : 35
④ 2 : 40   ⑤ 2 : 45

14 대화를 듣고, 두 사람의 관계로 가장 적절한 것을 고르시오.

① 의사 ― 환자   ② 은행원 ― 고객
③ 공항 직원 ― 여행객   ④ 집배원 ― 고객
⑤ 버스 운전 기사 ― 승객

15 대화를 듣고, 두 사람이 할 일로 가장 적절한 것을 고르시오.

① 교실 청소하기
② 종이 구입하기
③ 교실 벽에 그림 그리기
④ 교실 벽의 낙서 지우기
⑤ 크리스마스 트리 구입하기

16 대화를 듣고, 여자가 지각한 이유로 가장 적절한 것을 고르시오.

① 늦잠을 자서   ② 버스를 놓쳐서
③ 버스가 고장 나서   ④ 교통체증이 심해서
⑤ 교통사고를 당해서

17 다음 그림의 상황에 가장 적절한 대화를 고르시오.

①   ②   ③   ④   ⑤

18 다음을 듣고, 여자가 하는 말의 내용으로 가장 적절한 것을 고르시오.

① No news is good news.
② Don't cry over spilt milk.
③ It's better late than never.
④ A rolling stone gathers no moss.
⑤ The early bird catches the worm.

[19~20] 대화를 듣고, 여자의 마지막 말에 이어질 남자의 응답으로 가장 적절한 것을 고르시오.

19 Man: _____

① You can't miss it.
② Did you drop this wallet?
③ You can go there by bus.
④ It's just around the corner.
⑤ Do you want to be a policeman?

20 Man: _____

① You'd better read yours first.
② Yes, I can buy you a book if you want it.
③ Sure, but I recommend that you buy one.
④ I have already returned the book to you.
⑤ No, I'm not interested in that book.

01

다음을 듣고, 내일 오전의 날씨로 가장 적절한 것을 고르시오.

① ② ③
④ ⑤

W Good morning. This is the weather forecast for this week. After ❶ _____ _____ _____ _____, we finally have a sunny Monday. However, don't expect these clear skies to last very long. ❷ _____ _____ _____ starting tonight, and thunderstorms are expected tomorrow morning. After that, it will be clear and sunny for the ❸ _____ _____ _____ _____.

02

대화를 듣고, 남자의 가방으로 가장 적절한 것을 고르시오.

① ② ③
④ ⑤

W Hey, Paul. Look at this backpack. I ❶ _____ _____ yesterday.
M It looks good. Actually, I have one that's pretty similar to yours.
W Really? Does your backpack have ❷ _____ _____ _____, too?
M Yes, mine also has a picture of a bear. The only difference is that my backpack has a pocket ❸ _____ _____ _____.
W I see. Why don't you bring yours tomorrow? **M** Okay.

03

대화를 듣고, 남자의 마지막 말에 드러난 심정으로 가장 적절한 것을 고르시오.

① bored ② jealous
③ scared ④ worried
⑤ disappointed

W ❶ _____ _____ _____ _____ to have for lunch?
M I heard Burger Town was very famous for their super burgers. Can we go there?
W Sure. I had a super burger before, and ❷ _____ _____ _____ _____. Let's go there. **M** Thank you. I'm really excited.
W Look. ❸ _____ _____ _____ it's closed.
M Oh no... we'll have to come back again.

04

대화를 듣고, 남자가 할 일로 가장 적절한 것을 고르시오.

① 선물 사기 ② 카드 만들기
③ 케이크 굽기 ④ 풍선 불기
⑤ 풍선 구입하기

W Joel, you know that Aunt Ruth ❶ _____ _____ _____ tomorrow, don't you? **M** Of course I do.
W ❷ _____ _____ _____ throw a surprise party for her?
M What for?
W It's Aunt Ruth's birthday this coming Saturday.
M Cool. Do you ❸ _____ _____ _____ ?
W Let me bake a cake for her. Can you blow up some balloons and decorate the living room? **M** Sure. I'm so excited.

---

01 expect 예상하다 clear 맑은 thunderstorm 폭우, 뇌우 **02** backpack 배낭 stripe 줄무늬 only 유일한; 단지 difference 차이 **03** be famous for ~으로 유명하다 **04** throw a party 파티를 열다 blow up (풍선을) 불다 decorate 장식하다 living room 거실

05

대화를 듣고, 두 사람이 대화하는 장소로 가장 적절한 것을 고르시오.

① library   ② hospital
③ bookstore   ④ post office
⑤ supermarket

M   Excuse me. This book is ❶_____ _____ _____. Do you have another one?

W   Sorry, but that is the only copy of that book we have. If you want, we can ❷_____ _____ _____ for you.

M   How long will it take?

W   You can pick it up next week.

M   I don't think I can ❸_____ _____ _____. Can you give me a discount if I buy this book?

W   I'm sorry, but I can't.

06 (★ 영국식 발음 녹음)

대화를 듣고, 여자의 마지막 말의 의도로 가장 적절한 것을 고르시오.

① 충고   ② 제안   ③ 거절
④ 요청   ⑤ 질문

M   Jenny, I have a question to ask you.

W   Sure. What is it?

M   ❶_____ _____ _____ _____ English. Can you tell me how to improve my English listening skills?

W   Well…. I listen to pop songs a lot. But why?

M   Actually, I ❷_____ _____ on the English listening test, and I feel miserable. I didn't understand a single word.

W   Cheer up. ❸_____ _____ _____ study English together during summer vacation?

07

대화를 듣고, 소풍에 가져가야 하는 것이 아닌 것을 고르시오.

① 도시락   ② 차비   ③ 입장료
④ 물   ⑤ 모자

M   You all know we're ❶_____ _____ _____ _____ to Gyeongbok Palace tomorrow, right? Do you have any questions?

W   Should we bring anything tomorrow?

M   You need to bring your own lunch and some money for transportation. You can ❷_____ _____ _____ there.

W   What about the entrance fee?

M   ❸_____ _____ _____ for that. Just bring a bottle of iced water and a cap because it will be very hot tomorrow.

W   Okay.

⁰⁵ **copy** (책 · 신문 등의) 한 부   **order** 주문하다   **till** ~까지(= until)   ⁰⁶ **improve** 향상시키다   **mess up** ~을 다 망치다   **miserable** 절망스러운
⁰⁷ **transportation** 교통(편)   **entrance fee** 입장료

08 (★ 영국식 발음 녹음)

대화를 듣고, 여자가 남자에게 부탁한 일로 가장 적절한 것을 고르시오.

① 슬리퍼 교환하기
② Susan에게 슬리퍼 가져다주기
③ 건전지 사다 주기
④ 우체국에서 소포 부치기
⑤ 빨리 돌아오기

W David, you said you were going to IDEA Mart. When are you going?
M I'm ❶_____ _____ _____. Why?
W Then can you do me a favor?
M Sure. Do you ❷_____ _____ _____ _____ your slippers? You said they were too big for you.
W Oh, that's okay. The clock in the living room stopped. Can you buy 2 AAA size batteries?
M That's easy. I'll do it, but it will take a while. I'll drop by the post office ❸_____ _____ _____ _____ the mart.
W OK. Thanks.

09

대화를 듣고, 여자가 구입할 기념품으로 가장 적절한 것을 고르시오.

① 펜   ② 자석   ③ 열쇠고리
④ 태극기   ⑤ 티셔츠

M Welcome to Jacob's Souvenir Shop. How may I help you?
W I'd like to buy some presents for ❶_____ _____ _____.
M How about these T-shirts with the Korean national flag?
W They look good, but they seem ❷_____ _____ _____ for me.
M If you are looking for cheaper products, these key rings and magnets are good. They are only five dollars each.
W These magnets are so cute. I'll take ❸_____ _____ _____.

10

다음을 듣고, 무엇에 관한 안내 방송인지 가장 적절한 것을 고르시오.

① 할인 행사   ② 직원 모집
③ 휴점   ④ 사은품 증정
⑤ 영업 마감 시간

W Dear customers, we ❶_____ _____ _____ _____ here at the W Department Store. Our department store is closing in 20 minutes. So please ❷_____ _____ _____ to finish your shopping and go home safely. Thank you again for visiting the W Department Store. We hope to see you again in the ❸_____ _____. Bye-bye.

11

대화를 듣고, 여자의 건강 비결로 언급되지 않은 것을 고르시오.

① 규칙적인 운동하기
② 패스트푸드 먹지 않기
③ 채소와 과일 섭취하기
④ 음식을 적게 먹기
⑤ 충분한 수면 취하기

M You look very healthy these days, Joanne.
W I've been trying really hard to ❶_____ _____ _____.
M Have you been doing exercise?
W Yeah. Besides regular exercise, I ❷_____ _____ _____ _____ junk food and eat lots of vegetables and fruits instead.
M Wow. I think I should follow your way.
W There's one more thing. It's very important to ❸_____ _____ _____ at night.   M I got you.

---

08 a while 잠깐 drop by ~에 잠깐 들르다 **09** souvenir 기념품 national flag 국기 expensive 비싼 product 상품, 제품 magnet 자석 **10** customer 손님 department store 백화점 **11** keep(stay) in shape 몸매를 유지하다 follow (본보기를) 따르다; 모방하다

12 (★ 영국식 발음 녹음)

대화를 듣고, 남자가 전화를 건 목적으로 가장 적절한 것을 고르시오.

① 이메일 확인 요청
② 레스토랑 예약 부탁
③ 할인 쿠폰 출력 여부 확인
④ 외식 장소 추천 부탁
⑤ 할인 쿠폰 구하는 방법 문의

[Cellphone rings.]

W Hello. This is Dina speaking.
M Hi, Dina. Do you remember ❶ _____ _____ _____ the 10% discount coupon at Paul's Steakhouse?
W Sure. Why do you ask?
M I'd like to ❷ _____ _____ _____ with my family this weekend. I wonder where you got the discount coupon.
W I ❸ _____ _____ _____. If you want, I can e-mail it to you.
M You're so kind.

13

대화를 듣고, 두 사람이 만날 시각으로 가장 적절한 것을 고르시오.

① 2:25 ② 2:30 ③ 2:35
④ 2:40 ⑤ 2:45

M Esther, how about going to the new fast-food restaurant after school?
W I'd like to, but ❶ _____ _____ _____ clean the classroom today.
M What time do you think you'll finish?
W Well... maybe around 2:30?
M Okay. I'll wait for you ❷ _____ _____.
W Oh, is it okay if we meet fifteen minutes after that? I ❸ _____ _____ _____ some books to the school library.
M All right.

14 (★ 영국식 발음 녹음)

대화를 듣고, 두 사람의 관계로 가장 적절한 것을 고르시오.

① 의사 — 환자
② 은행원 — 고객
③ 공항직원 — 여행객
④ 집배원 — 고객
⑤ 버스 운전 기사 — 승객

W Hello, sir. Can I help you?
M I'd like to ❶ _____ _____ _____.
W What kind of account are you interested in?
M A savings account, please.
W Can you ❷ _____ _____ _____ _____? And I need to see your ID card.
M Will this passport be okay?
W Sure. Please ❸ _____ _____ _____ here. *[pause]* Here are your account book and ID card.

---

¹² **download** (데이터를) 내려받다 ¹³ **be supposed to** ~하기로 되어 있다, ~해야 한다 **return** 반납하다 ¹⁴ **account** 계좌 **savings account** 저축 예금 **fill out** ~을 작성하다(기입하다) **account book** 통장(= bank book)

15

대화를 듣고, 두 사람이 할 일로 가장 적절한 것을 고르시오.

① 교실 청소하기
② 종이 구입하기
③ 교실 벽에 그림 그리기
④ 교실 벽의 낙서 지우기
⑤ 크리스마스 트리 구입하기

M Do you have any ideas for decorating our classroom for the Christmas season?

W ❶ _____ _____ making a big Christmas tree?

M That interests me a lot. But won't it be ❷ _____ _____ _____ _____ a tree?

W No worries. We just need some green cardboard and colored paper.

M You mean we can make a paper tree and ❸ _____ _____ on the wall!

W Exactly. ❹ _____ _____ some pieces of paper.

M Okay.

16

대화를 듣고, 여자가 지각한 이유로 가장 적절한 것을 고르시오.

① 늦잠을 자서
② 버스를 놓쳐서
③ 버스가 고장 나서
④ 교통체증이 심해서
⑤ 교통사고를 당해서

W Hi, Mr. Anderson. I'm sorry I'm late.

M What happened? Did you ❶ _____ _____ _____ ?

W No. Actually, I had a car accident on my way to school. The bus ❷ _____ _____ a parked car.

M Really? Are you hurt anywhere?

W Not really.

M I see. ❸ _____ _____ it was not serious.

17

다음 그림의 상황에 가장 적절한 대화를 고르시오.

① ② ③ ④ ⑤

① M ❶ _____ _____ _____ _____ try a Chinese dish?

W Yes. I really want to taste one.

② M Do you like this dish? I don't think it's good.

W ❷ _____ _____ _____ _____ again.

③ M I like Vietnamese food best.

W That's my favorite, too.

④ M What would you like to order?

W I'd like a ham and mushroom pizza please.

⑤ M Excuse me. Where can I find an Italian restaurant around here?

W There's one ❸ _____ _____ _____ _____ .

---

¹⁵ decorate 장식하다, 꾸미다 cardboard 판지 colored paper 색종이 ¹⁶ crash into ~와 충돌하다 parked 주차된 serious 심각한 ¹⁷ Vietnamese 베트남의

18 ★영국식 발음 녹음

다음을 듣고, 여자가 하는 말의 내용으로 가장 적절한 것을 고르시오.

① No news is good news.
② Don't cry over spilt milk.
③ It's better late than never.
④ A rolling stone gathers no moss.
⑤ The early bird catches the worm.

W It's nice to meet all of you. Thank you for inviting me here today. I am the oldest line dance teacher at the center. I really wanted to learn ❶ _____ _____ _____, but I started learning how to dance only when I was 61 years old. Who knew I would be a dance teacher ❷ _____ _____ _____ _____ 67? Now I regret that I didn't start learning how to dance earlier. You might think it's too late now, but it's not late. If there's something you've always wanted to do, do it today. It might change ❸ _____ _____ _____ _____ _____.

[19~20] 대화를 듣고, 여자의 마지막 말에 이어질 남자의 응답으로 가장 적절한 것을 고르시오.

19

Man: _____

① You can't miss it.
② Did you drop this wallet?
③ You can go there by bus.
④ It's just around the corner.
⑤ Do you want to be a policeman?

M Look! There is a wallet on the ground.
W Oh, somebody ❶ _____ _____ _____ _____ by accident.
M Why don't we try to find its owner?
W That sounds great, but how can we do that? Do you have any ideas?
M We can ❷ _____ _____ to the police station, and maybe they can find the owner.
W Cool. ❸ _____ _____ _____ _____ police station?
M It's just around the corner.

20

Man: _____

① You'd better read yours first.
② Yes, I can buy you a book if you want it.
③ Sure, but I recommend that you buy one.
④ I have already returned the book to you.
⑤ No, I'm not interested in that book.

W Mark, ❶ _____ _____ _____ the book *The Giving Tree*?
M Sure. Actually, it's a very special book to me.
W Can I ask why?
M It changed my attitude toward life. Besides, that book made me want to ❷ _____ _____ _____.
W That's interesting. Maybe ❸ _____ _____ _____ _____.
M Yes, you should. It's a must-read book.
W Can I ❹ _____ _____?
M Sure, but I recommend that you buy one.

---

¹⁸ regret 후회하다 rest 나머지 spilt 쏟아진 gather 모으다 moss 이끼 ¹⁹ wallet 지갑 ground 땅바닥 drop 떨어지다, 떨어뜨리다 by accident 우연히 owner 주인 ²⁰ attitude 태도, 자세 toward ~에 대하여 must-read book 필독서, 반드시 읽어야 하는 책

01 대화를 듣고, 남자가 방문할 곳의 내일 날씨로 가장 적절한 것을 고르시오.

① ② ③

④ ⑤

02 대화를 듣고, 남자가 지난 주말에 만든 음식으로 가장 적절한 것을 고르시오.

① ② ③

④ ⑤

03 대화를 듣고, 여자의 마지막 말에 드러난 심정으로 가장 적절한 것을 고르시오.

① angry　　② bored　　③ scared
④ hopeful　　⑤ worried

04 대화를 듣고, 남자가 여자를 위해 할 일로 가장 적절한 것을 고르시오.

① 사진 찍어 주기　　② 사진 출력해 주기
③ 컴퓨터 고쳐 주기　　④ 사진 파일 보내 주기
⑤ 과제물 제출해 주기

05 대화를 듣고, 두 사람이 대화하는 장소로 가장 적절한 것을 고르시오.

① 은행　　② 식당　　③ 학교
④ 서점　　⑤ 우체국

06 대화를 듣고, 남자의 마지막 말의 의도로 가장 적절한 것을 고르시오.

① 기원　　② 허가　　③ 사과
④ 동의　　⑤ 충고

07 대화를 듣고, 여자가 남자에게 선물한 것을 고르시오.

① 바지　　② 스웨터　　③ 시계
④ 양말　　⑤ 구두

08 대화를 듣고, 여자가 대화 직후에 할 일로 가장 적절한 것을 고르시오.

① 방 청소하기
② 보고서 제출하기
③ 우유 데우기
④ 보고서 재출력하기
⑤ 아빠에게 도움 요청하기

09 다음을 듣고, 선생님이 장기 자랑에 대해 말하는 내용과 일치하지 <u>않는</u> 것을 고르시오.

① 5시에 시작된다.
② 2시간 동안 진행된다.
③ 참가자는 10명이다.
④ 참가자 중 6명은 춤을 춘다.
⑤ 장기 자랑 후에 특별 게스트가 나온다.

10 다음을 듣고, 남자가 하는 말의 내용으로 가장 적절한 것을 고르시오.

① 할인 광고　　② 휴점 안내
③ 대피 안내　　④ 영업 단축 안내
⑤ 지점 이전 안내

11 대화를 듣고, 여자가 만든 스웨터에 대한 설명으로 일치하는 것을 고르시오.

① 올해 만든 스웨터이다.
② 다른 사람의 도움을 받아 완성했다.
③ 별 무늬가 들어가 있다.
④ 제작 기간은 일주일이었다.
⑤ 매일 두 시간 동안 작업했다.

12 대화를 듣고, 남자가 전화를 건 목적으로 가장 적절한 것을 고르시오.

① 공연 입장권을 예매하려고
② 공연장의 위치를 알아보려고
③ 바뀐 공연 시간을 확인하려고
④ 공연 취소에 대해 항의하려고
⑤ 공연에 대한 정보를 얻으려고

13 대화를 듣고, 여자가 지불할 금액으로 가장 적절한 것을 고르시오.

① $12   ② $15   ③ $17
④ $20   ⑤ $25

14 대화를 듣고, 두 사람의 관계로 가장 적절한 것을 고르시오.

① 의사 — 환자
② 택시 기사 — 승객
③ 서점 주인 — 손님
④ 교수 — 학생
⑤ 출입국 사무원 — 여행객

15 대화를 듣고, 남자가 여자에게 부탁한 일로 가장 적절한 것을 고르시오.

① 참가 신청서 제출하기   ② 유니폼 구매해 주기
③ 연습 장소 알리기   ④ 유니폼 디자인하기
⑤ 간식 준비하기

16 다음을 듣고, 여름 캠프의 저녁 활동에서 할 수 있는 일로 가장 적절한 것을 고르시오.

① 야생화 관찰   ② 강 낚시 체험
③ 부모님께 편지 작성   ④ 텐트 설치법 학습
⑤ 환경 보호 관련 영화 감상

17 다음 그림의 상황에 가장 적절한 대화를 고르시오.

①   ②   ③   ④   ⑤

[18~19] 대화를 듣고, 여자의 마지막 말에 이어질 남자의 응답으로 가장 적절한 것을 고르시오.

18 Man: _____

① I'm thinking of going skiing this weekend.
② I want to rent skis for my friends.
③ I couldn't agree with you more.
④ That's great! When do we start on it?
⑤ Yes, you can bring your own skis.

19 Man: _____

① I have to practice much harder.
② I need to stay calm on stage.
③ Why don't you just wear a blue dress?
④ You don't need to see the rehearsal.
⑤ I just need a white shirt and blue jeans.

20 다음을 듣고, 선생님이 윤호에게 할 말로 가장 적절한 것을 고르시오.

Teacher: _____

① I agree. You are wasting too much paper.
② Good job. Your small act will help save the Earth.
③ All right. I can clean our classroom by myself.
④ My pleasure. Why don't you make the sign bigger?
⑤ I don't think so. We don't need a bigger trash can.

01

대화를 듣고, 남자가 방문할 곳의 내일 날씨로 가장 적절한 것을 고르시오.

① ② ③
④ ⑤

W Look at the dark clouds! It's ❶_____ _____ _____. Did you hear the weather forecast for tomorrow?

M Yes. I heard there will be heavy rain all day.

W When you go to the airport tomorrow, I'll ❷_____ _____ _____ at the subway station.

M Thank you. That way I ❸_____ _____ _____.

W I envy you are going to Sydney. I checked and it's supposed to be sunny there tomorrow.

M Yeah. It will be warm all week. Let's go together next time.

02

대화를 듣고, 남자가 지난 주말에 만든 음식으로 가장 적절한 것을 고르시오.

① ② ③
④ ⑤

W Mike, you look so happy in this photo.

M I was. I went camping last weekend.

W I ❶_____ _____! You seem to be cooking a hotdog or hamburger.

M No. I was making ❷_____ _____ _____ Turkish dish.

W How did you make it?

M I put pieces of vegetables and chicken onto a wooden stick.

W Wow, it ❸_____ _____ _____ great!

03

대화를 듣고, 여자의 마지막 말에 드러난 심정으로 가장 적절한 것을 고르시오.

① angry ② bored ③ scared
④ hopeful ⑤ worried

M You look worried. What's the matter?

W I left my cellphone in the school library. I'm afraid ❶_____ _____ _____.

M Wait a minute! Isn't your cellphone pink?

W Yes, it is. How did you know that?

M The librarian told me that he ❷_____ _____ a cellphone. He was looking for its owner.

W That must be mine. I have to ❸_____ _____ _____ right away.

---

01 all day 하루 종일 drop ~ off ~을 내려 주다 envy 부러워하다 02 go camping 캠핑 가다 Turkish 터키의 dish 요리 wooden 나무로 된 stick 막대기
03 take (허락 없이) 가져가다 librarian (도서관의) 사서 owner 주인

04

대화를 듣고, 남자가 여자를 위해 할 일로 가장 적절한 것을 고르시오.

① 사진 찍어 주기
② 사진 출력해 주기
③ 컴퓨터 고쳐 주기
④ 사진 파일 보내 주기
⑤ 과제물 제출해 주기

W   Dad, do we have a recent photo of our family?
M   Maybe we can ❶_____ _____ in the photo files on the computer. Why do you need one?
W   For my group project on the family.
M   All right. ❷_____ _____ _____ one. Do you want me to print it?
W   Yes, please.
M   Okay. I'll do that ❸_____ _____.   W   Thanks, Dad.

05

대화를 듣고, 두 사람이 대화하는 장소로 가장 적절한 것을 고르시오.

① 은행   ② 식당   ③ 학교
④ 서점   ⑤ 우체국

M   Wow, this place is really nice!   W   Yeah. What is popular here?
M   I heard it's popular for its curry dish. ❶_____ _____ _____ _____?
W   Good idea. But there are ❷_____ _____ _____ curry dishes on the menu.
M   Which one should we choose?
W   Let's ask the server to ❸_____ _____ _____ _____.

---

06 (★영국식 발음 녹음)

대화를 듣고, 남자의 마지막 말의 의도로 가장 적절한 것을 고르시오.

① 기원   ② 허가   ③ 사과
④ 동의   ⑤ 충고

M   Are those rose pots ❶_____ _____ _____ yours?
W   Yes. Why are you asking?
M   They look dry. They seem to need some water.
W   I water them ❷_____ _____ _____. Isn't that enough? I'm afraid to water them too often.
M   I understand. They will die if you water them too often. However, you should water them ❸_____ _____ _____ it.
W   Then how often do I have to water them?
M   You should water them when the soil dries out.

07

대화를 듣고, 여자가 남자에게 선물한 것을 고르시오.

① 바지   ② 스웨터   ③ 시계
④ 양말   ⑤ 구두

W   Hey, you look really good today.
M   Thanks. I just wore ❶_____ _____ _____ _____. I really like these pants.
W   Glad to hear that. That sweater also goes really well with the pants.
M   I thought so, too. How did you know my size? These pants ❷_____ _____.
W   I just guessed. You made a nice match with your socks, too. Those socks ❸_____ _____ _____.
M   Do you like them? Maybe I should buy you these socks next time.

⁰⁴ recent 최근의 group project 조별 과제 ⁰⁵ curry 카레 (요리) server 서빙하는 사람, 웨이터 recommend 추천하다 ⁰⁶ rose 장미 pot 화분 water 물; 물 주다 soil 흙, 토양 dry out 메말라지다 ⁰⁷ pant 반바지 fit 맞다 match 어울리다, 걸맞다

08

대화를 듣고, 여자가 대화 직후에 할 일로 가장 적절한 것을 고르시오.

① 방 청소 하기
② 보고서 제출하기
③ 우유 데우기
④ 보고서 재출력하기
⑤ 아빠에게 도움 요청하기

M Kate, are you done with your science report?
W Yes, Dad. I just finished it and printed it.
M Good. ❶ _____ _____ _____ _____?
W Of course. *[pause]* Oh, my! Max just spilled milk on my paper!
M Ha-ha! ❷ _____ _____ _____ your report again.
W Okay. Then, I'll bring it ❸ _____ _____, Dad.

09 ★영국식 발음 녹음

다음을 듣고, 선생님이 장기 자랑에 대해 말하는 내용과 일치하지 않는 것을 고르시오.

① 5시에 시작된다.
② 2시간 동안 진행된다.
③ 참가자는 10명이다.
④ 참가자 중 6명은 춤을 춘다.
⑤ 장기자랑 후에 특별 게스트가 나온다.

W Hello, students. Welcome to our talent show. Let me briefly ❶ _____ _____ _____ _____. It'll begin at five and go on for two hours. We have ten participants. ❷ _____ _____ _____ will sing, and the others will dance. After the show, ❸ _____ _____ our special guest. Please enjoy our show.

10

다음을 듣고, 남자가 하는 말의 내용으로 가장 적절한 것을 고르시오.

① 할인 광고
② 휴점 안내
③ 대피 안내
④ 영업 단축 안내
⑤ 지점 이전 안내

M Hello, shoppers! Thank you for visiting K Mart. We are very sorry that we'll be closed next week, from May 4 through 10. ❶ _____ _____ _____, K Mart is going to ❷ _____ _____. We are going to reopen on May 11. To welcome you back, we are going to offer a 10% discount on every item for one week. ❸ _____ _____ _____ _____, and see you again at K Mart.

11

대화를 듣고, 여자가 만든 스웨터에 대한 설명으로 일치하는 것을 고르시오.

① 올해 만든 스웨터이다.
② 다른 사람의 도움을 받아 완성했다.
③ 별 무늬가 들어가 있다.
④ 제작 기간은 일주일이었다.
⑤ 매일 두 시간 동안 작업했다.

M Alice, did you make this sweater?
W Yes. I ❶ _____ _____ for myself last year.
M Wow, I can't believe it. Are these patterns stars?
W No, they are butterflies. ❷ _____ _____ _____ _____ _____, making those patterns was the most difficult part.
M They look so nice. How long ❸ _____ _____ _____ to make the sweater?
W It took about a month. I knitted it for two hours every day.

⁰⁸ **spill** (액체를) 엎지르다 **paper** 과제물; 서류 **right away** 즉시, 곧바로 ⁰⁹ **talent show** 장기 자랑 **briefly** 잠시, 간단히 **go on** 계속되다 **participant** 참가자 ¹⁰ **renovate** 보수하다 **item** 품목 **inconvenience** 불편 ¹¹ **knit** (실로 옷 등을) 뜨다(짜다) **for oneself** 혼자 힘으로 **butterfly** 나비

12 ★영국식 발음 녹음

대화를 듣고, 남자가 전화를 건 목적으로 가장 적절한 것을 고르시오.

① 공연 입장권을 예매하려고
② 공연장의 위치를 알아보려고
③ 바뀐 공연 시간을 확인하려고
④ 공연 취소에 대해 항의하려고
⑤ 공연에 대한 정보를 얻으려고

[Telephone rings.]

W　Happy Sea World. How may I help you?
M　❶ _____ _____ _____ _____ about the dolphin show. How many shows do you have each day?
W　We ❷ _____ _____ _____ . One is in the morning, and the other is in the afternoon.
M　When does the show in the afternoon begin?
W　At 2 : 30. But please come earlier before it gets ❸ _____ _____ .
M　I see. Thank you.

13

대화를 듣고, 여자가 지불할 금액으로 가장 적절한 것을 고르시오.

① $12　② $15　③ $17
④ $20　⑤ $25

M　❶ _____ _____ _____ _____ ?
W　Yes. How much is this pencil sharpener?
M　It's 20 dollars.
W　Do you have ❷ _____ _____ _____ ? I only have 17 dollars.
M　Sure. We have a smaller one. It is five dollars cheaper than the larger one.
W　Good. ❸ _____ _____ the smaller one.

14 ★영국식 발음 녹음

대화를 듣고, 두 사람의 관계로 가장 적절한 것을 고르시오.

① 의사 — 환자
② 택시 기사 — 승객
③ 서점 주인 — 손님
④ 교수 — 학생
⑤ 출입국 사무원 — 여행객

W　Good morning, sir. Can I ❶ _____ _____ _____ , please?
M　Yes, here you are.
W　Why have you come to Korea?
M　I am ❷ _____ _____ _____ Korean.
W　How long will you stay?
M　I'm going to stay here for about 6 months.
W　Where are you going to stay?
M　I'm going to stay in the dormitory.
W　❸ _____ _____ _____ your studies.

---

12 dolphin 돌고래 the other (둘 중) 나머지 하나 crowded 붐비는, 복잡한 **13** pencil sharpener 연필깎이 **14** passport 여권 dormitory 기숙사

15

15 (★ 영국식 발음 녹음)

대화를 듣고, 남자가 여자에게 부탁한 일로 가장 적절한 것을 고르시오.

① 참가 신청서 제출하기
② 유니폼 구매해 주기
③ 연습 장소 알리기
④ 유니폼 디자인하기
⑤ 간식 준비하기

W Mark, have you heard about our school's soccer tournament?
M Yes. I've already ❶_____ _____ _____ it.
W Good. Then have you begun practicing?
M Yes. I play soccer after lunch every day.
W Please tell me if there's anything I can ❷_____ _____ _____.
M Oh, maybe you can help. I know that you're really good at drawing. Can you ❸_____ _____ _____ for us?
W Sure. I can do that.
M Thanks a lot.

16

다음을 듣고, 여름 캠프의 저녁 활동에서 할 수 있는 일로 가장 적절한 것을 고르시오.

① 야생화 관찰
② 강 낚시 체험
③ 부모님께 편지 작성
④ 텐트 설치법 학습
⑤ 환경 보호 관련 영화 감상

M Welcome to our summer camp. In the morning, you'll learn ❶_____ _____ _____ _____ a tent. After that, you'll watch a movie about protecting the environment. After lunch, ❷_____ _____ _____ _____ the afternoon program. You can enjoy fishing in the river and looking at wildflowers. In the evening, you'll ❸_____ _____ to your parents. Thank you.

17

다음 그림의 상황에 가장 적절한 대화를 고르시오.

① ② ③ ④ ⑤

① M Could you show me ❶_____ _____ _____ to the nearest subway station?
   W I'll take you there.
② M What time will the delivery man come?
   W I'm not sure. He could be ❷_____ _____ _____.
③ M Hello. Can I speak to Mr. Smith?
   W I'm sorry, but he is out right now. Can I take a message?
④ M Can we ❸_____ _____ _____ _____?
   W That's fine with me.
⑤ M I'm not sure what I should buy for my parents.
   W How about writing a letter for them?

---

¹⁵ tournament 토너먼트, 시합 sign up for ~을 신청하다 drawing 그림 (그리기) ¹⁶ set up ~을 설치하다 protect 보호하다 environment 환경 take part in ~에 참여하다 wildflower 들꽃, 야생화 ¹⁷ delivery 배달 make it 시간 약속을 하다

18

Man: _____

① I'm thinking of going skiing this weekend.
② I want to rent skis for my friends.
③ I couldn't agree with you more.
④ That's great! When do we start on it?
⑤ Yes, you can bring your own skis.

W	Jake, what are you planning to do this winter vacation?
M	I haven't thought about it yet. How about you?
W	I'm going to learn ❶_____ _____ _____.
M	Really? That will be fun!
W	Let's ❷_____ _____ together.
M	I'd love to. But I don't have ski boots or any other equipment.
W	Don't worry about it. You ❸_____ _____ _____ and even ski outfits.
M	That's great! When do we start on it?

19

Man: _____

① I have to practice much harder.
② I need to stay calm on stage.
③ Why don't you just wear a blue dress?
④ You don't need to see the rehearsal.
⑤ I just need a white shirt and blue jeans.

W	David, the school play is next week! ❶_____ _____ _____?
M	It's going well. We're practicing really hard.
W	Good. Is there anything I can do for you?
M	We need some snacks and drinks. ❷_____ _____ _____ some for us?
W	No problem. ❸_____ _____ _____ to the school. Will that be okay?
M	Sure. Thanks, Mom.
W	And what clothes do you need for the play? I mean stage costumes.
M	I just need a white shirt and blue jeans.

20

다음을 듣고, 선생님이 윤호에게 할 말로 가장 적절한 것을 고르시오.

Teacher: _____

① I agree. You are wasting too much paper.
② Good job. Your small act will help save the Earth.
③ All right. I can clean our classroom by myself.
④ My pleasure. Why don't you make the sign bigger?
⑤ I don't think so. We don't need a bigger trash can.

M	Yunho's classroom has a trash can and a recycling bin. But Yunho ❶_____ _____ paper and empty cans in the trash can, not in the recycling bin. So he ❷_____ _____ _____ on the wall. The sign says, "Let's recycle!" Yunho's homeroom teacher ❸_____ _____ _____. In this situation, what would the teacher say to Yunho?

---

18 take a lesson 수업을 받다 equipment 장비 rent (사용료를 내고) 빌리다 outfit 옷(복장) **19** play 연극 practice 연습하다 stage costume (연극·영화 등에서) 무대 의상 **20** trash can 쓰레기통 recycling 재활용 bin 통 empty 비어있는 sign 표지판 homeroom teacher 담임 선생님

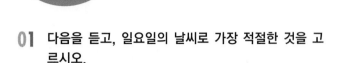

05회 실전 모의고사

01 다음을 듣고, 일요일의 날씨로 가장 적절한 것을 고르시오.

① ② ③
④ ⑤

02 대화를 듣고, 여자가 구입할 휴대전화 케이스를 고르시오.

① ② ③
④ ⑤

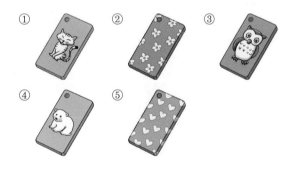

03 대화를 듣고, 여자의 심정으로 가장 적절한 것을 고르시오.

① proud   ② scared   ③ nervous
④ excited   ⑤ annoyed

04 대화를 듣고, 남자가 주말에 한 일로 가장 적절한 것을 고르시오.

① 집안일 하기   ② 동생 돌보기
③ 도서관 가기   ④ 친구와 놀기
⑤ 시험공부 하기

05 대화를 듣고, 두 사람이 대화하는 장소로 가장 적절한 것을 고르시오.

① airport   ② hospital   ③ classroom
④ restaurant   ⑤ post office

06 대화를 듣고, 남자의 마지막 말의 의도로 가장 적절한 것을 고르시오.

① 반대   ② 동의   ③ 거절
④ 칭찬   ⑤ 감사

07 대화를 듣고, 두 사람이 요리 재료로 사용하지 <u>않은</u> 것을 고르시오.

① 햄   ② 참치   ③ 당근
④ 양파   ⑤ 계란

08 대화를 듣고, 남자가 토요일에 할 일로 가장 적절한 것을 고르시오.

① 영화 보러 가기   ② 공부하기
③ 농장 구입하기   ④ 집에 가기
⑤ 부모님 돕기

09 대화를 듣고, 남자가 제주도 여행에서 가장 기억에 남았던 일을 고르시오.

① 해변 산책   ② 한라산 등반
③ 지역 음식 먹기   ④ 낚시하기
⑤ 오토바이 타기

10 다음을 듣고, 무엇에 관한 안내인지 가장 적절한 것을 고르시오.

① 오후 일정   ② 응원 방법
③ 부산 여행   ④ 축구 규칙
⑤ 학교 생활

11 대화를 듣고, 보령 머드 축제에 대한 내용으로 언급되지 않은 것을 고르시오.

① 6월 21일부터 6월 30일까지 열린다.
② 축제는 하루 종일 계속된다.
③ 요금이 여러 종류로 나누어져 있다.
④ 웹 사이트에서 요금을 확인할 수 있다.
⑤ 인터넷에서 예약이 가능하다.

12 대화를 듣고, 남자가 전화를 건 목적으로 가장 적절한 것을 고르시오.

① 친구 전화번호를 물어보려고
② 오후 계획에 대해 질문하려고
③ 도서관에 같이 갈 것을 제안하려고
④ 영어 숙제에 대한 도움을 요청하려고
⑤ 자신의 동생을 돌봐 줄 것을 부탁하려고

13 대화를 듣고, 여자가 지불해야 할 금액을 고르시오.

① $4　　② $12　　③ $14
④ $16　　⑤ $20

14 대화를 듣고, 두 사람의 관계로 가장 적절한 것을 고르시오.

① 배우 ― 감독　　② 연예인 ― 팬
③ 가수 ― 리포터　　④ 면접관 ― 면접자
⑤ 음악 교사 ― 학생

15 대화를 듣고, 남자가 여자에게 부탁한 일로 가장 적절한 것을 고르시오.

① 미술실 같이 가기　　② 미술 용품 구입하기
③ 미술 교과서 빌려주기　　④ 미술 숙제 도와주기
⑤ 미술 숙제 대신 제출하기

16 대화를 듣고, 남자가 병원에 가는 이유로 가장 적절한 것을 고르시오.

① 몸이 아파서　　② 진찰 예약을 하러
③ 아르바이트를 하러　　④ 중요한 약속이 있어서
⑤ 아픈 친구를 문병 가려고

17 다음 그림의 상황에 가장 적절한 대화를 고르시오.

①　　②　　③　　④　　⑤

18 대화를 듣고, 주어진 상황과 가장 잘 어울리는 속담을 고르시오.

① 무소식이 희소식이다.
② 실패는 성공의 어머니이다.
③ 로마에서는 로마법을 따르라.
④ 어려울 때 친구가 진정한 친구이다.
⑤ 가는 말이 고와야 오는 말이 곱다.

[19~20] 대화를 듣고, 남자의 마지막 말에 이어질 여자의 응답으로 가장 적절한 것을 고르시오.

19 Woman: _____

① Help Yourself!
② Sure. No problem.
③ What a nice picture!
④ They are right there.
⑤ What do you think of them?

20 Woman: _____

① Really? I want to see that movie, too.
② That's what I was going to tell you about.
③ It was nice. The ending was not that great though.
④ I have no idea because I don't like watching movies.
⑤ I saw a lot of people going fishing with their friends.

01

다음을 듣고, 일요일의 날씨로 가장 적절한 것을 고르시오.

① ② ③ ④ ⑤

W Good morning, everyone. This is the Saturday weather report. Do you ❶_____ _____ _____ any outdoor activities this weekend? I regret to tell you this, but you ❷_____ _____ _____ _____ do them because it'll rain today and tomorrow. On Monday, the rain will stop, but it will be ❸_____ _____ _____.

02

대화를 듣고, 여자가 구입할 휴대전화 케이스를 고르시오.

① ② ③ ④ ⑤

M Hello. May I help you?

W Hi. ❶_____ _____ _____ a cellphone case?

M Sure. Women like this one with the cat print and this one with the flower pattern.　**W**　Actually, ❷_____ _____ my 12-year-old son.

M Okay. What about this one ❸_____ _____ _____? It's popular with teenage children.

W Oh, he likes birds more than any other animal. That will be nice.

03

대화를 듣고, 여자의 심정으로 가장 적절한 것을 고르시오.

① proud　　② scared
③ nervous　④ excited
⑤ annoyed

M You must be very happy.

W Me? What ❶_____ _____ _____ that?

M Your summer vacation has just begun.

W Actually, I don't feel like ❷_____ _____ _____.

M What? How come?

W I have to take vacation courses every day.

M Did you decide to take them ❸_____ _____?

W No way. My mom asked me to take them. I wish I could enjoy my vacation.

04 ★영국식 발음 녹음

대화를 듣고, 남자가 주말에 한 일로 가장 적절한 것을 고르시오.

① 집안일 하기　② 동생 돌보기
③ 도서관 가기　④ 친구와 놀기
⑤ 시험공부 하기

W How come you look so exhausted? ❶_____ _____?

M I spent the whole weekend studying for my final exams.

W Oh, that ❷_____ _____ _____ very tough. So you stayed home for the entire weekend?

M No. I couldn't study at home because my two-year-old brother was ill and ❸_____ _____ _____.

W So did you go to the library?　**M**　No, I studied with Jimin at her house.

---

01 outdoor activity 야외(실외) 활동 regret 유감스럽게 생각하다; 후회하다　**02** recommend 추천하다 print (프린트로 찍힌) 무늬 owl 부엉이
03 be on vacation 방학 중이다 take (수업을) 듣다, 수강하다 vacation course 방학 (보충) 수업　**04** exhausted 진이 다 빠진 tough 힘든

05

대화를 듣고, 두 사람이 대화하는 장소로 가장 적절한 것을 고르시오.

① airport ② hospital
③ classroom ④ restaurant
⑤ post office

W How many are in your party, sir?

M There are ❶ _____ _____ _____ .

W If you want a table by a window, you need to wait for at least ❷ _____ _____ _____ .

M We don't care about the view.

W Okay, then please come with me. *[pause]* Here is your table, and here are the menus.

M Thank you. We'll ❸ _____ _____ _____ when we're ready to order.

W Absolutely, sir. Take your time.

06

대화를 듣고, 남자의 마지막 말의 의도로 가장 적절한 것을 고르시오.

① 반대 ② 동의 ③ 거절
④ 칭찬 ⑤ 감사

W It's so hot and humid today.

M Yes, and it's ❶ _____ _____ _____ _____ these days.

W How come the air conditioner isn't working?

M I heard we won't be able to use it until next month. The school ❷ _____ _____ .

W But I can't ❸ _____ _____ my studies because it's too hot.

M I couldn't agree with you more.

07

대화를 듣고, 두 사람이 요리 재료로 사용하지 않은 것을 고르시오.

① 햄 ② 참치 ③ 당근
④ 양파 ⑤ 계란

M Everything's ready. Do I need some rice, too?

W You obviously need some rice.

M All right. What other ingredients do I need?

W It's totally ❶ _____ _____ _____ , but I usually use chopped ham, carrots, and onions.

M Okay, I'll follow your recipe.

W Then, ❷ _____ _____ _____ a pan and stir-fry them for five minutes.

M That's it? It's very simple.

W Yes, you can also enjoy fried rice with a fried egg ❸ _____ _____ _____ _____ .

---

05 **party** 일행 **at least** 적어도, 최소한 **view** 전망, 경관 06 **humid** 습한 **work** (기계 · 장치 등이) 작동되다 **control** 통제하다 **focus on** ~에 집중하다
07 **obviously** 명백히, 확실히 **ingredient** 재료, 성분 **up to** ~에게 달린, ~이 결정할

08 (★ 영국식 발음 녹음)

대화를 듣고, 남자가 토요일에 할 일로 가장 적절한 것을 고르시오.

① 영화 보러 가기 ② 공부하기
③ 농장 구입하기 ④ 집에 가기
⑤ 부모님 돕기

W Dohoon, would you like to go to the movies on Saturday?

M I'd love to, ❶_____ _____ _____.

W Why? Are you going to study?

M No. Actually, my parents ❷_____ _____ _____ _____ in a suburb, and I promised to help them ❸_____ _____ _____ _____ every weekend.

W Wow, that sounds very interesting. Do you mind if I join you?

M Not at all. I'll ask my parents and let you know.

W Thanks.

09

대화를 듣고, 남자가 제주도 여행에서 가장 기억에 남았던 일을 고르시오.

① 해변 산책
② 한라산 등반
③ 지역 음식 먹기
④ 낚시하기
⑤ 오토바이 타기

W How was your trip to Jeju-do?

M It was fantastic. I ❶_____ _____ _____ _____ at a beautiful beach and also at Mt. Halla.

W ❷_____ _____ the local food? Did you enjoy it?

M Yes, I especially loved *mulhoe*, which is cold raw fish soup.

W What was the most memorable thing ❸_____ _____ _____ _____?

M I definitely have to say I enjoyed riding on a motorcycle most.

10

다음을 듣고, 무엇에 관한 안내인지 가장 적절한 것을 고르시오.

① 오후 일정   ② 응원 방법
③ 부산 여행   ④ 축구 규칙
⑤ 학교 생활

W Good morning, everyone. As you might know, our school soccer team ❶_____ _____ to the finals. This afternoon, the final match ❷_____ _____ _____ against a middle school from Busan. So there won't be any classes this afternoon. Instead, all students will ❸_____ _____ _____ _____ to cheer for our team. Thank you.

11

대화를 듣고, 보령 머드 축제에 대한 내용으로 언급되지 않은 것을 고르시오.

① 6월 21일부터 6월 30일까지 열린다.
② 축제는 하루 종일 계속된다.
③ 요금이 여러 종류로 나누어져 있다.
④ 웹 사이트에서 요금을 확인할 수 있다.
⑤ 인터넷에서 예약이 가능하다.

[Telephone rings.]

W Boryeong Mud Festival. How may I help you?

M Hello. I'd ❶_____ _____ _____ the festival with my friends. What are the dates again?

W It's from July 21 to July 30.

M ❷_____ _____ are the tickets?

W It depends on the number of people, your age and a few other things. You can visit our web site for information on the ticket prices.

M OK. Can I ❸_____ _____ _____ _____?

W Yes, you can.   M That's great. Thank you.

---

08 **suburb** 교외 **promise** 약속하다   09 **local** 지역의 **raw** 익히지 않은, 날것의 **memorable** 기억할 만한 **definitely** 분명히, 틀림없이   10 **make it** 진출하다, 해내다 **final match** 결승전 **against** ~에 맞서 **cheer for** ~을 응원하다   11 **depend on** ~에 따라 다르다

12 ★영국식 발음 녹음

대화를 듣고, 남자가 전화를 건 목적으로 가장 적절한 것을 고르시오.

① 친구 전화번호를 물어보려고
② 오후 계획에 대해 질문하려고
③ 도서관에 같이 갈 것을 제안하려고
④ 영어 숙제에 대한 도움을 요청하려고
⑤ 자신의 동생을 돌봐줄 것을 부탁하려고

[Cellphone rings.]

W Hi, Daniel. ❶_____ _____?

M Do you know Sumi's phone number?

W Yes, but why? You sound worried.

M I promised to help her with her English homework in the library, but ❷_____ _____ _____ _____.

W How come?

M My laptop is broken, so I need to go to the service center ❸_____ _____ _____ _____.

W Oh, then she will understand. I'll text you her number.

M Thanks.

13

대화를 듣고, 여자가 지불해야 할 금액을 고르시오.

① $4 ② $12 ③ $14
④ $16 ⑤ $20

M Next, please. Hello, ❶_____ _____ _____ _____?

W I'd like a cheeseburger and a Coke.

M That's $14.

W Well... ❷_____ _____ $16? A cheeseburger is $12 and a Coke is $4.

M You're right, but if you order them together ❸_____ _____ _____, it's only $14.

W Oh, that's good. Thank you.

14

대화를 듣고, 두 사람의 관계로 가장 적절한 것을 고르시오.

① 배우 — 감독
② 연예인 — 팬
③ 가수 — 리포터
④ 면접관 — 면접자
⑤ 음악 교사 — 학생

W Brian. Here is the last question. **M** All right.

W What ❶_____ _____ _____ _____ becoming a professional singer?

M When I was in middle school, I won several singing contests, so my music teacher suggested ❷_____ _____.

W Okay, thanks for the interview. Would you like to say something to your fans?

M Yes. Thank you guys for listening to my music and ❸_____ _____ _____ _____ all the time.

W Thank you very much.

---

12 promise 약속하다 **make it** 시간 맞춰 가다 **laptop** 노트북 컴퓨터 **fix** 수리하다 **text** (휴대전화로) 문자를 보내다 **13** Coke 콜라 **together** 함께
14 professional 직업의, 전문의 **suggest** 제안하다

15

대화를 듣고, 남자가 여자에게 부탁한 일로 가장 적절한 것을 고르시오.

① 미술실 같이 가기
② 미술 용품 구입하기
③ 미술 교과서 빌려주기
④ 미술 숙제 도와주기
⑤ 미술 숙제 대신 제출하기

M Art class is always fun, isn't it?

W I couldn't agree with you more.

M By the way, I think you're really ❶_____ _____ _____. Your drawing looked almost the same as the sculpture of Venus.

W No way. You're flattering me.

M I mean it. Anyway, can I ask you ❷_____ _____ _____?

W What is it?

M Can you ❸_____ _____ _____ _____ my art homework?

W That's why you praised me for my work.

16 ★영국식 발음 녹음

대화를 듣고, 남자가 병원에 가는 이유로 가장 적절한 것을 고르시오.

① 몸이 아파서
② 진찰 예약을 하러
③ 아르바이트를 하러
④ 중요한 약속이 있어서
⑤ 아픈 친구를 문병 가려고

W Scott, how's your university life going?

M ❶_____ _____ _____ _____. Where are you heading?

W I'm going home. What about you?

M ❷_____ _____ _____ the hospital.

W Hospital? Are you sick?

M No. I'm planning to travel to Paris, so I have a part-time job there to make money.

W Sounds awesome. Can I ask what you do there?

M I work at the information desk and support people ❸_____ _____ _____.

17

다음 그림의 상황에 가장 적절한 대화를 고르시오.

① ② ③ ④ ⑤

① M Would you like to have some more?
   W No, I can't. I've had ❶_____ _____ _____.
② M It's been a long time since you met your uncle last time.
   W Yes. ❷_____ _____ _____ _____ see him again.
③ M Have you seen this movie before?
   W No, I haven't. Let's watch it.
④ M I ❸_____ _____ _____ _____ for you.
   W How kind of you!
⑤ M Let's stop here and continue tomorrow. How does that sound?
   W That's a great idea.

---

¹⁵ sculpture 조각품 flatter 아첨하다 I mean it. 나는 진심이야. favor 부탁; 호의 praise 칭찬하다 ¹⁶ head 가다, 향하다 part-time job 시간제 근무(일); 아르바이트 make money 돈을 벌다 awesome 멋진, 굉장한 ¹⁷ mess 엉망인 것 continue 계속하다

18

대화를 듣고, 주어진 상황과 가장 잘 어울리는 속담을 고르시오.

① 무소식이 희소식이다.
② 실패는 성공의 어머니이다.
③ 로마에서는 로마법을 따르라.
④ 어려울 때 친구가 진정한 친구이다.
⑤ 가는 말이 고와야 오는 말이 곱다.

W You go first. I have to empty the trash can ❶_____ _____.
M But you're not in charge of doing that this week.
W I overslept and was late for school today, so ❷_____ _____ _____ _____ do this. It's a kind of punishment.
M I'm sorry to hear that. ❸_____ _____ _____.
W Are you serious?
M Yes. What are friends for? It would take more than an hour if you did it yourself.
W Thanks.

[19~20] 대화를 듣고, 남자의 마지막 말에 이어질 여자의 응답으로 가장 적절한 것을 고르시오.

19

Woman: _____

① Help Yourself!
② Sure. No problem.
③ What a nice picture!
④ They are right there.
⑤ What do you think of them?

W Next, please.
M Should I ❶_____ _____?
W Yes, please. Please look at the camera. Smile softly... good!
M Thank you. When can I ❷_____ _____ _____?
W A few days later. We'll send you a message when ❸_____ _____ _____.
M Can you also give me the files?
W Sure. No problem.

20 (★영국식 발음 녹음)

Woman: _____

① Really? I want to see that movie, too.
② That's what I was going to tell you about.
③ It was nice. The ending was not that great though.
④ I have no idea because I don't like watching movies.
⑤ I saw a lot of people going fishing with their friends.

W How was your weekend, Jerry?
M It was fantastic. My dad and I rented a fishing boat and ❶_____ _____ _____ _____ _____ in the ocean near the west coast of Incheon.
W Sounds wonderful.
M How was your weekend? Did you do anything exciting?
W I ❷_____ _____ _____ with my sister. Have you seen the movie *Great Hunter*?
M Oh, that's the movie ❸_____ _____ _____ _____. How did you like it?
W It was nice. The ending was not that great though.

---

18 empty 비우다 **be in charge of** ~을 담당하다 **oversleep** 늦잠 자다 **be told to** ~하도록 당부 받다 **punishment** 벌(칙) **What are friends for?** 친구 좋다는 게 뭐겠어? **19** **have a seat** 앉다 **softly** 부드럽게 **20** **ocean** 바다 **coast** 해안

🏷 상점에서

💬 점원이 하는 말

• What can I do for you?	무엇을 도와드릴까요?
• How do you like this one? / How about this one?	이것은 어때요?
• Here you are. / Here it is. / Here you go.	여기 있습니다.
• May I ask why you are returning them?	왜 반품하려 하는지 여쭤봐도 될까요?
• Please give me a receipt.	영수증 좀 주세요.

💬 손님이 하는 말

• I'm looking for running shoes.	운동화를 사고 싶어요.
• Can I try these boots on?	이 부츠를 신어 봐도 될까요?
• Do you have this one in a smaller size?	이게 더 작은 사이즈로 있나요?
• What's the price of it? / How much does it cost?	얼마예요?
• I'd like to have it wrapped, please.	포장해 주세요.
• I'd like to have a refund.	이 물건을 환불 받고 싶어요.

📋 호텔에서

• Do you have any vacancies?	빈 방 있습니까?
• We don't have a room available.	빈 방이 없습니다.
• I'd like to check in(out) now.	지금 체크인(체크아웃)하고 싶습니다.
• I booked the room myself a week ago.	일주일 전에 직접 방을 예약했습니다.
• I'd like to make a reservation for two nights.	이틀 밤을 예약하고 싶습니다.
• May I have room service?	룸서비스 부탁드려도 될까요?
• Enjoy your stay.	머무는 동안 즐겁게 보내세요.

🍴 음식점에서

- May〔Can〕 I take your order?   주문하시겠어요?
- What would you like to order?   무엇을 주문하시겠습니까?
- Would you care for any dessert?   후식을 드시겠습니까?
- Is there anything else I can get to you?   가져다 드릴 게 더 있나요?
- How many do you have in your party?   일행이 몇 분이시죠?
- What is your special of the day?   오늘의 특별 요리는 뭐죠?
- May I have the check〔bill〕, please?   계산서를 가져다주시겠어요?

✈ 기내 · 공항에서

- May I see your ticket and passport?   비행기 표와 여권 좀 볼 수 있을까요?
- Do you have anything to declare?   신고하실 게 있나요?
- What's the purpose of your visit?   방문 목적이 뭐죠?
- What is the departure time?   출발 시간이 언제인가요?
- The plane will take off at 2 o'clock.   비행기는 2시에 이륙합니다.
- How many hours does the flight take?   비행시간은 얼마나 걸리나요?
- We will be landing in 15 minutes.   15분 후에 착륙할 예정입니다.
- Please fill out this customs declaration form.   이 세관 신고서를 작성해 주세요.
- I hope you have a good flight.   즐거운 비행이 되시길 바랍니다.

✉ 우체국에서

- I'd like to send this parcel to New York.   이 소포를 뉴욕으로 보내고 싶어요.
- I want to send this by express mail service.   이것을 속달로 보내고 싶어요.
- What are the contents of the box?   상자 안의 내용물이 뭐죠?
- Let me weigh it first. It depends on the weight.   먼저 무게를 달아 보죠. 무게에 따라 달라요.

은행에서

• I'd like to make a deposit.	예금을 하고 싶어요.
• I'd like to cash this check, please.	이 수표를 현금으로 바꿔 주세요.
• How would you like your money, in cash or check?	돈을 어떻게 드릴까요, 현금 아니면 수표요?

 극장·공연장·박물관에서

• Which movie would you like to see?	어느 영화를 보시겠어요?
• When does this movie start?	이 영화는 언제 시작하죠?
• It's sold out. Do you want to see the next one?	매진입니다. 다음 것으로 보시겠어요?
• I would like two tickets for the second show.	2회 상영표 2장 주세요.
• The special effects were incredible.	특수 효과가 멋졌어요.
• Please keep a distance from the works.	작품에서 물러나 주세요.
• Don't touch any works.	어떤 작품도 만지지 마세요.

 학교·도서관에서

• I got an A on the final exam.	나는 기말시험에서 A를 받았어.
• I wrote an article for the school newspaper.	나는 학교 신문에 기사를 하나 썼어.
• She was absent from school today.	그녀는 오늘 학교에 결석했다.
• How many books can I borrow at one time?	한번에 몇 권의 책을 빌릴 수 있나요?
• The City Library is open from 9 a.m. to 5 p.m.	시립 도서관은 오전 9시부터 오후 5시까지 엽니다.
• You have to fill out the book card.	대출 카드를 작성해야 합니다.
• You may keep the books for two weeks.	책은 2주일 동안 빌릴 수 있어요.
• You must return the books within two weeks.	책을 2주일 이내에 반납해야 해요.
• You shouldn't drink anything inside the library.	도서관에서는 어떤 것도 마실 수 없습니다.

TAPA

유형으로 격파하는

LISTENING TAPA

LEVEL 2

L2

중학 듣기 특강서

WORKBOOK

visang

ABOVE IMAGINATION

우리는 남다른 상상과 혁신으로
교육 문화의 새로운 전형을 만들어
모든 이의 행복한 경험과 성장에 기여한다

LISTENING TAPA
WORKBOOK

LEVEL 2

01 리듬을 타라! (문장 강세)

듣기를 방해하는 발음

A 다음을 듣고, 내용어에 밑줄을 그으시오.

1 Don't be late for school.

2 He asked me to put the boxes over there.

3 We are going to go and see the animals.

B 다음을 듣고, 알맞은 내용어로 빈칸을 채우시오.

1 She _____ someone _____ at _____.

2 I _____ that it is an _____ _____.

3 He _____ _____ the _____ and _____ in his _____ _____.

4 _____ a lot of _____, and you will be _____.

5 _____ _____ do you _____, _____ or _____?

6 I am _____ _____ to _____ you _____.

C 다음을 듣고, 알맞은 기능어로 빈칸을 채우시오.

1 _____ heard _____ crying out last night.

2 _____ thought _____ _____ _____ _____ important work.

3 _____ _____ buy _____ violin _____ _____ guitar next time.

4 _____ you eat _____ _____ vegetables, _____ _____ _____ healthy.

5 Which movies _____ _____ like better, romance _____ horrors?

6 _____ _____ looking forward _____ seeing _____ soon.

A 다음을 듣고, 괄호 안에서 알맞은 것을 고르시오.

1 David made some new magic (tricks, sticks).

2 Do you know where the nearest (jug, drug) store is?

3 Let's leave early to avoid (terrific, traffic) jam.

4 Did you read the (drama, dum) script?

5 They followed the (track, tag) into the forest.

B 다음을 듣고, 빈칸을 채우시오.

1 I don't like to follow the fashion _____.

2 She wore a long black _____ to the party.

3 I think that she is such a _____ maker.

4 It is so noisy because my brother is playing the _____.

5 The little boy _____ over a small stone.

C 다음을 듣고, 밑줄 친 부분을 바르게 고치시오.

1 You are such a <u>dilemma</u> queen.

2 They lifted the <u>topic</u> up and kissed it.

3 This is a <u>through</u> story.

4 The chicken was <u>rye</u> and tasteless.

5 He <u>rode</u> an old car.

한 단어야, 두 단어야? (같은 자음 간 탈락 현상)

》 정답과 해설 p.46

A 다음을 듣고, 단어 사이 연결되는 자음의 소리에 주목하여 맞는 것을 고르시오.

1 ① had taste   ② hot taste   ③ hot toast

2 ① big class   ② big glass   ③ big grass

3 ① deep pocket   ② the pocket   ③ that pocket

4 ① enough fats   ② enough facts   ③ enough fans

5 ① have dinner with him   ② have dinner with that   ③ have dinner with them

B 다음을 듣고, 빈칸을 채우시오.

1 The _____ _____ is beautifully designed.

2 The _____ _____ at the school is usually over 20 students.

3 I get up at _____ _____ every morning.

4 We try to _____ _____ decisions.

5 The sky was covered with _____ _____ .

C 다음을 듣고, 밑줄 친 부분을 바르게 고치시오.

1 Susan wants to buy that black <u>goat</u>.

2 These are the <u>chimpanzees</u> which I bought yesterday.

3 The woman was standing behind the <u>white</u> desk.

4 There is a big <u>cap</u> between you and me.

5 The town is usually very quiet at <u>nice</u> time.

A　다음을 듣고, 약화된 소리에 주목하여 맞는 것을 고르시오.

1　① line up　　　② light up　　　③ ride up

2　① and the moment　② at the moment　③ at that moment

3　① let it go　　　② ready go　　　③ letting it go

4　① fight with you　② fine with you

5　① hang up the lantern　② hang up the lemon

B　다음을 듣고, 괄호 안에서 알맞은 것을 고르시오.

1　The man found a (kitten, kitchen) in the park.

2　The students come from (inference, different) nations.

3　Where is the best place to (sail up, set up) the tent?

4　They didn't know where (to, this) go first.

5　I have an important (interview, inner view) tomorrow morning.

C　다음을 듣고, 빈칸을 채우시오.

1　Jonathan was _____ from school for a week.

2　I'm _____ _____ meet their friends.

3　She has _____ several bestsellers.

4　I _____ my back, so I couldn't _____ up.

5　The _____ _____ over there is so beautiful.

A 다음을 듣고, 약화된 소리에 주목하여 맞는 것을 고르시오.

1   ① salt them out   ② sold them out   ③ sort them out

2   ① that fish   ② dad's fish   ③ dead fish

3   ① You heard me.   ② You help me.   ③ You hear me.

4   ① hold books   ② whole books   ③ old books

5   ① a plan of mine   ② a friend of mine

B 다음을 듣고, 빈칸을 채우시오.

1   Turn on the _____ of your car.

2   She wasn't _____ of saying what she thought.

3   Place the vegetables in a large _____ bowl.

4   Their house is _____ a small lake.

5   I got a poor _____ on my math test.

C 다음을 듣고, 밑줄 친 부분을 바르게 고치시오.

1   Have you seen today's <u>hotline</u>?

2   The teacher will <u>debate</u> the class into three groups.

3   The <u>outset</u> of the building needs painting.

4   The boxer hit the <u>setback</u> hard with his hand.

5   This product is <u>met</u> in Korea.

A 다음을 듣고, 각 동사를 알맞은 형태로 고쳐 쓰시오.

1 bring   → _____

2 teach   → _____

3 catch   → _____

4 speak   → _____

5 leave   → _____

6 read   → _____

7 forgive → _____

8 find   → _____

9 grow   → _____

10 stand   → _____

B 다음을 듣고, 밑줄 친 부분을 바르게 고치시오.

1 He <u>buys</u> a new schoolbag.

2 They <u>teach</u> English classes in English.

3 He <u>comes</u> home late.

4 We <u>feel</u> depressed after the speech.

5 Snow <u>falls</u> hard and <u>builds</u> up on the ground.

C 다음을 듣고, 알맞은 동사로 빈칸을 채우시오.

1 Have you _____ about the new project?

2 He got _____ in the snow when it became dark.

3 She was glad that she _____ her umbrella.

4 Jason _____ Jessica for her lie.

5 The couple _____ thinking about the problem.

A 다음을 듣고, 알맞은 것을 고르시오.

1 ① reproduce the sound ② produce the sound

2 ① range of activities ② arrange activities

3 ① store memory ② restore memory

4 ① news report ② new port

B 다음을 듣고, 괄호 안에서 알맞은 것을 고르시오.

1 I bought a car to (go, ago) to work two months (go, ago).

2 My grandparents are (live, alive) and still (live, alive) in the country.

3 I couldn't (recall, call) his phone number, so I couldn't (recall, call) him.

4 Janice didn't want to (gain, again) weight (gain, again).

5 We planted a new tree in that (place, replace) to (place, replace) the old one.

C 다음을 듣고, 빈칸을 채우시오.

1 She didn't _____ her mistake at all.

2 He raised his arms _____ his head.

3 I must _____ some books to the library.

4 He wrote a _____ on the meeting.

5 The students read the poem _____ with _____ voices.

6 Please help me _____ the shells from these peanuts.

08 두 단어의 발음이 같은 거야? (동음이의어)

A 다음을 듣고, 괄호 안에서 알맞은 단어를 골라 쓰시오.

1 How do you like my _____ computer? (knew, new)

2 Don't worry. It's a _____ of cake. (piece, peace)

3 She was looking outside _____ the window. (threw, through)

4 Haven't you gotten my _____ yet? (mail, male)

5 I'm planning to be back _____ by six. (hear, here)

B 다음을 듣고, 빈칸을 채우시오.

1 We _____ that something was wrong.

2 They lived in _____ for many years.

3 She _____ her dress on the bed.

4 There were more _____ students than female students.

5 Would you turn the volume up a little? I can't _____ anything.

C 다음을 듣고, 밑줄 친 부분을 바르게 고치시오.

1 Sally has played the piano for an <u>our</u>.

2 Some people <u>byte</u> their nails when they feel nervous.

3 The family traveled by <u>see</u> last summer.

4 The girl smiled and said <u>high</u> to me.

5 The store is having a big <u>sail</u>.

영국인과 미국인은 발음도 달라

» 정답과 해설 p.48

A 다음을 듣고, 괄호 안에서 알맞은 것을 고르시오.

1 Tim likes to ride his (horse, hose) on the weekend.

2 I have waited for him for (four, foe) hours.

3 Each correct answer is (was, worth) five points.

4 How about a (con, corn) salad?

5 The dog started to (bark, back) at a stranger.

B 다음을 듣고, 빈칸을 채우시오.

1 My uncle has been a _____ for fifty _____.

2 They didn't give me a straight _____ to my question.

3 He is a personal _____ at the gym.

4 She has _____ at the company for the _____ few months.

5 You should watch out for bike _____ when you drive here.

C 다음을 듣고, 밑줄 친 부분을 바르게 고치시오.

1 The building near my house is <u>onto</u> construction.

2 I was <u>bone</u> in Canada and grew up <u>that</u>.

3 The woman is pushing a <u>cat</u>.

4 It is not easy to use a knife and <u>folk</u>.

5 The Amazon <u>live</u> is the longest <u>live</u> in the world.

축약형 발음에 주의해! (축약형)

» 정답과 해설 p.48

A 다음을 듣고, 괄호 안에서 알맞은 것을 고르시오.

1 (She has, She's) been to Paris with her family many times.

2 He (won't, will not) give up on the exam next week.

3 The students (can, can't) understand what their teacher is saying.

4 (We will, We'll) have a discussion on the issue tomorrow.

5 You (should, shouldn't) be responsible for your mistakes.

B 다음을 듣고, 빈칸을 채우시오.

1 I _____ cleaned my apartment for a week.

2 _____ arrive at the airport on time.

3 _____ written a novel for two years.

4 _____ you said no to my offer?

5 _____ like to ask you a few questions later.

C 다음을 듣고, 밑줄 친 부분을 바르게 고치시오.

1 She'd listening to the radio in her room.

2 I'd done my best to finish the project.

3 He has heard from his friend for many years.

4 We hadn't better have a meeting next week.

5 They will arrive here three days from now.

A

다음을 영어는 우리말로, 우리말은 영어로 옮기시오.

1　behind　_____

2　overweight　_____

3　prefer　_____

4　humid　_____

5　cute　_____

6　fun　_____

7　excited　_____

8　get to　_____

9　take notes　_____

10　have no choice　_____

11　완벽한　p_____

12　삼각형　t_____

13　일기예보　w_____

14　태워 주기, 타기　r_____

15　닿다, 만지다　t_____

16　안개가 낀　f_____

17　곱슬머리의　c_____

18　~의 맞은편인　a_____

19　내려 주다　d_____

20　깁스를 하다　w_____

B

보기에서 알맞은 단어를 골라 문장을 완성하시오.

보기

check　　prefer　　agree　　book　　remember

1　I couldn't _____ with you any more.

2　I _____ed the spelling of a word in the dictionary.

3　Don't _____ to bring your parent to the school.

4　She _____ed a table for four at her favorite restaurant.

5　Would you _____ an aisle or a window seat?

C

다음 일기예보를 보고 괄호 안에서 알맞은 단어를 고르시오.

Sun	Mon	Tue	Wed	Thu	Fri
8℃	5℃	2℃	−10℃	1℃	10℃

1   Sunny weather will continue from Sunday to (Monday, Tuesday).

2   It will be partly (cloudy, stormy) on Tuesday.

3   The temperature will drop to -10°C on Wednesday, and it will be (freezing, cool).

4   It will snow and get a lot (colder, warmer) on Thursday.

5   It will not be chilly on Friday, but it will be (stormy, windy).

D

보기에서 알맞은 말을 골라 대화를 완성하시오.

> 보기
> • What does she look like?
> • How can I get to the post office?
> • What's wrong with you?
> • What will be the weather like today?
> • Where is my backpack?

1   A _____
    B It's on your chair.

2   A _____
    B It'll rain all day long.

3   A _____
    B She is wearing her hair in a ponytail.

4   A _____
    B I ran into a boy while playing soccer.

5   A _____
    B Turn left and go one more block.

A 다음을 영어는 우리말로, 우리말은 영어로 옮기시오.

1 besides _____
2 handmade _____
3 anniversary _____
4 perform _____
5 event _____
6 traffic jam _____
7 perform _____
8 in total _____
9 right away _____
10 as well _____

11 무지개 r_____
12 전체의 w_____
13 잔돈 c_____
14 관리자, 매니저 m_____
15 설립, 창립 f_____
16 가능한 p_____
17 예약 r_____
18 ~하기로 되어 있다 b_____
19 다가오다 c_____
20 동시에 a_____

B 보기에서 알맞은 단어를 골라 문장을 완성하시오.

| 보기 | | | | |
| fix | invite | include | following | pay |

1 You have to _____ in advance.
2 Does this rate _____ breakfast?
3 They agreed to meet the _____ week here.
4 Do you know how to _____ the computer?
5 I'd like to _____ you to my birthday party.

C 괄호 안에 주어진 단어들을 바르게 배열하여 대화를 완성하시오.

1 A _____? (much, how, is, the, half, the loaf)

   B It's 2 dollars for half a loaf.

2 A Do you have this green shirt in medium?

   B _____. (it, is, here)

3 A _____? (what, movie, time, does, the, start)

   B It starts at 11 o'clock.

4 A _____? (long, how, keep, can, I, two, books)

   B You're supposed to return them in 7 days.

D 대화가 완성되도록 바르게 짝지으시오.

1 What time shall we make it? •   • a It's almost noon.

2 Do you have the time? •   • b I'll pay for it by credit card.

3 How much does it cost? •   • c That'll be 40 dollars.

4 I have a 10% discount coupon. •   • d Let's meet in half an hour.

5 How would you like to pay? •   • e The price is $45 with coupon.

목적 · 의도 Word & Expression TEST

A 다음을 영어는 우리말로, 우리말은 영어로 옮기시오.

1	fun	_____	11	먹이를 주다	f_____
2	accidently	_____	12	기한, 마감 일자	d_____
3	contact	_____	13	쏟다, 엎지르다	s_____
4	bother	_____	14	주의, 주목	a_____
5	tight	_____	15	체육관	g_____
6	celebration	_____	16	구하다	s_____
7	on purpose	_____	17	콘테스트, 경쟁	c_____
8	sign up	_____	18	파티를 열다	t_____
9	stop by	_____	19	~에 참석하다	t_____
10	take place	_____	20	~을 명심하다	k_____

B 보기에서 알맞은 단어를 골라 문장을 완성하시오.

보기

hold	save	stay	return	help

1 Beauty would _____ the world.

2 When do I have to _____ the book?

3 I can't _____ it, but I fell in love with her.

4 I _____ed up all night for studying.

5 _____ on a second. She's coming.

C 우리말과 일치하도록 괄호 안에 주어진 말을 바르게 배열하여 문장을 완성하시오.

1 네 말이 맞아. (say, again, you, can, that)

→ _____

2 전화 용건이 무엇인지 여쭤 봐도 될까요? (ask, I, can, your call, about, is, what)

→ _____

3 죄송하지만, 저는 어쩔 수 없네요. (sorry, I'm, I, help, it, can't, but)

→ _____

4 박물관은 일요일에 여나요? (the museum, on, open, Sundays, is)

→ _____

5 오늘 우리는 축하 파티를 열려고 해. (going, we, celebration, throw, a, party, are, to, today)

→ _____

D 각 상황에 알맞은 의도의 대답을 보기에서 찾아 쓰시오.

> 보기
> • I don't know how to thank you.
> • I'm afraid I can't help you.
> • I can't agree with you more.
> • You should not take pictures here.

1 Jason's friend asks for help, but Jason doesn't have enough time.

Jason _____

2 Molly cannot open the door because she is carrying a heavy box. A lady behind her comes and holds the door for her.

Molly _____

3 Freddy and his friends are trying to take a picture of themselves, but it's not easy. One of his friends suggests that they ask somebody to take a picture. Freddy has the same idea.

Freddy _____

A 다음을 영어는 우리말로, 우리말은 영어로 옮기시오.

1 confident _____
2 appointment _____
3 bring _____
4 appreciate _____
5 delicious _____
6 relaxed _____
7 make sure _____
8 around the corner _____
9 pass away _____
10 look after _____

11 게다가 b_____
12 차례, 순번 t_____
13 결석한 a_____
14 황사 y_____
15 경기, 시합 m_____
16 멋진 c_____
17 구내식당 c_____
18 대신에 i_____
19 매진된 s_____
20 ~을 기대하다 l_____

B 보기에서 알맞은 단어를 골라 알맞은 형태로 문장을 완성하시오.

| 보기 |
| envy   expect   access   lift   confident |

1 The exam was easier than I _____.

2 Could you help me _____ this table, please?

3 I _____ your ability to work so fast.

4 I'll get _____ to the site to book tickets.

5 She feels quite _____ about the future.

C 괄호 안에 주어진 단어를 활용하여 문장을 완성하시오.

1 I'm _____ about the exam. (worry)

2 She was _____ with Peter's present. (please)

3 I'm _____ with my score. (satisfy)

4 I'm afraid of _____ the airplane. (miss)

5 When I fell down on the street, I felt _____. (embarrass)

D 보기에서 알맞은 말을 골라 대화를 완성하시오.

> 보기
> • What makes you think so?   • Why is the baby crying.
> • Because I was too tired.   • I'm worried about the presentation.

1 A _____

   B The baby is crying because she feels sleepy.

2 A You look worried. What's wrong?

   B _____

3 A Tell me the reason why you didn't go to the party.

   B _____

4 A _____

   B I think so because there are thick clouds in the sky.

A 다음을 영어는 우리말로, 우리말은 영어로 옮기시오.

1	traffic accident	_____	11	근처의	n_____
2	theater	_____	12	~하는 동안에	w_____
3	strange	_____	13	기한이 지난	o_____
4	bake	_____	14	다리미질을 하다	i_____
5	catch	_____	15	미술관	a_____
6	field trip	_____	16	옛날의, 고대의	a_____
7	exhausted	_____	17	지금쯤	b_____
8	have a date with	_____	18	~에 잠시 들르다	s_____
9	be away	_____	19	막 ~하려는 참이다	b_____
10	according to	_____	20	고장 나다	b_____

B 보기에서 알맞은 단어를 골라 알맞은 형태로 문장을 완성하시오.

보기					
	favor	smell	exhausted	due	clean

1   Will you do me a _____?

2   What time is the next bus _____?

3   I promised that I would _____ my room.

4   Something _____ nice. Did you put on some perfume?

5   I'm _____, so I must get some sleep.

C 괄호 안에 주어진 단어를 활용하여 우리말을 영어로 옮기시오.

1 이번 주 토요일에 우리 등산하러 갈까? (shall, go mountain climbing)

→ _____

2 내가 없는 동안 내 개를 돌봐줄 수 있니? (can, away, take care of, while)

→ _____

3 20분 뒤에 극장에서 만나자. (let's, meet, theater)

→ _____

4 나는 아침에 엄마가 빵 구우시는 것을 도와야만 해. (supposed to, bake)

→ _____

5 우리는 계획했던 것보다 약간 더 늦게 만나야 한다. (have to, a bit later, scheduled)

→ _____

D 대화가 완성되도록 바르게 짝지으시오.

1 I have a stomachache. What should I do? •　　•a Sure, no problem.

2 Excuse me. Is this seat taken? •　　•b You should see a doctor.

3 Could you book a train ticket for me? •　　•c Of course not. I feel chilly, too.

4 Do you mind if I close the door? •　　•d I don't think so. Please have a seat.

5 Shall we go bowling next Sunday? •　　•e Sorry, but I have another plan.

A

다음을 영어는 우리말로, 우리말은 영어로 옮기시오.

1 chance _____
2 onion _____
3 garlic _____
4 later _____
5 competition _____
6 search _____
7 author _____
8 run _____
9 not only A but also B _____
10 sign up _____

11 망원경 t_____
12 붓 b_____
13 기분이 상쾌한 r_____
14 키워드, 핵심어 k_____
15 우주 s_____
16 냄비 p_____
17 빌려주다 l_____
18 제공하다 p_____
19 ~을 다 써 버리다 r_____
20 ~에 재능이 있다 h_____

B

보기에서 알맞은 단어를 골라 알맞은 형태로 문장을 완성하시오.

보기				
serve	stay	surf	provide	run

1 Do you know how to _____ this machine?

2 We should _____ at home because of the snow.

3 This restaurant _____ a variety of soups.

4 I'd like to _____ the Internet all day long.

5 The hotel _____ a cleaning service for free.

C 괄호 안에 주어진 단어를 활용하여 우리말을 영어로 옮기시오.

1 여러분은 학교 웹 사이트에서 신청할 수 있습니다. (sign up, website)

→ _____

2 당신은 저녁 식사로 무엇을 할지 걱정하시나요? (worried, what to cook)

→ _____

3 당신은 음악에 대한 특별한 재능이 있음에 틀림없다. (must, talent)

→ _____

4 사진 많이 찍고 나중에 내게 보여 줘라. (a lot of, later)

→ _____

5 당신은 여기서 낮은 가격으로 여러 다양한 종류의 책을 구입할 수 있다. (kinds of, low prices)

→ _____

D 보기에서 알맞은 말을 골라 대화를 완성하시오.

> 보기
> • What did you buy for a birthday present? • Which country did you like most?
> • How was your trip? • How would you like your steak?

1 A _____

B It was awesome.

2 A _____

B I bought a belt for my dad.

3 A _____

B France was the best.

4 A _____

B Well-done, please.

A 다음을 영어는 우리말로, 우리말은 영어로 옮기시오.

1 trendy _____

2 meantime _____

3 scale _____

4 decide _____

5 grow _____

6 product _____

7 match _____

8 exhibition _____

9 keep -ing _____

10 make sense _____

11 (미래의) 언젠가 s_____

12 궁궐 p_____

13 어린 시절 c_____

14 시골, 나라 c_____

15 운동장 p_____

16 비행, 항공편 f_____

17 그림엽서 p_____

18 둘러보다 l_____

19 곧, 금방 i_____

20 ~을 입다 p_____

B 보기에서 알맞은 단어를 골라 알맞은 형태로 문장을 완성하시오.

보기				
cross	taste	possible	experience	neither

1 I am _____ tall nor pretty.

2 Good medicine _____ bitter.

3 Is it _____ to buy tickets in advance?

4 He was sitting on the chair with her legs _____.

5 The company required some work _____.

C

다음 중 같은 장소에서 사용되는 말이 <u>아닌</u> 것을 고르시오.

1   a How much is the postage?

     b I'd like to book a flight to Paris.

     c I'd like to send this by registered mail.

2   a Can I have a wakeup call?

     b I'd like to check in now.

     c Do you have an appointment with Dr. Choi?

3   a Can I see your library card?

     b You have to return it by Monday.

     c We'll be stopping here for 30 minutes.

D

누가 누구에게 하는 말인지 보기에서 찾아 쓰시오.

보기				
customer	tourists	waiter	tour guide	pharmacist

ex) I'd like to open a bank account.   → <u> *client* </u> to <u> *bank teller* </u>

1   To your left is the royal palace, everyone.   → _____ to _____

2   I need to get the medicine my doctor prescribed for me.   → _____ to _____

3   How would you like your steak, sir?   → _____ to _____

A 다음을 영어는 우리말로, 우리말은 영어로 옮기시오.

1 embarrassing _____
2 stairs _____
3 spicy _____
4 update _____
5 attractive _____
6 stretch _____
7 delicious _____
8 knowledge _____
9 eat out _____
10 cheer up _____

11 맛 f_____
12 지진 e_____
13 영예, 영광 h_____
14 상상하다 i_____
15 전통적인 t_____
16 불평하다 c_____
17 인기 있는 p_____
18 젖은 w_____
19 막 ~하려고 하다 b_____
20 (전기가) 꺼지다 g_____

B 보기에서 알맞은 말을 골라 알맞은 형태로 문장을 완성하시오.

보기				
go up	by oneself	confidence	avoid	judge

1 As the demand increases, prices _____.

2 Enjoy the pain that you can't _____.

3 He studied Korean and Korean history _____.

4 You can _____ a man by the company he keeps.

5 Good training will give a beginner the _____ to enjoy skating.

C 주어진 단어의 상위어를 보기에서 찾아 쓰시오.

보기
| pet | recycling | natural disaster | emergency |

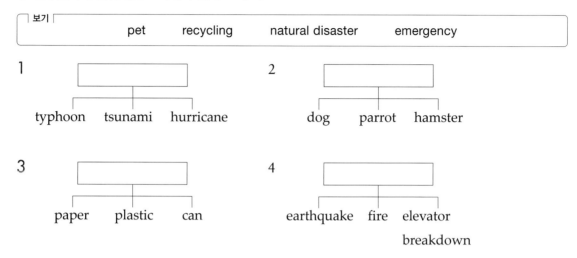

1
⬜
typhoon   tsunami   hurricane

2
⬜
dog   parrot   hamster

3
⬜
paper   plastic   can

4
⬜
earthquake   fire   elevator
breakdown

D 다음 상황에 맞는 속담을 보기에서 골라 기호를 쓰시오.

보기
a Birds of a feather flock together.
b Seeing is believing.
c You can't judge a book by its cover.
d Actions speak louder than words.
e Time heals all wounds.

1 Sam and Jeremy have the same hobby. They even have similar personalities. So they always stick together. _____

2 When I met Jina first, she looked stupid. But I realized that she is such a smart person. _____

3 You failed to win the contest, but you'll feel much better tomorrow. It's not the end of the world, so cheer up, Kathy. _____

4 Let's stop talking and do something for the environment right now. _____

A

다음을 영어는 우리말로, 우리말은 영어로 옮기시오.

1 departure _____
2 slope _____
3 benefit _____
4 noodle _____
5 resort _____
6 charge _____
7 fountain _____
8 cage _____
9 right away _____
10 all the time _____

11 잘못하여; 우연히 a_____
12 전통적인 t_____
13 썰매 s_____
14 단축하다 s_____
15 이용 가능한 a_____
16 계속되다; 마지막의 l_____
17 안내 방송 a_____
18 비눗방울 b_____
19 결과적으로 a_____
20 이륙하다 t_____

B

보기에서 알맞은 단어를 골라 알맞은 형태로 문장을 완성하시오.

보기				
correct	depart	coupon	period	drop

1 The plane _____ at 8 a.m.

2 He _____ his smartphone on the floor.

3 Three years is not a short _____.

4 If you collect ten _____, you can get a free towel.

5 The sentence is grammatically _____, but doesn't sound natural.

C 괄호 안에 주어진 단어를 활용하여 우리말을 영어로 옮기시오.

1 다음번엔 우리가 더 일찍 와야 한다고 난 생각해. (think, come, earlier)

→ _____

2 지불은 현금이나 신용 카드 중 어떻게 해 드릴까요? (how, pay, cash, credit card)

→ _____

3 떠나기 전에 풍선을 가져가는 것을 잊지 마세요. (forget, get, leave)

→ _____

4 많은 양의 식사는 잠자는 것을 방해한다. (heavy dinners, keep, fall asleep)

→ _____

5 그 돈으로 새 휴대전화를 사는 것이 가능할 수도 있겠다. (might, possible, cellphone)

→ _____

D 각 문장과 관련 있는 문장과 짝지으시오.

1 The show will start in a minute.   •   • a Please fasten your seatbelts.

2 We'll be taking off shortly.   •   • b Don't forget to bring your gym suit.

3 Please be aware of the netiquette.   •   • c You're not supposed to use bad words.

4 The school sports day is coming up. •   • d Please turn off your cell phones.

A 다음을 영어는 우리말로, 우리말은 영어로 옮기시오.

1 increase _____

2 magician _____

3 raise _____

4 purchase _____

5 fee _____

6 invitation card _____

7 exhibition _____

8 restroom _____

9 be held _____

10 a total of _____

11 들어가다, 입장하다 e_____

12 성적, 학점 g_____

13 이야기책 s_____

14 ~을 제외하고는 e_____

15 성인 a_____

16 점토, 찰흙 c_____

17 체육관 g_____

18 선물 p_____

19 무료로 f_____

20 태어나다 b_____

B 보기에서 알맞은 말을 골라 알맞은 형태로 문장을 완성하시오.

보기
low   for free   except   fee   popular

1 What is the most _____ song nowadays?

2 I wasn't expecting her to do it _____.

3 The office is open every day _____ Sundays.

4 He complains about a high entrance _____.

5 It's a wonderful material for such a _____ price.

C 다음 표를 보고, 각 문장을 완성하시오.

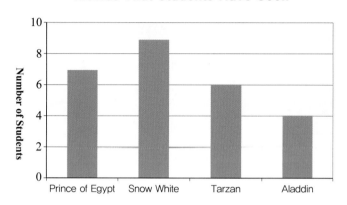

Movies That Students Have Seen

1 *Prince of Egypt* was seen by _____ students.

2 The largest number of students saw _____ .

3 *Tarzan* was seen by more students than _____ .

4 _____ was seen by six students.

5 The _____ number of students saw *Aladdin*.

D 다음 광고문을 보고, 각 문장에서 틀린 부분을 찾아 바르게 고치시오.

2018 Winter Ski Camp			
Level	Dates	Hours	Number of People per Class
Beginner	12/20 ~ 1/5	09:00 ~ 12:00	5 people
Intermediate	12/23 ~ 1/5	13:00 ~ 16:00	10 people
Advanced	12/20 ~ 1/10	09:00 ~ 11:30	10 people

1 The beginner class starts on the same day as the intermediate class.

2 You can take the intermediate class in the morning.

3 The beginner class has the shortest class time.

A

다음을 영어는 우리말로, 우리말은 영어로 옮기시오.

1	doubt	_____	11	불안해하는	n_____
2	join	_____	12	함께하다	j_____
3	receipt	_____	13	대사	l_____
4	depart	_____	14	심다	p_____
5	depressed	_____	15	꽤, 상당히	q_____
6	prize	_____	16	언제든지	a_____
7	miss	_____	17	무대	s_____
8	be into	_____	18	경기, 시합	m_____
9	skip a meal	_____	19	조심하다	w_____
10	right now	_____	20	시간 맞춰 가다	m_____

B

보기에서 알맞은 말을 골라 알맞은 형태로 문장을 완성하시오.

보기				
mind	hold on	stage	look for	nervous

1 _____ a minute, please.

2 Never _____ about the broken window.

3 My best friends performed a play on _____.

4 I have an English test tomorrow, so I am very _____.

5 I'm _____ a baseball cap. Where can I get it?

C 질문에 알맞은 응답을 보기에서 찾아 기호를 쓰시오.

> 보기
>
> **a** Yes, I am.   **b** No, I haven't.
>
> **c** Yes, I bought a cap.   **d** Yes, it's right across the street.
>
> **e** Maybe. I haven't seen him before.

1   Did you buy anything at the mall?   _____

2   Are you interested in pop music?   _____

3   Is there a grocery store near here?   _____

4   Have you ever been to Africa?   _____

5   Is he a new student here?   _____

D 괄호 안에 주어진 말을 활용하여 응답에 알맞은 질문을 완성하시오.

1   **A** _____ (why)

    B I argued with him because he talked about me behind my back.

2   **A** _____ (where)

    B I'm going to meet him at the bus stop.

3   **A** _____ (how long)

    B I'll stay in Canada for about five days.

4   **A** _____ (who)

    B The girl wearing the blue skirt is my girlfriend.

5   **A** _____ (how)

    B I go to school by subway.

A

다음을 영어는 우리말로, 우리말은 영어로 옮기시오.

1 sweet   _____
2 away   _____
3 text   _____
4 receipt   _____
5 disappointed   _____
6 appointment   _____
7 urgent   _____
8 fix   _____
9 in time   _____
10 leave ~ no choice _____

11 ~ 동안에   w_____
12 나누다, 공유하다   s_____
13 자신감 있는   c_____
14 얼룩   s_____
15 격려하다, 북돋우다 e_____
16 선호하다   p_____
17 점원   c_____
18 곤란한 일   t_____
19 부탁을 들어주다   d_____
20 돌보다, 보살피다   t_____

B

보기에서 알맞은 말을 골라 알맞은 형태로 문장을 완성하시오.

보기				
various	situation	available	in case	try on

1 Bring an umbrella, just _____ it rains.

2 He had no idea how to deal with the _____.

3 The restaurant had no _____ seat.

4 I'd like to _____ these hats.

5 There are _____ clubs in my school.

C 대화가 완성되도록 바르게 짝지으시오.

1 How does this jacket look on me? •   • a It looks good.

2 Do you think we'll win the contest? •   • b Oh, no. Is she okay?

3 My mom got hurt in a traffic accident. •   • c Sure, I do.

4 What a beautiful bracelet! •   • d That's okay. Keep the change.

5 Here is your change. •   • e Thanks. I bought it yesterday.

D 다음 상황 설명에 적절한 응답을 보기에서 찾아 기호를 쓰시오.

> 보기
> a Is this jacket yours?
> b I'm sorry. I didn't realize that you were there.
> c You must be so sad. Cheer up, my friend.
> d It was so nice of you to help them.
> e Thank you so much for inviting me.

1 Sumi wants to thank Jason for inviting her to dinner.   _____

2 Elijah is trying to encourage Peter, who recently lost his dog.   _____

3 Rachel wants to apologize for stepping on John's foot.   _____

4 Ms. Nicholson wants to praise Mary for helping poor kids.   _____

5 Ruth wants to know if the jacket on the ground belongs to Harry.   _____

A   다음 영어는 우리말로, 우리말은 영어로 쓰시오.

1	bean	_____	11	협조, 협력	c_____
2	stripe	_____	12	영수증	r_____
3	afterward	_____	13	지방이 많은	f_____
4	recommend	_____	14	나머지	r_____
5	fitting room	_____	15	교환하다	e_____
6	refund	_____	16	호의, 친절	f_____
7	waste	_____	17	의미하다	m_____
8	exchange	_____	18	우비	r_____
9	in a row	_____	19	~으로 변하다	c_____
10	hang out	_____	20	하나씩	o_____

B   보기에서 알맞은 말을 골라 알맞은 형태로 문장을 완성하시오.

보기				
book	including	get better	wet	popular

1   I rode my bike in the rain and got very _____.

2   I'm so sick, but I'll _____ tomorrow morning.

3   To get tickets, you have to _____ in advance.

4   Their new house has four rooms _____ the attic.

5   He is one of the most _____ writers.

C 질문에 알맞은 응답을 보기에서 찾아 기호를 쓰시오.

보기
a Come with me.
b What is it? Tell me.
c You're very welcome, sir.
d Sure. Here it is.
e I have a fever, and it's getting worse.

1 Thank you for your cooperation. _____

2 Where is the fitting room? _____

3 Would you do me a little favor? _____

4 May I see your ticket, please. _____

5 Hey, Minjun. What's up? _____

D 괄호 안에 주어진 단어를 활용하여 우리말을 영어로 옮기시오.

1 우리는 지방이 많지 않은 다른 것을 먹을 수 있을까? (have, else, fatty)

→ _____

2 나는 언어 배우는 것을 그렇게 잘하지 못해. (that, good at)

→ _____

3 관심이 있다면 언제든 우리를 방문해 줘. (interested, anytime)

→ _____

4 나는 오늘 오후에 민지와 Tony와 놀러 갈까 생각 중이야. (think, hang out with)

→ _____

5 직진하다가 모퉁이에서 좌회전하세요. (straight, turn left)

→ _____

A 다음을 영어는 우리말로, 우리말은 영어로 옮기시오.

1	enjoyable	_____	11	해안	s_____
2	function	_____	12	영원히	f_____
3	variety	_____	13	여권	p_____
4	long face	_____	14	(갈라져 생긴) 금, 틈	c_____
5	definitely	_____	15	지갑	w_____
6	follow	_____	16	매다, 채우다	f_____
7	reasonable	_____	17	교통(량)	t_____
8	grade	_____	18	~에서 멀리 떨어진	f_____
9	get along with	_____	19	~에 달려 있다	d_____
10	root for	_____	20	(소리 등을) 낮추다	t_____

B 보기에서 알맞은 단어를 골라 알맞은 형태로 문장을 완성하시오.

보기				
guess	regular	forever	resemble	exhausted

1 I will love him _____ .

2 I am really _____ .

3 You can _____ what happened next.

4 She _____ her mother very closely.

5 I go to my doctor for _____ checkups.

C 대화가 완성되도록 바르게 짝지으시오.

1 How often do you practice yoga? •   • **a** Here you are.

2 How long will it take to get there? •   • **b** Two or three times a week.

3 How's everything going for you? •   • **c** No problem.

4 Thanks for picking me up. •   • **d** It depends on traffic.

5 May I see your passport, please? •   • **e** Everything is great, thanks.

D 우리말과 일치하도록 괄호 안에 주어진 말을 바르게 배열하여 문장을 완성하시오.

1 너는 그들과 잘 지내지 않니? (you, get along with, don't, them)

→ _____

2 그녀가 그곳에서 영원히 살 거란 말인가요?

(you, mean, she, do, is going to, forever, there, live)

→ _____

3 안전벨트를 매는 것을 명심하세요. (sure, be, fasten, seatbelt, your, to)

→ _____

4 그러면 너는 자전거를 타 보는 게 낫겠다. (you'd, then, try, bike, a, riding, better)

→ _____

5 손을 잘 씻으면 여러 질병을 막을 수 있다.

(wash, your hands, if, you, can, well, prevent, diseases, various, you)

→ _____

A 다음을 영어는 우리말로, 우리말은 영어로 옮기시오.

1	souvenir	_____	11	상품,제품	p	_____
2	ground	_____	12	건강한	h	_____
3	regret	_____	13	후회하다	r	_____
4	attitude	_____	14	떨어지다, 떨어뜨리다	d	_____
5	transportation	_____	15	장식하다	d	_____
6	owner	_____	16	절망스러운	m	_____
7	stripe	_____	17	자석	m	_____
8	keep in shape	_____	18	~와 충돌하다	c	_____
9	drop by	_____	19	파티를 열다	t	_____
10	mess up	_____	20	우연히	b	_____

B 보기에서 알맞은 단어를 골라 알맞은 형태로 문장을 완성하시오.

보기				
miserable	copy	improve	expect	gather

1 I want to _____ my English.

2 I _____ to be back within a month.

3 A crowd _____ to watch the soccer match.

4 I'll make a _____ and send it to you.

5 Never did I see such a _____ sight.

C

보기에서 알맞은 말을 골라 대화를 완성하시오.

> 보기
> • I listen to pop songs a lot.
> • I'd like to buy some presents for my friends.
> • I'd like a ham and mushroom pizza please.
> • I've been trying really hard to keep in shape.

1 A Can you tell me how to improve my English listening skills?

   B _____

2 A You look very healthy these days, Joanne.

   B _____

3 A How may I help you?

   B _____

4 A What would you like to order?

   B _____

D

우리말과 일치하도록 괄호 안에 주어진 말을 활용하여 문장을 완성하시오.

1 나는 정말로 춤추는 법을 배우고 싶었다. (how)

   → I really wanted to learn _____ _____ _____.

2 제가 이 근처 어디에서 이탈리아 식당을 찾을 수 있을까요? (here)

   → Where can I find an Italian restaurant _____ _____?

3 천천히 쇼핑을 마치고 집에 안전하게 돌아가세요. (time)

   → _____ _____ _____ to finish your shopping and go home safely.

4 나는 마트에 가는 길에 우체국에 들를 거야. (drop)

   → I'll _____ _____ the post office on the way to the mart.

5 나는 네 것이랑 아주 비슷한 것을 가지고 있어. (similar)

   → I have one that's pretty _____ _____ yours.

A 다음을 영어는 우리말로, 우리말은 영어로 옮기시오.

1 outfit _____

2 soil _____

3 renovate _____

4 spill _____

5 dormitory _____

6 inconvenience _____

7 trash can _____

8 pot _____

9 take part in _____

10 set up _____

11 추천하다 r_____

12 잠시, 간단히 b_____

13 붐비는, 복잡한 c_____

14 제공하다 o_____

15 카레 (요리) c_____

16 환경 e_____

17 돌고래 d_____

18 여권 p_____

19 혼자 힘으로 f_____

20 계속되다 g_____

B 보기에서 알맞은 단어를 골라 알맞은 형태로 문장을 완성하시오.

보기 | empty   protect   fit   envy   spill

1 Every shoe _____ not every foot.

2 I _____ coffee on my silk shirt.

3 _____ vessels make the most sound.

4 We should act to _____ the environment.

5 I really _____ you and Sujin, you seem so happy together.

C 대화가 완성되도록 바르게 짝지으시오.

1 What's the matter? •   • a Sorry, but he is out right now.

2 Where are you going to stay? •   • b That's fine with me.

3 Did you make this sweater? •   • c I left my cellphone in the school library.

4 Can we make it at three? •   • d I'm going to stay in the dormitory.

5 Can I speak to Mr. Smith? •   • e I knitted it for myself last year.

D 괄호 안에 주어진 단어를 활용하여 우리말을 영어로 옮기시오.

1 네 작은 행동이 지구를 구하는 것을 도울 것이다. (act, save, the Earth)
→ _____

2 우리를 위해 유니폼을 디자인해 줄 수 있니? (can, design)
→ _____

3 둘 중에 하나는 아침에, 나머지 하나는 오후에 합니다. (one, the other)
→ _____

4 스웨터를 만드는 데 얼마나 오랜 시간이 걸렸니? (how long, take)
→ _____

5 흙이 마를 때 물을 줘야 한다. (water, soil, dry out)
→ _____

A

다음을 영어는 우리말로, 우리말은 영어로 옮기시오.

1	awesome	_____	11	~에 맞서	a_____
2	definitely	_____	12	벌(칙)	p_____
3	sculpture	_____	13	익히지 않은, 날것의	r_____
4	local	_____	14	가다, 향하다	h_____
5	continue	_____	15	교외	s_____
6	praise	_____	16	약속하다	p_____
7	memorable	_____	17	늦잠 자다	o_____
8	support	_____	18	바다, 대양	o_____
9	I mean it.	_____	19	~에 따라 다르다	d_____
10	be in charge of	_____	20	돈을 벌다	m_____

B

보기에서 알맞은 단어를 골라 알맞은 형태로 문장을 완성하시오.

보기				
view	tough	favor	humid	ingredient

1 Could you do me a _____?

2 Our house commands a fine _____.

3 A _____ climate is characteristic of the peninsula.

4 We've had to make some very _____ decisions.

5 Imagination and diligence are the _____ of success.

C 보기에서 알맞은 말을 골라 대화를 완성하시오.

> **보기**
> • How was your trip to Jeju-do?
> • What makes you think that?
> • How may I help you?
> • Would you like to have some more?

1 A _____

   B Your summer vacation has just begun.

2 A _____

   B I'd like to join the festival with my friends.

3 A _____

   B I've had more than enough.

4 A _____

   B It was fatastic.

D 우리말과 일치하도록 괄호 안에 주어진 단어를 활용하여 문장을 완성하시오.

1 친구 좋다는 게 뭐니? (what)

   → _____ are friends _____?

2 당신은 이번 주에 그것을 하는 담당이 아니잖아요. (charge)

   → You're not _____ _____ _____ doing that this week.

3 그것은 인원수와 당신의 나이에 따라 다릅니다. (depend)

   → It _____ _____ the number of people and your age.

4 나는 너무 더워서 공부에 집중할 수 없다. (focus)

   → I can't _____ _____ my studies because it's too hot.

5 너는 왜 그렇게 지쳐 보이니? (how)

   → _____ _____ you look so exhausted?

Answer

듣기를 방해하는 발음 01 리듬을 타라! (문장 강세)   p.2

A 1 Don't, late, school   2 asked, put, boxes over there   3 go, see, animals

B 1 heard, cry, night   2 believe, important work   3 loves playing, violin, guitar, free time   4 Eat, vegetables, healthy   5 Which food, prefer, pizza, hamburgers   6 looking forward, meeting, soon

C 1 She, him   2 I, that it was an   3 He will, a, and a   4 If, lots of, you will be   5 do you, or   6 He was, to, her

A 1 학교에 지각하지 말아라.
2 그는 내게 상자들을 저쪽에 놓으라고 부탁했어.
3 우리는 가서 동물들을 볼 것이다.

B 1 그녀는 밤에 누군가가 우는 것을 들었다.
2 나는 그것이 중요한 일이라고 믿어.
3 그는 여가 시간에 바이올린과 기타 연주하는 것을 좋아한다.
4 채소를 많이 섭취해라, 그러면 건강해질 것이다.
5 어떤 음식을 더 좋아하니, 피자 아니면 햄버거?
6 나는 너를 곧 만나는 것을 기대하고 있어.

C 1 그녀는 그가 어젯밤에 소리지르는 것을 들었다.
2 나는 그것이 중요한 일이었다고 생각했다.
3 그는 다음 번에 바이올린과 기타를 구입할 것이다.
4 네가 많은 채소를 먹는다면, 너는 건강해질 것이다.
5 너는 어느 영화를 더 좋아하니, 로맨스 아니면 공포?
6 그는 그녀를 곧 보는 것을 기대하고 있었다.

듣기를 방해하는 발음 02 t-와 d-가 r을 만났을 때 (동화 현상)   p.3

A 1 tricks   2 drug   3 traffic   4 drama   5 track

B 1 trend   2 dress   3 trouble   4 drums   5 tripped

C 1 drama   2 trophy   3 true   4 dry   5 drove

A 1 David은 몇 가지 새로운 마술 묘기를 만들었다.
2 너는 가장 가까운 약국이 어디에 있는지 아니?
3 교통 체증을 피하도록 일찍 떠나자.
4 너는 그 연극 대본을 읽었니?
5 그들은 숲속으로 길을 따라갔다.

B 1 나는 패션 유행을 따르는 것을 좋아하지 않아.
2 그녀는 파티에 긴 검정 드레스를 입었다.
3 나는 그녀가 정말 말썽꾸러기라고 생각해.
4 내 남동생이 드럼을 연주하고 있기 때문에 매우 시끄러워.
5 그 작은 남자아이는 작은 돌에 걸려 넘어졌다.

C 1 너는 정말 드라마퀸(작은 것을 가지고 과장하는 사람)이야.
2 그들은 그 트로피를 들어 올려 그것에 키스했다.
3 이것은 실화이다.
4 그 닭은 말라 버려서 맛이 없었다.
5 그는 오래된 차를 운전했다.

듣기를 방해하는 발음 03 한 단어야, 두 단어야? (같은 자음 간 탈락 현상)   p.4

A 1 ②   2 ②   3 ①   4 ②   5 ③

B 1 book cover   2 class size   3 different times   4 make careful   5 dark clouds

C 1 coat   2 cheap panties   3 wide   4 gap   5 night

B 1 그 책 표지는 정말 멋지게 디자인되었다.
2 학교의 학급 규모는 보통 학생 20명 이상이다.
3 나는 매일 아침 다른 시간에 일어난다.
4 우리는 신중한 결정을 하려고 노력한다.
5 그 하늘은 먹구름으로 뒤덮여 있었다.

C 1 Susan은 저 검정 코트를 사고 싶어 한다.
2 이것들은 내가 어제 구입한 저렴한 팬티들이야.
3 그 여자는 그 넓은 책상 뒤에 서 있었다.
4 너와 내 사이에는 큰 차이가 있어.
5 이 마을은 밤에는 보통 매우 조용하다.

듣기를 방해하는 발음 04 t를 조심해! (t의 약화 현상) p.5

A 1 ② 2 ③ 3 ① 4 ① 5 ①
B 1 kitten 2 different 3 set up 4 to
  5 interview
C 1 absent 2 here to 3 written
  4 hurt, get 5 water fountain

B 1 그 남자는 공원에서 새끼 고양이를 한 마리 발견했다.
  2 그 학생들은 각각 다른 국가 출신들이다.
  3 그 텐트를 설치할 최적의 장소가 어디야?
  4 그들은 어디로 먼저 가야 할지 몰랐다.
  5 나는 내일 아침에 중요한 인터뷰가 있다.

C 1 Jonathan은 일주일 동안 학교에 결석했다.
  2 나는 그들의 친구들을 만나기 위해 왔다.
  3 그녀는 몇 편의 베스트셀러들을 썼다.
  4 나는 내 등을 다쳐서 일어날 수가 없었다.
  5 저기 있는 저 분수대는 매우 아름다워.

듣기를 방해하는 발음 05 d를 조심해! (d의 약화 현상) p.6

A 1 ② 2 ③ 3 ① 4 ① 5 ②
B 1 headlights 2 afraid 3 salad
  4 beside 5 grade
C 1 headline 2 divide 3 outside
  4 sandbag 5 made

B 1 네 자동차의 전조등을 켜라.
  2 그녀는 그녀가 생각했던 것을 말하는 것을 두려워하지 않았다.
  3 채소들을 큰 샐러드용 접시에 두어라.
  4 그들의 집은 작은 호수 옆에 있다.
  5 나는 수학 시험에서 형편없는 점수를 받았다.

C 1 너는 오늘의 주요 뉴스를 보았니?
  2 그 선생님은 반을 세 그룹으로 나눌 것이다.
  3 그 빌딩의 외부는 페인트칠이 필요하다.
  4 그 권투 선수는 그의 손으로 샌드백을 세게 쳤다.
  5 이 제품은 한국에서 만들어졌다.

듣기를 방해하는 발음 06 동사원형만 기억하면 안 돼! (동사의 변형) p.7

A 1 brought 2 taught 3 caught 4 spoke
  5 left 6 read 7 forgave 8 found
  9 grew 10 stood
B 1 bought 2 taught 3 came 4 felt
  5 fell, built
C 1 heard 2 lost 3 brought 4 forgave
  5 kept

B 1 그는 새 책가방을 샀다.
  2 그들은 영어로 영어 수업을 가르쳤다.
  3 그는 집에 늦게 왔다.
  4 우리는 그 연설 후에 기분이 우울했다.
  5 눈이 많이 와서 땅에 쌓였다.

C 1 너는 새 프로젝트에 대해서 들어 본 적이 있니?
  2 날이 어두워지자 그는 눈 속에서 길을 잃었다.
  3 그녀는 우산을 가져왔다는 것에 기뻤다.
  4 Jason은 Jessica의 거짓말을 용서해 주었다.
  5 두 커플은 그 문제에 대해서 계속 생각했다.

듣기를 방해하는 발음 07 강세가 없는 첫 음절을 조심해! (첫 음절) p.8

A 1 ① 2 ② 3 ② 4 ①
B 1 go, ago 2 alive, live 3 recall, call
  4 gain, again 5 place, replace
C 1 regret 2 above 3 return 4 report
  5 aloud, loud 6 remove

B 1 나는 두 달 전에 직장에 다니기 위해 자동차를 샀다.
  2 내 조부모님께서는 살아 계시고 아직도 시골에 사신다.
  3 나는 그의 전화번호를 기억할 수 없어서 그에게 전화할 수 없었다.
  4 Janice는 다시는 살이 찌기 싫었다.
  5 우리는 낡은 나무를 교체하기 위해 새 나무를 그 장소에 심었다.

C 1 그녀는 그녀의 잘못을 전혀 뉘우치지 않았다.
  2 그는 그의 머리 위로 그의 팔을 들었다.
  3 나는 도서관에 책 몇 권을 반납해야 해.
  4 그는 그 회의에 대한 보고서를 작성했다.
  5 그 학생들은 큰 목소리로 그 시를 소리 내어 읽었다.
  6 제가 이 땅콩들의 껍데기를 벗겨 내는 것을 도와주세요.

08 두 단어의 발음이 같은 거야? (동음이의어) p.9

A 1 new 2 piece 3 through 4 mail 5 here
B 1 knew 2 peace 3 threw 4 male 5 hear
C 1 hour 2 bite 3 sea 4 hi 5 sale

A 1 너는 내 새 컴퓨터에 대해 어떻게 생각하니?
2 걱정하지 마. 그건 아주 쉬운 일이야.
3 그녀는 창문을 통해 바깥을 보고 있었다.
4 너는 아직 내 편지를 받지 못했니?
5 나는 이곳에 여섯 시까지 돌아올 예정이야.

B 1 우리는 무언가 잘못되었다는 것을 알았다.
2 그들은 오랜 세월 동안 평화롭게 살았다.
3 그녀는 그녀의 드레스를 침대에 던졌다.
4 여학생들보다 남학생들이 더 많았다.
5 볼륨을 조금만 높여 주시겠어요? 저는 아무것도 들을 수 없어요.

C 1 Sally는 한 시간 동안 피아노를 연주했다.
2 어떤 사람들은 긴장하면 그들의 손톱을 깨문다.
3 그 가족은 작년 여름에 바다로 여행 갔었다.
4 그 소녀는 웃으면서 나에게 인사했다.
5 그 가게는 대규모 할인을 하고 있다.

09 영국인과 미국인은 발음도 달라 p.10

A 1 horse 2 four 3 worth 4 corn 5 bark
B 1 farmer, years 2 answer 3 trainer
4 worked, past 5 riders
C 1 under 2 born, there 3 cart 4 fork
5 river, river

A 1 Tim은 주말에 그의 말을 타는 것을 좋아한다.
2 나는 그를 네 시간 동안 기다렸어.
3 각각의 정답은 5점이다.
4 옥수수 샐러드는 어때?
5 그 개는 낯선 사람에게 짖기 시작했다.

B 1 내 삼촌은 50년 동안 농부였다.
2 그들은 내 질문에 솔직한 답변을 하지 않았다.
3 그는 체육관에서 개인 트레이너이다.
4 그녀는 그 회사에서 지난 몇 달간 일해 왔다.
5 이곳에서 운전할 때는 자전거 운전자들을 조심해야 합니다.

C 1 우리 집 근처의 그 건물은 공사 중이다.
2 나는 캐나다에서 태어나 그곳에서 자랐다.
3 그 여자는 카트를 밀고 있다.
4 칼과 포크를 사용하는 것은 쉽지 않다.
5 아마존강은 세계에서 가장 긴 강이다.

10 축약형 발음에 주의해! (축약형) p.11

A 1 She's 2 won't 3 can't 4 We will
5 should
B 1 hadn't 2 She'll 3 He's 4 Haven't 5 We'd
C 1 She's 2 I've 3 hasn't 4 had 5 They'll

A 1 그녀는 그녀의 가족과 함께 파리에 여러 번 갔었다.
2 그는 다음 주에 볼 시험을 포기하지 않을 것이다.
3 그 학생들은 그들의 선생님이 무슨 말을 하고 있는지 이해하지 못한다.
4 우리는 그 문제에 대해서 내일 토론할 것이다.
5 너는 네 실수에 대해서 책임을 져야 해.

B 1 나는 내 아파트를 일주일 동안 청소하지 않았다.
2 그녀는 공항에 정시에 도착할 것이다.
3 그는 2년 동안 소설을 써 왔다.
4 당신은 내 제안을 거절하지 않았었습니까?
5 우리는 나중에 당신에게 몇 가지 질문을 하고자 합니다.

C 1 그녀는 그녀의 방에서 라디오를 듣고 있다.
2 나는 이 프로젝트를 끝내기 위해 최선을 다했다.
3 그는 그의 친구로부터 오랫동안 (소식을) 듣지 못했다.
4 우리는 다음 주에 회의를 하는 것이 좋겠어요.
5 그들은 지금으로부터 사흘 후에 이곳에 도착할 것입니다.

01 그림 정보 Word & Expression TEST p.12-13

A 1 ~ 뒤에 2 과체중의 3 ~을 더 좋아하다 4 습한
5 예쁜, 귀여운 6 재미있는 7 흥미진진한 8 ~에
도착하다 9 필기하다 10 선택의 여지가 없다
11 perfect 12 triangle 13 weather forecast
(report) 14 ride 15 touch 16 foggy 17 curly
18 across 19 drop off 20 wear a cast
B 1 agree 2 check 3 remember 4 book
5 prefer
C 1 Monday 2 cloudy 3 freezing
4 warmer 5 stormy

D 1 Where is my backpack?

2 What will be the weather like today?

3 What does she look like?

4 What's wrong with you?

5 How can I get to the post office.

B 1 나는 너와 전적으로 동의한다.

2 나는 사전에서 단어의 스펠링을 점검했다.

3 학교에 부모님을 모셔 오는 것을 잊지 마라.

4 그녀는 그녀가 가장 좋아하는 식당에 4인석을 예약했다.

5 통로나 창가 자리 중 어느 곳을 선호하십니까?

C 1 화창한 날씨는 일요일부터 월요일까지 계속될 것이다.

2 화요일에 부분적으로 흐릴 것이다.

3 수요일에 기온이 영하 10°C까지 떨어질 것이고, 몹시 추울 것이다.

4 목요일에 눈이 내리고, 더 많이 따뜻해질 것이다.

5 금요일에 춥지 않을 것이지만, 폭풍우가 칠 것이다.

D 1 A 내 배낭은 어디에 있니?

　　 B 그것은 의자 위에 있어.

2 A 오늘 날씨는 어때?

　　 B 하루 종일 비가 올 거야.

3 A 그녀는 어떻게 생겼니?

　　 B 그녀는 머리를 하나로 묶고 있어.

4 A 네게 무슨 일이 있었니?

　　 B 난 축구를 하다가 한 소년과 부딪혔어.

5 A 우체국엔 어떻게 가나요?

　　 B 좌회전한 후에 한 블록 더 가세요.

유형**02** 숫자 정보 Word & Expression TEST　　　　p.14-15

A 1 게다가　2 손으로 만든　3 기념일　4 공연하다　5 행사, 이벤트　6 교통 체증　7 공연하다　8 모두 합해　9 즉시, 바로　10 또한, 역시　11 rainbow　12 whole　13 change　14 manager　15 foundation　16 possible　17 reservation　18 be supposed to　19 come up　20 at the same time

B 1 pay　2 include　3 following　4 fix　5 invite

C 1 How much is the half the loaf

2 Here it is

3 What time does the movie start

4 How long can I keep two books?

D 1 d　2 a　3 c　4 e　5 b

B 1 당신은 미리 지불하셔야 합니다.

2 이 요금은 아침 식사를 포함하나요?

3 그들은 다음 주에 여기서 만나는 것에 동의했다.

4 당신은 컴퓨터 고치는 방법을 아시나요?

5 나는 내 생일 파티에 당신을 초대하고 싶습니다.

C 1 A 빵 반 덩이는 얼마인가요?

　　 B 반 덩이당 2달러입니다.

2 A 이 녹색 셔츠 중간 사이즈로 있나요?

　　 B 여기 있습니다.

3 A 영화는 몇 시에 시작하나요?

　　 B 11시에 시작합니다.

4 A 제가 두 권의 책을 얼마 동안 소유할 수 있나요?

　　 B 7일 안엔 반납하셔야 해요.

D 1 우리 몇 시에 볼까요?　　 d 30분 뒤에 만납시다.

2 몇 시인가요?　　 a 거의 정오입니다.

3 가격이 얼마인가요?　　 c 가격은 40달러입니다.

4 제게 10% 할인 쿠폰이 있습니다.

　　 e 쿠폰을 쓰시면 45달러입니다.

5 어떻게 지불하실 건가요?

　　 b 저는 신용 카드로 지불하겠습니다.

유형**03** 목적·의도 Word & Expression TEST　　　　p.16-17

A 1 재미있는　2 우연히　3 연락하다　4 귀찮게 하다　5 단단히 맨　6 축하　7 고의로　8 등록하다　9 잠시 들르다　10 일어나다, 발생하다　11 feed　12 deadline　13 spill　14 attention　15 gym　16 save　17 contest　18 throw a party　19 take part in　20 keep ~ in mind

B 1 save　2 return　3 help　4 stay　5 Hold

C 1 You can say that again.

2 Can I ask what your call is about?

3 I'm sorry, but I can't help it.

4 Is the museum open on Sundays?

5 We are going to throw a celebration party today.

D 1 I'm afraid I can't help you.

2 I don't know how to thank you.

3 I can't agree with you more.

B 1 아름다움이 세상을 구하곤 했다.

2 그 책을 언제 반납해야 하나요?

3 난 어쩔 수 없지만, 그녀와 사랑에 빠졌다.

4 나는 공부하느라 꼬박 밤을 새웠다.

5 잠시만 기다리세요. 그녀가 오는 중이에요.

D 1 Jason의 친구가 도움을 요청하지만, Jason에겐 충분한 시간이 없다.

Jason 미안하지만, 나는 너를 도울 수 없어.

2 Molly는 무거운 상자를 들고 있어서 문을 열 수 없다. 그녀 뒤에 있던 한 여성이 와서 그녀를 위해 문을 잡아 준다.

Molly 뭐라고 감사드려야 할지 모르겠어요.

3 Freddy와 그의 친구들은 그들의 사진을 직접 찍으려고 하는 중이지만, 그것은 쉽지 않다. 그의 친구들 중 한 명이 누군가에게 사진을 찍어 줄 것을 요청하길 제안한다. Freddy는 같은 생각을 갖고 있다.

Freddy 네 의견에 전적으로 동의해.

C 1 나는 시험이 걱정돼.

2 그녀는 Peter의 선물을 받고 기뻤다.

3 나는 내 점수에 만족한다.

4 나는 비행기를 놓칠까 두렵다.

5 나는 길 위에서 넘어졌을 때, 쑥스러웠다.

D 1 **A** 그 아기는 왜 우니?

B 그 아기는 졸려서 울고 있어.

2 **A** 너 걱정 있어 보여. 무슨 일 있니?

B 난 프레젠테이션이 걱정돼.

3 **A** 네가 파티에 가지 못했던 이유를 내게 말해 줘.

B 난 너무 피곤했기 때문이야.

4 **A** 넌 왜 그렇게 생각하니?

B 나는 하늘에 짙은 구름이 많아서 그렇게 생각해.

유형 04 심정·이유 Word & Expression TEST
p.18-19

A 1 자신이 있는 2 약속 3 가져오다 4 고마워하다

5 맛있는 6 편안한 7 확실히 하다 8 코앞에 닥친, 아주 가까운 9 돌아가시다, 사망하다 10 ~을 돌보다 11 besides 12 turn 13 absent

14 yellow dust 15 match 16 cool

17 cafeteria 18 instead 19 sold out

20 look forward to

B 1 expected 2 lift 3 envy 4 access

5 confident

C 1 worried 2 pleased 3 satisfied

4 missing 5 embarrassed

D 1 Why is the baby crying?

2 I'm worried about the presentation.

3 Because I was too tired.

4 What makes you think so?

B 1 시험은 예상했던 것보다 더 쉬웠다.

2 제가 이 탁자 옮기는 것을 도와주시겠어요?

3 난 그렇게 빨리 일하는 네 능력이 부럽다.

4 나는 티켓을 예약하기 위해 사이트에 접속할 것이다.

5 그녀는 미래에 대해 약간 자신감을 갖고 있습니다.

유형 05 세부 정보 I (한 일 / 할 일) Word & Expression TEST
p.20-21

A 1 교통사고 2 극장 3 이상한 4 (음식을) 굽다

5 ~을 보다[듣다] 6 현장 학습 7 지친 8 ~와 데이트를 하다 9 떨어져 있다, 부재중이다 10 ~에 의하면 11 nearby 12 while 13 overdue

14 iron 15 art gallery 16 ancient 17 by now

18 stop by 19 be about to 20 break down

B 1 favor 2 due 3 clean 4 smells

5 exhausted

C 1 Shall we go mountain climbing this Saturday?

2 Can you take care of my dog while I'm away?

3 Let's meet at the theater in 20 minutes.

4 I'm supposed to help my mother bake a cake in the morning.

5 We have to meet a bit later than scheduled.

D 1 b 2 d 3 a 4 c 5 e

B 1 내 부탁 하나 들어 줄래?

2 다음 버스는 몇 시에 도착이니?

3 나는 내 방을 청소할 거라고 약속했다.

4 뭔가 좋은 냄새가 나. 너는 향수 뿌렸니?

5 난 지쳤어, 그래서 잠을 좀 자야겠어.

D 1 난 배가 아파. 내가 무엇을 해야 할까?

b 너는 진찰을 받아야 해.

2 실례합니다. 자리 있나요?

  d 그렇게 생각하지 않아요. 앉으세요.

3 나를 위해 기차표를 예매해 줄 수 있니?

  a 그럼, 문제없어.

4 제가 문을 닫는 거 괜찮으신가요?

  c 괜찮습니다. 저도 좀 춥거든요.

5 우리 다음 주 일요일에 볼링 치러 갈까?

  e 미안하지만, 난 다른 계획이 있어.

유형 06 세부 정보 II Word & Expression TEST   p.22-23

A 1 기회 2 양파 3 마늘 4 후에, 나중에 5 경쟁 6 검색하다 7 작가, 저자 8 운영하다 9 A 뿐만 아니라 B도 10 신청하다 11 telescope 12 brush 13 refreshing 14 keyword 15 space 16 pot 17 lend 18 provide 19 run out of 20 have a talent for

B 1 run 2 stay 3 serves 4 surf 5 provides

C 1 You can sign up on our school website.

2 Are you worried about what to cook for dinner tonight?

3 You must have a special talent for music.

4 Take a lot of pictures and show me later.

5 You can buy many different kinds of books here at low prices.

D 1 How was your trip?

2 What did you buy for a birthday present?

3 Which country did you like most?

4 How would you like your steak?

B 1 당신은 이 기계를 작동하는 법을 아시나요?

2 우리는 눈 때문에 집에 머물러야 한다.

3 이 식당은 다양한 수프를 제공합니다.

4 난 하루 종일 인터넷 서핑을 하고 싶다.

5 호텔은 세탁 서비스를 무료로 제공한다.

D 1 A 네 여행은 어땠니?

  B 엄청났어.

2 A 너는 생일 선물로 무엇을 샀니?

  B 난 아빠에게 드릴 허리띠를 샀어.

3 A 네가 가장 좋아하는 곳은 어느 나라이니?

  B 프랑스를 가장 좋아해.

4 A 스테이크를 어떻게 해 드릴까요?

  B 잘 익혀 주세요.

유형 07 장소·관계·직업 Word & Expression TEST   p.24-25

A 1 최신 유행의 2 그동안에 3 저울 4 결정하다 5 기르다, 재배하다 6 상품 7 경기, 게임 8 전시회 9 계속해서 ~하다 10 말이 되다, 이치에 맞다 11 someday 12 palace 13 childhood 14 country 15 playground 16 flight 17 postcard 18 look around 19 in a minute 20 put on

B 1 neither 2 tastes 3 possible 4 crossed 5 experience

C 1 b 2 c 3 c

D 1 tour guide, tourists

2 customer, pharmacist

3 waiter, customer

B 1 나는 키가 크지도 않고, 예쁘지도 않다.

2 좋은 약은 입에 쓰다.

3 티켓을 미리 구입하는 게 가능한가요?

4 그는 다리를 꼰 채로 의자에 앉아 있었다.

5 그 회사에서는 몇 가지의 업무 경력을 요구했다.

C 1 a 우편 요금은 얼마입니까?

  b 저는 파리행 비행편을 예약하고 싶습니다.

  c 저는 이것을 등기 우편으로 보내고 싶습니다.

2 a 모닝콜 해 주실 수 있으세요?

  b 저는 지금 체크인하고 싶어요.

  c 당신은 최 선생님과 약속이 있나요?

3 a 당신의 도서관 카드를 제가 볼 수 있을까요?

  b 당신은 월요일까지 그것을 반납해야 합니다.

  c 이곳에 30분간 머물겠습니다.

D *ex)* 저는 은행 계좌를 개설하고 싶어요. → 고객이 은행원에게

1 좌측에 보이는 것이 왕궁입니다, 여러분. → 여행 가이드가 여행객들에게

2 저는 의사가 제게 처방한 약을 받아야 합니다. → 손님이 약사에게

3 스테이크는 어느 정도 익혀 드릴까요, 손님? → 종업원이 손님에게

유형 08 숫자 정보 Word & Expression TEST   p.26-27

A 1 난처한, 곤란한 2 계단 3 매운 4 최신의 것으로 하다 5 멋진, 매력적인 6 몸을 뻗다 7 맛있는

8 지식　9 외식하다　10 격려하다　11 flavor
12 earthquake　13 honor　14 imagine
15 traditional　16 complain　17 popular
18 wet　19 be about to　20 go out

B 1 go up　2 avoid　3 by himself　4 judge
5 confidence

C 1 natuaral disaster　2 pet　3 recycling
4 emergency

D 1 a　2 c　3 e　4 d

B 1 수요가 증가할수록 가격은 상승한다.
2 피할 수 없는 고통은 즐겨라.
3 그는 혼자서 한국어와 한국 역사를 공부했다.
4 사귀는 친구로 한 사람을 판단할 수 있다.
5 훌륭한 연습이 스케이팅을 즐기는 초보자에게 자신감을 줄 것이다.

D 1 Sam과 Jeremy는 같은 취미를 갖고 있다. 그들은 심지어 비슷한 성격을 갖고 있다. 그래서 그들은 항상 함께 붙어 다닌다.
　a 유유상종
2 내가 Jina를 처음 만났을 때, 그녀는 멍청해 보였다. 하지만 나는 그녀가 매우 현명한 사람이라는 것을 깨달았다.
　c 겉모습으로 판단해서는 안 된다.
3 네가 경연 대회에서 우승하는 데 실패했지만, 내일은 기분이 더 나아질 거야. 세상이 끝난 것은 아니니 힘을 내, Kathy.
　e 시간이 약이다.
4 말하는 것을 그만두고 지금 당장 환경을 위한 무언가를 함께 하자.
　d 말보다는 행동

유형 09 ▶ 내용 일치 Word & Expression TEST　　p.28-29

A 1 출발　2 경사지, 눈썰매장　3 혜택　4 국수
5 피서지, 리조트　6 요금　7 분수대　8 우리
9 즉시, 곧　10 항상, 언제나　11 accidentally
12 traditional　13 sled　14 shorten
15 available　16 last　17 announcement
18 bubble　19 as a result　20 take off

B 1 departs　2 dropped　3 period　4 coupons
5 correct

C 1 I think we should come earlier next time.
2 How would you like to pay, cash or credit card?

---

3 Don't forget to get a balloon before you leave.
4 Heavy dinners can keep you from falling asleep.
5 It might be possible to buy a new cellphone with that money.

D 1 d　2 a　3 c　4 b

B 1 그 비행기는 오전 8시에 출발한다.
2 그는 그의 스마트폰을 바닥에 떨어뜨렸다.
3 삼 년이 짧은 기간은 아니다.
4 당신은 10개의 쿠폰을 모으면, 무료 타월을 얻을 수 있습니다.
5 그 문장은 문법적으로 옳지만, 자연스럽게 보이지 않는다.

D 1 공연이 곧 시작할 예정입니다.
　e 휴대전화의 전원을 꺼 주세요.
2 우리는 잠시 후 이륙할 예정입니다.
　a 안전벨트를 착용해 주시기 바랍니다.
3 네티켓을 숙지하시기 바랍니다.
　c 당신은 나쁜 말들을 사용하지 못하게 되어 있습니다.
4 학교 운동회 날이 다가오고 있다.
　b 네 체육복을 가져오는 것을 잊지 마.

유형 10 ▶ 도표 정보 Word & Expression TEST　　p.30-31

A 1 오르다, 증가하다　2 마술사　3 키우다, 기르다
4 구입하다　5 요금, 수업료　6 초대장　7 전시회
8 화장실　9 열리다　10 총 ~의　11 enter
12 grade　13 storybook　14 except　15 adult
16 clay　17 gym　18 present　19 for free
20 be born

B 1 popular　2 for free　3 except　4 fee
5 low

C 1 seven　2 Snow White　3 Aladdin
4 Tarzan　5 least[smallest]

D 1 intermediate → advanced
2 morning → afternoon
3 beginner → advanced

B 1 요즘 가장 인기 있는 노래가 뭐니?
2 나는 그녀가 무료로 그것을 할 거라고 기대하지 않았다.
3 그 사무실은 일요일을 제외하고는 매일 연다.
4 그는 높은 입장료에 대해 불평한다.
5 그것은 낮은 가격에 훌륭한 제품이다.

C 1 「이집트의 왕자」는 7명의 학생들이 봤다.

2 가장 많은 수의 학생들이 「백설공주」를 봤다.

3 「타잔」은 「알라딘」보다 많은 학생들이 봤다.

4 「타잔」은 6명의 학생들이 봤다.

5 가장 적은 수의 학생들이 「알라딘」을 봤다.

D 1 초급반은 고급반과 같은 날에 시작한다.

2 당신은 오후에 중급반을 들을 수 있다.

3 고급반은 가장 짧은 수업 시간을 갖고 있다.

D 1 A 왜 그와 다퉜니?

　B 그가 나에 대해 뒷담화를 해서 나는 그와 다퉜어.

2 A 어디에서 그를 만날 예정이니?

　B 나는 버스 정류장에서 그를 만날 예정이야.

3 A 캐나다에 얼마나 오래 머무를 거니?

　B 나는 캐나다에 약 5일 동안 머무를 거야.

4 A 누가 네 여자 친구니? / 파란 치마를 입고 있는 그〔저〕 소녀는 누구니?

　B 파란 치마를 입고 있는 소녀는 내 여자친구야.

5 A 너는 어떻게 학교에 가니?

　B 나는 지하철을 타고 학교에 가.

유형 11 어색한 대화 고르기 Word & Expression TEST　p.32-33

A 1 의심, 의문　2 함께하다　3 영수증　4 떠나다, 출발하다　5 우울한　6 상, 상품　7 놓치다　8 ~에 관심이 가다　9 식사를 거르다　10 바로, 당장　11 nervous　12 join　13 line　14 plant　15 quite　16 anytime　17 stage　18 match　19 watch out　20 make it

B 1 Hold on　2 mind　3 stage　4 nervous　5 looking for

C 1 c　2 a　3 d　4 b　5 e

D 1 Why did you argue with him?

2 Where are you going to meet him?

3 How long will you stay in Canada?

4 Who is your girlfriend? / Who is the(that) girl wearing the blue skirt?

5 How do you go to school?

B 1 잠시만 기다려 주세요.

2 깨진 유리창에 대해선 걱정 마라.

3 내 절친은 무대에서 연극을 공연했다.

4 난 내일 영어 시험이 있어서 아주 긴장돼.

5 야구 모자를 찾는 중입니다. 어디서 구할 수 있나요?

C 1 너는 쇼핑몰에서 뭐 좀 샀니?

　c 응, 나는 야구 모자를 샀어.

2 너는 대중음악에 관심이 있니?

　a 응, 있어.

3 여기 근처에 식료품점이 있니?

　d 응, 그것은 길 바로 건너편에 있어.

4 아프리카에 가 본 적이 있니?

　b 아니, 없어.

5 그는 여기 전학생이니?

　e 아마도. 나는 전에 그를 본 적이 없어.

유형 12 적절한 응답 찾기 Word & Expression TEST　p.34-35

A 1 다정한, 친절한　2 멀리 떨어진　3 문자를 보내다　4 영수증　5 실망한　6 약속　7 긴급한, 시급한　8 수리하다, 고치다　9 제시간에　10 선택의 여지를 남기지 않다　11 while　12 share　13 confident　14 spot　15 encourage　16 prefer　17 clerk　18 trouble　19 do a favor　20 take care of

B 1 in case　2 situation　3 available　4 try on　5 various

C 1 a　2 c　3 b　4 e　5 d

D 1 e　2 c　3 b　4 d　5 a

B 1 비 올 때를 대비해서, 우산을 가져가라.

2 그는 그 상황을 다룰 방법을 모른다.

3 그 식당에는 이용 가능한 좌석이 없다.

4 나는 이 모자들을 써 보고 싶다.

5 우리 학교에는 다양한 동아리들이 있다.

C 1 이 재킷이 나에게 어때?

　a 좋아 보여.

2 너는 우리가 경연 대회에서 우승할 거라 생각하니?

　c 물론이지, 나는 그렇게 생각해.

3 우리 엄마가 교통사고로 다치셨어.

　b 오, 안 돼. 그녀는 괜찮으시니?

4 정말 아름다운 팔찌다!

　e 고마워. 나는 이것을 어제 구입했어.

5 여기 잔돈 받으세요.

　d 괜찮아요. 거스름돈은 가지세요.

D 1 수미는 Jason이 자신을 저녁 식사에 초대한 것에 대해 감사의 말을 전하고 싶다.

　e 나를 초대해 줘서 정말 고마워.

2 Elijah는 Peter의 기운을 북돋워 주고 싶었다. 왜냐하면 그는 최근에 그의 개를 잃어버렸기 때문이다.
 c 너는 매우 슬플 거야. 힘내, 내 친구야.

3 Rachel은 John의 발을 밟은 것에 대해 사과하고 싶다.
 b 미안해. 나는 네가 거기 있는지 알아채지 못했어.

4 Nicholson 부인은 Mary가 가난한 아이들을 도와주는 것을 칭찬하고 싶다.
 d 그들을 도와주다니 너는 정말 착하구나.

5 Ruth는 바닥에 있는 재킷이 Harry의 것인지 아닌지 알고 싶다.
 a 이 재킷이 네 것이니?

3 조금만 도와주시겠어요?
 b 뭔데요? 말씀해 보세요.

4 티켓을 좀 보여 주시겠어요?
 d 여기 있습니다.

5 민준아, 안녕. 무슨 일 있니?
 e 난 열이 있어, 점점 더 나빠지네.

 실전 모의고사 Word & Expression TEST   p.36-37

A 1 콩   2 줄무늬   3 나중에, 그 후에   4 추천하다
5 탈의실   6 환불   7 낭비하다   8 교환하다
9 잇달아, 연달아   10 놀다, 시간을 보내다
11 cooperation   12 receipt   13 fatty
14 rest   15 exchange   16 favor   17 mean
18 raincoat   19 change into   20 one by one

B 1 wet   2 get better   3 book   4 including
5 popular

C 1 c   2 a   3 b   4 d   5 e

D 1 Can we have something else which is not fatty?
2 I'm not that good at learning language.
3 If you're interested, visit us anytime.
4 I'm thinking of hanging out with Minji and Tony this afternoon.
5 Go straight and turn left at the corner.

B 1 나는 빗속에서 자전거를 탔고 흠뻑 젖었다.
2 나는 너무 아프지만, 내일 아침엔 괜찮아질 거다.
3 티켓을 구하려면, 너는 미리 예약해야 한다.
4 그들의 새 집은 다락방을 포함하여 4개의 방이 있다.
5 그는 가장 인기 있는 작가들 중 한 명이다.

C 1 협조해 줘 고마워.
 c 별말씀을요.
2 탈의실이 어디인가요?
 a 저와 같이 가시죠.

 실전 모의고사 Word & Expression TEST   p.38-39

A 1 즐거운   2 기능   3 여러 가지, 각양각색   4 시무룩한 얼굴   5 분명히   6 뒤를 잇다; 뒤따르다   7 적당한, 합리적인   8 성적, 학점   9 ~와 잘 지내다
10 ~을 응원하다   11 seashore   12 forever
13 passport   14 crack   15 wallet   16 fasten
17 traffic   18 far from   19 depend on
20 turn down

B 1 forever   2 exhausted   3 guess
4 resembles   5 regular

C 1 b   2 d   3 e   4 c   5 a

D 1 Don't you get along with them?
2 Do you mean she is going to live there forever?
3 Be sure to fasten your seatbelt.
4 Then you'd better try riding a bike.
5 If you wash your hands well, you can prevent various diseases.

B 1 나는 그를 영원히 사랑할 거야.
2 나는 정말로 지쳤다.
3 너는 다음에 무슨 일이 일어날지 추측할 수 있다.
4 그녀는 그녀의 엄마를 아주 완벽하게 닮았다.
5 나는 정기 검진을 위해 내 의사에게 간다.

C 1 너는 얼마나 자주 요가 연습을 하니?
 b 일주일에 두세 번.
2 그곳에 도착하는 데 얼마나 걸리죠?
 d 교통 상황에 따라 다릅니다.
3 잘 지내니?
 e 모든 게 좋아, 고마워.
4 나를 태워다 줘 고마워.
 c 별말을.
5 여권을 좀 보여 주시겠어요?
 a 여기 있습니다.

A 1 기념품 2 땅바닥 3 후회하다 4 태도, 자세
5 교통(편) 6 주인 7 줄무늬 8 몸매를 유지하다
9 ~에 잠깐 들르다 10 다 망치다 11 product
12 healthy 13 regret 14 drop 15 decorate
16 miserable 17 magnet 18 crash into
19 throw a party 20 by accident

B 1 improve 2 expect 3 gathered
4 copy 5 miserable

C 1 I listen to pop songs a lot.
2 I've been trying really hard to keep in shape.
3 I'd like to buy some presents for my friends.
4 I'd like a ham and mushroom pizza please.

D 1 how to dance 2 around here 3 Take
your time 4 drop by 5 similar to

B 1 나는 내 영어를 향상시키고 싶다.
2 나는 한 달 안에 돌아오길 기대한다.
3 군중들이 축구 시합을 보기 위해 모였다.
4 내가 사본을 하나 만들어서 그것을 네게 보낼게.
5 그런 비참한 장면을 전에 본 적이 없다.

C 1 A 너는 내 영어 듣기 실력을 향상시키는 방법을 내게 말
해 줄 수 있니?
B 난 팝송을 많이 들어.
2 A Joanne, 넌 요즘 아주 건강해 보인다.
B 난 몸매 유지를 위해 정말 열심히 노력하고 있어.
3 A 어떻게 도와드릴까요?
B 전 제 친구들에게 줄 선물을 약간 사고 싶어요.
4 A 무엇을 주문하시겠습니까?
B 저는 햄과 버섯 피자를 주문하고 싶습니다.

A 1 옷(복장) 2 흙, 토양 3 보수하다 4 (액체를) 엎
지르다 5 기숙사 6 불편 7 쓰레기통 8 화분
9 ~에 참여하다 10 ~을 설치하다 11 recommend
12 briefly 13 crowded 14 offer 15 curry
16 environment 17 dolphin 18 passport
19 for oneself 20 go on

B 1 fits 2 spilled[spilt] 3 Empty 4 protect
5 envy

C 1 c 2 d 3 e 4 b 5 a

D 1 Your small act will help save the Earth.
2 Can you design a uniform for us?
3 One is in the morning, and the other is in
the afternoon.
4 How long did it take to make the sweater.
5 You should water them when the soil dries
out.

B 1 모든 신발이 모든 발에 맞는 것은 아니다.
2 나는 내 실크 치마에 커피를 쏟았다.
3 빈 접시가 가장 시끄러운 소리를 낸다.
4 우리는 환경을 보호하기 위해 행동해야 한다.
5 나는 너와 수진이가 정말로 부러워, 너희들은 함께 정말
행복해 보여.

C 1 뭐가 문제이니?
c 나는 학교 도서관에 내 휴대전화를 놓고 왔어.
2 넌 어디에 머물 계획이니?
d 난 기숙사에 머물 계획이야.
3 이 스웨터를 네가 만들었니?
e 작년에 내가 직접 짰어.
4 우리 3시에 만날 수 있니?
b 난 괜찮아.
5 Smith 씨와 통화할 수 있을까요?
a 죄송하지만, 그는 지금 외출 중입니다.

A 1 멋진, 굉장한 2 분명히, 틀림없이 3 조각품
4 지역의 5 계속하다 6 칭찬하다 7 기억할 만한
8 지원하다 9 나는 진심이야. 10 ~을 담당하다
11 against 12 punishment 13 raw 14 head
15 suburb 16 promise 17 oversleep
18 ocean 19 depend on 20 make money

B 1 favor 2 view 3 humid 4 tough
5 ingredients

C 1 What makes you think that?
2 How may I help you?
3 Would you like to have some more?
4 How was your trip to Jeju-do?

D 1 What, for 2 in charge of 3 depends on
4 focus on 5 How come

B 1 제 부탁 들어주실래요?

2 우리 집은 전망이 좋다.

3 습기 찬 기후는 반도의 특징이다.

4 우리는 몹시 힘든 결정을 내려야만 한다.

5 상상과 근면함은 성공의 요소이다.

C 1 A 뭐가 널 그렇게 생각하게 했니?

B 네 여름방학이 막 시작했잖아.

2 A 어떻게 도와드릴까요?

B 저는 제 친구들과 함께 페스티벌에 참가하고 싶어요.

3 A 뭘 좀 더 드시겠어요?

B 전 이미 많이 먹었습니다.

4 A 제주도에 간 네 여행은 어땠니?

B 환상적이었어.

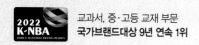

New

Reading Master

READER'S BANK

더욱 업그레이드된 영어 전문 독해서

영문 독해에 평생을 바친 이장돌 선생님의 역작

- 초등~중·고등을 탄탄하게 잇는 **10단계 통합 맞춤형 독해 시스템**
- 흥미로운 **범교과 소재의 지문**과 내신 및 수능 대비에 최적화된 문제 수록
- 단어 수와 렉사일(Lexile) 지수를 제공하여 **단계적, 체계적 독해 학습** 가능
- 학습 효과를 더욱 높여주는 **지문 QR코드, 단어장, 워크북** 제공

* 원서형 독해집으로는 이장돌 선생님의 Reading Spark 시리즈(9권)가 있습니다.

T·A·P·A 영역별 집중 학습으로 영어 고민을 한 방에 타파 합니다.

대표전화 1544-0554
주소 서울특별시 구로구 디지털로33길 48 대륭포스트타워 7차 20층
협의 없는 무단 복제는 법으로 금지되어 있습니다.

유형으로 격파하는

LISTENING TAPA

정답과 해설

LEVEL 2

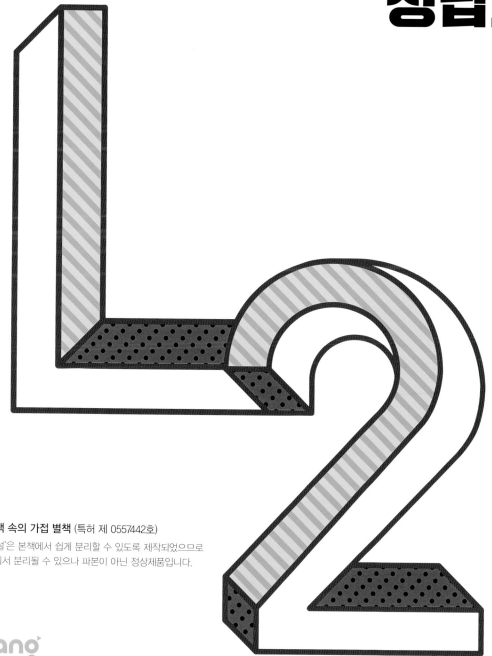

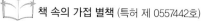
책 속의 가접 별책 (특허 제 0557442호)

'정답과 해설'은 본책에서 쉽게 분리할 수 있도록 제작되었으므로
유통 과정에서 분리될 수 있으나 파본이 아닌 정상제품입니다.

visang

ABOVE IMAGINATION

우리는 남다른 상상과 혁신으로
교육 문화의 새로운 전형을 만들어
모든 이의 행복한 경험과 성장에 기여한다

LISTENING TAPA
정답과 해설

LEVEL 2

듣기를 방해하는 발음 01   p.8

A 1 drove, car too fast last night
2 made, bed, went, sleep
3 dad, English teacher, school
4 too busy, go, movies
5 didn't understand why, say sorry

B 1 She, her, at
2 He, his, in, to
3 The, is an, at my
4 I, to the, with you
5 did he have to, to you

A 1 그녀는 어젯밤에 그녀의 차를 너무 빠르게 운전했다.
2 그는 잠자리를 펴고 잠에 들었다.
3 그녀의 아빠는 우리 학교의 영어 선생님이시다.
4 나는 너와 영화를 보러 가기에는 너무 바빠.
5 그는 왜 그가 나에게 미안하다고 말해야 했는지 이해하지 못했다.

B 1 그녀는 밤에 그녀의 차를 과속으로 운전하는 것을 좋아하지 않는다.
2 그는 자기 위해서 잠자리를 폈다.
3 그 소녀의 아빠는 우리 학교의 영어 선생님이시다.
4 나는 너와 영화를 보러 갈 수 없어.
5 왜 그는 어제 너에게 미안하다고 말해야 했니?

듣기를 방해하는 발음 02   p.9

A 1 train 2 travel 3 drop 4 treat
5 Driving 6 try, drink

B 1 dream 2 tree 3 strong

A 1 그 기차는 레일을 벗어났다.
2 Jacky는 우주여행을 경험하고 싶어 한다.
3 저를 우체국 근처에 내려 주시겠어요?
4 우리 엄마는 나를 아기처럼 대하곤 하셨다.
5 제한 속도를 넘어 운전하는 것은 위험하다.
6 나는 지나치게 많은 커피를 마시지 않으려고 노력한다.

B 1 그녀는 지난밤에 이상한 꿈을 꾸었다.
2 나는 내일 크리스마스 나무를 하나 구입할 예정이다.
3 그는 그의 아빠처럼 키가 크고 강해지고 싶어 한다.

듣기를 방해하는 발음 03   p.10

A 1 ① 2 ② 3 ① 4 ③ 5 ①

B 1 make coffee 2 just take
3 that tablet 4 good days, bad days
5 His son, doesn't talk

B 1 너는 어떻게 커피를 만드는지 아니, Jennifer?
2 우리는 아주 열심히 일했어. 잠시 동안 그냥 휴식을 취하도록 하자.
3 제게 그 태블릿 PC를 보여 주시겠습니까?
4 너는 삶에서 좋은 날도 있고 나쁜 날도 있다는 것을 알아야 해.
5 그의 아들은 주위에 사람들이 있을 때 항상 말을 많이 하지 않는다.

듣기를 방해하는 발음 04   p.11

A 1 ① 2 ② 3 ② 4 ③

B 1 to 2 International 3 act

C 1 what went 2 to go to, fountain
3 badminton 4 forgotten, important meeting

B 1 너는 학교에 어떻게 가니?
2 국제 관계는 중요하게 여겨진다.
3 너는 같은 방식으로 말하고 행동해야 한다.

C 1 나는 무엇이 잘못되었는지 모르겠어.
2 내가 너에게 어떻게 분수대로 가는지 말해 줄게.
3 우리 부모님께서는 주말에 배드민턴 치는 것을 좋아하신다.
4 나는 내가 중요한 회의가 있었다는 것을 잊어버렸다.

A 1 ③   2 ②   3 ②   4 ①   5 ①

B 1 read   2 did

     3 hold the   4 bad headache

     5 endless   6 made, sandwich

B 1 그녀는 몇 년 동안 많은 만화책을 읽었다.

     2 그녀는 왜 내 제안을 거절했을까?

     3 그는 그 아기를 그의 품에 안고 싶어 했다.

     4 그녀는 지난 주말에 지독한 두통에 시달렸다.

     5 Alice와 Paul 사이에 끝없는 논쟁이 있었다.

     6 그녀는 내가 그녀를 방문했을 때 나에게 코코아 한 잔과 샌드위치 하나를 만들어 주었다.

A 1 fall   2 hang   3 rise   4 fly

     5 Throw   6 hide

B 1 fell   2 hung   3 rose   4 flew

     5 threw   6 hid

A 1 그는 그의 책상에서 잠이 들 것이다.

     2 그는 전화를 막 끊으려던 참이었다.

     3 그 노인이 우리에게 해가 곧 뜰 것이라고 말해 주었다.

     4 그녀는 비행기가 하늘 높이 나는 것을 보았다.

     5 저에게 자동차 열쇠를 던져 주세요.

     6 너는 나에게 네 감정을 숨기지 않아도 돼.

B 1 그녀는 한 젊은 남자와 사랑에 빠졌다.

     2 우리 아빠는 그 그림을 벽에 걸었다.

     3 연기 구름 하나가 공중으로 떠올랐다.

     4 새가 열린 창문을 통해 날아들었다.

     5 나는 그 공을 Peter에게 다시 던졌다.

     6 그 아이는 그 장난감을 나무 밑에 숨겼다.

A 1 remark, marks   2 like, alike

     3 agree, green   4 mind, remind

     5 retired, tired   6 head, ahead

     7 remain, main

B 1 amazing   2 arrive   3 America

A 1 그 치마의 자국에 대해서 언급하지 마.

     2 두 자매들은 성격이 비슷한 것처럼 보인다.

     3 나는 너의 녹색[환경] 정치에 대해 동의할 수 없어.

     4 내가 그 규칙들에 대해서 너에게 다시 알려 줘도 괜찮겠니?

     5 그는 그녀를 위해 일하는 것에 지치고 힘들어서 사직했다.

     6 우리 교장 선생님은 5분 일찍 그곳에 도착하셨다.

     7 우리는 주요 행사까지 이곳에 남을 것이다.

B 1 그것은 놀라운 영화였어! 나는 정말 그것이 재미있었어.

     2 나는 그가 곧 도착할 것이라고 확신한다.

     3 그녀는 이번 여름에 북아메리카로 여행하고 싶어 한다.

A 1 wind, blew   2 cake, whole

     3 rode, bike   4 kite, flew

     5 meet, friend   6 knight, saved

B 1 blue   2 hole   3 road

     4 flu   5 meat

A 1 그 바람은 모든 것을 날려 버렸다.

     2 남은 케이크가 없어. 그가 케이크를 전부 다 먹었어.

     3 그는 매일 자전거를 타고 출근했다.

     4 그 연은 하늘 높이 날았다.

     5 나는 영화관에서 내 친구를 만날 것이다.

     6 그 기사는 숲에서 많은 사람들을 구했다.

B 1 나는 시험에 떨어져서 우울했다.

     2 Sam은 지붕에 있는 구멍을 고쳤다.

     3 오늘 아침에 도로 위에 많은 차들이 있었다.

     4 그녀는 독감에 걸렸다.

     5 그는 채식주의자이기 때문에 고기를 먹지 않는다.

A 1 heart   2 can't   3 birth
     4 work   5 often   6 learning

B 1 turn, corner   2 large, beautiful
     3 offer   4 butter, tomato
     5 bottle, water

A 1 그는 내 심장을 빨리 뛰게 해.
    2 우리는 그를 더 이상 못 참겠어.
    3 저에게 당신의 생일을 알려 주세요.
    4 그녀는 그 식당에서 시간제로 일할 예정이다.
    5 나는 종종 점심 휴식 시간 동안 산책을 한다.
    6 그는 새로운 것들을 배우는 것을 잘한다.

B 1 너는 오른쪽 모퉁이에서 돌아야 한다.
    2 그녀는 L.A.에 그런 크고 아름다운 집이 있다.
    3 이것이 우리의 마지막 제안입니다. 당신은 이제 결정해야 합니다.
    4 나는 아침으로 버터를 바른 빵과 토마토를 먹었다.
    5 물 한 병 주시겠어요?

A 1 It'll   2 He's   3 I would
     4 hadn't   5 should   6 mustn't

B 1 won't   2 He's   3 couldn't
     4 She'd   5 hasn't   6 I'd

A 1 오늘은 덥고 화창할 것이다.
    2 그는 병 때문에 일을 그만두기로 결정했다.
    3 제 파티에 와 주셔서 여러분께 감사드립니다.
    4 그녀는 집안일을 끝마치지 않았다.
    5 우리는 직장으로 돌아가야 해.
    6 아이들은 이 비디오를 보면 안 된다.

B 1 너는 오래 기다릴 필요가 없을 거야.
    2 그는 10년 동안 그 회사에서 일했다.
    3 우리는 악천후로 밖에 나갈 수 없었다.
    4 그녀는 해외여행을 하기 위해 돈을 모았다.
    5 그는 오랫동안 컴퓨터 게임을 하지 않았다.
    6 나는 집에 머무르며 휴식을 취하는 게 좋겠어.

PART 1 유형을 잡아라

유형 01 그림 정보

유형잡는 대표기출 ---------- p.20-21

1 그림 정보 – 날씨 | ②

해석

남 안녕하세요! 오늘의 날씨입니다. 서울은 하루 종일 비가 올 것입니다. 대전은 아침에는 흐리지만 오후에는 많은 눈이 내릴 것입니다. 부산은 하루 종일 맑은 하늘을 보시게 될 것입니다. 소풍하기에 좋은 날이 될 것입니다. 매우 감사합니다.

해설 마지막 부분에서 부산은 하루 종일 맑다고 했으므로 가장 적절한 것은 ②이다.

어휘 all day long 하루 종일 cloudy 구름이 낀

2 그림 정보 – 사진첩 표지 | ①

해석

여 아빠, 저는 제 사진첩 표지를 만들고 있어요. 저 좀 도와주실 수 있나요?

남 그럼, Lucy야. '해피 타임스'라. 좋은 제목이구나.

여 고마워요. 저는 제목을 상단에 놓았어요. 이제 제목 아래에 사진을 넣고 싶어요.

남 너는 정말 산을 좋아하는구나. 저 산 사진은 어떠니?

여 좋아요, 그것을 여기에 놓을게요. *[잠시 후]* 했어요! 하지만 여전히 사진 아래에 공간이 있네요.

남 그 밑에 이 하트 모양의 스티커를 붙이는 것은 어때?

여 이렇게요? *[잠시 후]* 정말 좋아요!

해설 제목이 상단에 있고, 제목 아래 산 사진을 놓고, 그 아래에 하트 모양의 스티커를 붙인 그림을 찾아본다.

어휘 cover 표지 title 제목 space 여백, 공간 heart-shaped 하트 모양의

3 그림 정보 – 상황에 적절한 대화 | ③

해석

① 여 빵집이 어디 있니?
   남 이 근처에 있어.

② 여 이번 주 일요일이 우리 가족의 캠핑 여행이야. 기억하니?
   남 그럼, 난 Jim 삼촌과 같이 가게 돼 너무 신이 나.

③ 여 이번 주 토요일에 야구 시합 보러 가고 싶어.

남 좋아, 같이 가자.

④ 여 실내에서는 야구 모자 좀 벗어 줄래?

남 미안해. 모자 벗는 것을 잊었네.

⑤ 여 무대에 팝 스타들이 많이 있네.

남 그게 지금 혼잡한 이유이지.

해설 그림에서 여학생은 야구 경기를 생각하고 있으므로 가장 적절한 대화는 ③이다.

어휘 bakery 빵집 remember 기억하다 take off ~을 벗다 inside 안에, 내부에 stage 무대, 스테이지 crowded 혼잡한

핵심 유형 파고들기   p.22-25

1 ①	2 ⑤	3 ②	4 ②	5 ④	6 ④
7 ①	8 ④	9 ③	10 ③	11 ③	12 ①

핵심 유형 받아쓰기   p.26-29

1 ❶preparing for ❷finished packing ❸weather forecast

2 ❶so excited ❷all booked ❸It'll save

3 ❶looks perfect on ❷take your order ❸over there

4 ❶draw a triangle ❷three sides of ❸is touched

5 ❶How about ❷a cute puppy ❸prefer this one

6 ❶Can you go to ❷can't find it ❸there it is

7 ❶tired of ❷until tonight ❸for a picnic

8 ❶What a cute cup ❷gave it to me ❸is skating

9 ❶take notes ❷put anything inside ❸shorter and shorter

10 ❶ran into a boy ❷wear the cast ❸with my left hand

11 ❶Do you know where ❷turn left ❸across from

12 ❶drop you off ❷in front of ❸get off here

1 그림 정보 – 날씨 | ①
해석

여 민호야, 너 내일 제주도 여행 준비하고 있니?

남 네, 엄마. 지금 막 짐 싸기를 마쳤어요.

여 제주도 날씨는 확인했니?

남 네, 했어요. 일기예보에서 이번 주에는 맑을 거래요.

여 잘됐구나. 여기는 계속 비가 왔잖니. 거기서 여행을 즐길 수 있겠다.

남 그럴 것 같아요. 너무 신이 나요.

해설 남자는 제주도의 일기예보를 확인했고, 일기예보에서 이번 주에는 맑을 거라고 했으므로 제주도의 내일 날씨로 가장 적절한 것은 ①이다.

어휘 prepare for ~을 준비하다 packing 짐 싸기 weather forecast 일기예보

2 그림 정보 – 교통수단 | ⑤
해석

남 너는 이번 주 토요일에 부산으로 여행할 예정이니?

여 응, 맞아. 나는 너무 신이 나.

남 너는 KTX 기차나 고속버스를 탈거니?

여 사실은, 그것들은 토요일에 모두 예약이 끝났어. 그래서 나는 비행기로 부산에 갈 수밖에 없어.

남 그거 좋다. 비행기가 시간을 절약해 줄 거야.

해설 모든 교통수단의 예약이 토요일에 끝나서 비행기를 탈 수밖에 없다고 했으므로 ⑤가 정답이다.

어휘 travel to ~으로 여행하다 excited 신이 난 express bus 고속버스 book 예약하다 have no choice 선택의 여지가 없다 by air 비행기로

3 그림 정보 – 상황에 적절한 대화 | ②
해석

① 남 이 야구 시합은 정말 재밌다!

여 응, 그래! 정말 흥미진진해!

② 남 이 모자에 대해 어떻게 생각하니?

여 네게 아주 잘 어울려! 난 모자에 있는 별이 정말 좋아.

③ 남 나는 이번 주 일요일에 캠핑하러 가고 싶어.

여 좋아, 같이 가자.

④ 남 주문 받을까요?

여 네. 버거 하나 주세요.

⑤ 남 저는 표를 어디서 구할 수 있을까요?

여 티켓 매표소는 저쪽에 있습니다.

해설 상점에서 모자를 고르고 있는 그림이므로, 이에 가장 적절한 대화는 ②이다.

어휘 fun 재미있는 perfect 완벽한 go camping 캠핑하러 가다

> Focus on Sounds
> want to는 want의 -t와 to의 t-가 중복돼 두 단어이지만 한 단어인 [원투]처럼 들린다.

4 그림 정보 – 여자가 그린 그림 | ②
해석

여 아빠, 전 준비됐어요. 시작해요.

남 좋아. 우선, 삼각형을 그려라.

여 삼각형이요? 그건 쉽죠.

남 그러고 나서, 삼각형 안에 원을 그려라. 하지만 원이 삼각형의 모든 세 변에 닿도록 하는 것을 기억해.

여 알겠어요. 원이 삼각형의 모든 세 변에 닿게요.

남 마지막으로, 원 안에 작은 별을 하나 그려라.

여 원 안에 작은 별. 저 끝냈어요.

해설 삼각형을 먼저 그린 후 그 안에 원을 그리고, 원 안에 작은 별을 그리라고 했으므로 ②가 적절하다.

어휘 triangle 삼각형 circle 동그라미 inside ~의 안에 touch 닿다 side (삼각형·사각형 등의) 변 I'm done. 다 했어요.

5 그림 정보 – 구입할 컵 | ④

해석

여 안녕하세요, 선생님. 도와드릴까요?

남 저는 딸에게 줄 머그잔을 하나 사고 싶습니다.

여 그녀가 밝은 색상을 좋아하나요? 이 분홍색은 어때요?

남 그 애는 분홍색을 좋아해요. 그 애는 동물 그림도 좋아해요.

여 저희 분홍색 컵들은 여기 있어요. 이 귀여운 강아지 그림이 있는 것은 어떠세요?

남 고양이가 있는 이것을 더 좋아할 것 같아요. 이것으로 할게요.

해설 남자는 분홍색 컵 중에 고양이들 그림이 있는 것을 사겠다고 했으므로 ④가 구입할 컵으로 적절하다.

어휘 mug 머그잔 bright 밝은 prefer ~을 (더) 좋아하다

Focus on Sounds
-t 발음의 경우, 미국식 영어에서는 약화되어 [ㄹ]로 발음되지만, 영국식 영어에서는 [ㅌ]로 발음된다.

6 그림 정보 – 여자의 지갑 위치 | ④

해석

[휴대전화벨이 울린다.]

남 Sarah, 무슨 일이니?

여 아빠, 저는 제 가방에서 지갑을 못 찾겠어요. 제 방에 가셔서 확인해 주실 수 있으세요?

남 물론이지. 잠시만 기다리렴. [잠시 후]

여 찾으셨어요? 그것이 제 침대 위에 있나요?

남 아니, 네 침대 위에는 아무것도 없고, 네 책상 위에서도 찾을 수가 없단다.

여 의자 위에나 책상 밑에는요?

남 오, 여기 있네. 그것은 의자 밑에 있어.

해설 딸이 아빠에게 자신의 방에 있는 지갑을 찾아 달라고 부탁하는 전화 대화로 남자의 마지막 말을 통해 지갑이 있는 위치는 ④임

을 알 수 있다.

어휘 What's up? 무슨 일이니? purse 지갑 check 확인하다 either (부정문에서) 또한, 역시

7 그림 정보 – 날씨 | ①

해석

여 안녕하세요. 일기예보입니다. 여러분은 요즘 비 오는 날씨가 지긋지긋하신가요? 다행히도, 오늘 아침에는 비가 그치겠지만, 오늘 밤까지 바람이 불고 구름이 끼겠습니다. 하지만, 여러분은 내일부터 아름다운 맑은 하늘을 보실 수 있게 될 것입니다. 그래서 소풍 가기에 완벽한 날씨가 될 것입니다.

해설 마지막 부분 However, you will be able to see beautiful clear skies from tomorrow.로 내일의 날씨는 ① 임을 알 수 있다.

어휘 weather report 일기예보 sick and tired of ~에 싫증난 fortunately 다행스럽게도 clear sky 맑은 하늘 picnic 소풍

8 그림 정보 – 생일 선물로 받은 컵 | ④

해석

여 정말 귀여운 컵이네! 이거 네 것이니?

남 응, 우리 반 친구 중 한 명이 그것을 내 생일에 내게 줬어.

여 멋지다. 난 눈사람이 맘에 들어. 그는 스케이트를 타고 있네.

남 응, 그리고 나는 생일 케이크를 들고 있는 산타클로스도 좋아.

여 오, 네 말이 맞아. 둘 다 아주 귀엽다. 넌 어떻게 생각해?

남 응, 나도 동의해.

해설 눈사람이 스케이트를 타고 있고, 산타클로스가 생일 케이크를 들고 있는 그림이 있는 컵을 찾아본다.

어휘 cute 귀여운 classmate 반 친구 snowman 눈사람 both 둘 다 agree 동의하다

9 그림 정보 – 사물 묘사 | ③

해석

여 사람들은 그림을 그리거나 종이에 무엇을 쓰기 위하여 이것을 사용합니다. 많은 학생들은 이것을 그들이 공부할 때 필기를 하기 위해 사용합니다. 그것을 사용하기 위해서, 여러분은 그 안에 아무것도 넣을 필요가 없지만 가끔 그것을 깎아 주어야 합니다. 여러분들이 그것을 깎을 때, 그것은 점점 짧아집니다. 만약 실수를 하면, 그것을 지우개로 쉽게 수정할 수 있습니다. 이것은 무엇입니까?

해설 필기를 할 때 사용하며 깎아서 써야 하고, 지우개로 지울 수

있다고 했으므로 연필임을 알 수 있다.

어휘 draw a picture 그림을 그리다 take notes 필기하다 put 넣다 inside ~의 안에 sharpen (날카롭게) 깎다 eraser 지우개

10 그림 정보 – 남자의 상태 | ③

해석

여 오, 세상에나. Daniel, 무슨 일이 있었니?

남 축구를 하는 동안에 어떤 남자아이랑 부딪혔어.

여 네 오른팔이 부러졌다니 끔찍해. 너는 얼마나 깁스를 하고 있어야 하니?

남 한 달여 동안.

여 너는 불편하겠구나, 그렇지 않니?

남 응, 나는 왼손으로 글을 쓰고 밥을 먹어야 해. 그것은 내게 너무 어려워.

여 그것참, 안됐구나.

해설 축구를 하다 오른팔을 다쳐 한 달 동안 깁스를 하고 있어야 한다고 했으므로 남자의 상태는 ③이 적절하다.

어휘 run into ~와 충돌하다(부딪히다) break one's arm ~의 팔이 부러지다 wear a cast 깁스를 하다 uncomfortable 불편한

11 그림 정보 – 장소 | ③

해석

여 실례합니다. 당신은 미시건 쇼핑몰이 어디 있는지 아세요?

남 그럼요. 그냥 하버 스트리트로 두 블록 곧장 가세요.

여 하버 스트리트요?

남 네, 그러고 나서 왼쪽으로 도신 후에 한 블록을 더 가세요.

여 왼쪽으로 돌고 한 블록을 더 간다. 알겠어요. 그런 다음은요?

남 당신의 오른편에 은행이 보일 거예요. 그것은 은행 건너편에 있어요.

여 대단히 감사합니다.

해설 하버 스트리트에서 좌회전한 후 한 블록 가면 오른쪽에 은행이 있다고 했고, 그 맞은편이 여자가 찾고 있는 장소이므로 ③이 적절하다.

어휘 across from ~의 맞은편인

12 그림 정보 – 표지판 | ①

해석

남 내가 너를 어디에 내려 줘야 하니?

여 저쪽에. 갈색 건물이 보이니?

남 알았어. 내가 너를 바로 문 앞에 내려 줄게.

여 고마워. 오, 저 표지판을 봐!

남 어떤 표지판?

여 우리는 이 길로 갈 수 없을 것 같아. 대신, 우리는 건물의 정문으로 가기 위해 전체 블록을 돌아가야 해.

남 네가 여기서 내리는 것이 더 나을 것 같아.

여 그래, 그렇게. 태워다 줘서 고마워.

해설 건물 정문으로 가려면 돌아가야 한다고 한 것으로 보아 두 사람이 본 표지판은 우회를 안내하는 ①이다.

어휘 drop ~ off 내려 주다 sign 표지판, 간판 instead 그 대신에 go around (주위를) 돌다 get off 내리다 ride 태워 주기, 타기; 타다

유형 02 숫자 정보

유형잡는 대표기출 ------------------------------ p.30-31

❶ 숫자 정보 – 날짜 | ④

해석

[전화벨이 울린다.]

여 여보세요, Jackie's 록 밴드입니다.

남 저는 대한 문화 센터의 관리자입니다.

여 무엇을 도와드릴까요?

남 저희 센터에서 당신 밴드가 공연해 주실 수 있나요?

여 행사가 언제죠?

남 5월 9일입니다.

여 죄송합니다. 11일만 가능합니다. 괜찮으신가요?

남 확인해 볼게요. 5월 11일은 괜찮겠네요.

해설 여자가 11일만 가능하다고 했고, 남자도 해당 날짜가 괜찮다고 했으므로 ④가 정답이다.

어휘 manager 관리자, 매니저 perform 공연하다 event 행사, 이벤트 possible 가능한

❷ 숫자 정보 – 금액 | ③

해석

여 안녕하세요, 저는 이 책을 사고 싶습니다.

남 안녕하세요. 그 책은 20달러입니다.

여 알겠습니다. 아! 이 책갈피들이 아주 예쁘네요. 그것들은 얼마인가요?

남 무지개가 있는 것은 2달러입니다. 클로버가 있는 것은 3달러입니다. 모두 수제품입니다.

여 제 딸은 클로버가 있는 것을 좋아하겠네요. 책과 함께 그것을 사겠습니다.

남 알겠습니다. 책이 20달러이고 책갈피가 3달러입니다.

여 제 신용 카드가 여기 있습니다.

해설 여자는 책과 책갈피를 사려 하고 있는데, 각각 20달러와 3달러이므로 지불할 금액은 23달러이다.

어휘 bookmark 책갈피, 북마크 rainbow 무지개 handmade 손으로 만든, 수제의

③ 숫자 정보 – 인원수 | ③

해석
남 여보, 나는 지금 저녁 식사 예약을 할 거예요.
여 우리는 중국 식당에 가나요?
남 네. 우리가 여덟 명이지요, 맞죠?
여 오, Brown 씨 부부가 전화해서 올 수 없다고 말했어요.
남 알겠어요. 흠… 그러면, 여섯 명이네요.
여 네, 맞아요.
남 알겠어요. 내가 지금 바로 예약을 할게요.

해설 남자의 세 번째 말을 통해 참석 인원이 6명임을 알 수 있다.

어휘 reservation 예약 right away 즉시, 바로

핵심 유형 파고들기
p.32-33

| 1 ③ | 2 ③ | 3 ⑤ | 4 ③ | 5 ③ | 6 ③ |
| 7 ② | 8 ② | | | | |

핵심 유형 받아쓰기
p.34-35

1 ❶starts at ❷such a long line ❸ten minutes left
2 ❶are already here ❷a little late ❸Are we expecting
3 ❶send someone to fix ❷Can it be fixed ❸fully booked
4 ❶half the loaf ❷two half halves ❸Here's your change
5 ❶as well ❷Here it is ❸I'll take it
6 ❶check out ❷at a time ❸Your library card
7 ❶coming up soon ❷don't have to ❸a short vacation
8 ❶That's another ❷in total ❸only have to pay

1 숫자 정보 – 시각 | ③

해석
여 몇 시에 그 영화가 시작하니?
남 그 영화는 11시 정각에 시작해.
여 너는 우리가 약간의 팝콘을 살 시간이 있다고 생각하니?
남 나는 그렇게 생각하지 않아. 스낵바에 아주 긴 줄이

있고, 우리에겐 겨우 10분밖에 남지 않았어.
여 정말? 알았어. 그러면 들어가자.
남 그래.

해설 영화는 11시 정각에 시작하고, 10분밖에 남지 않았다고 했으므로 현재 시각은 10시 50분일 것이다.

어휘 snack bar 스낵바(음료나 가벼운 식사를 제공하는 식당)

2 숫자 정보 – 인원수 | ③

해석
여 생일 축하해, Daniel.
남 Amy, 와 줘서 고마워. Steven과 Jessica는 이미 여기 있어.
여 미안해. 나는 교통 체증 때문에 조금 늦었어.
남 괜찮아.
여 우리는 또 다른 사람을 기다리는 중이니?
남 아니, 우리가 다야. 나는 내 가장 친한 친구들만 초대했거든.
여 그거 좋다.

해설 절친한 친구만 초대했고, 마지막으로 도착한 Amy에게 이미 두 명의 친구가 와 있다고 했으므로 초대한 친구는 총 3명이다.

어휘 because of ~ 때문에 traffic jam 교통 체증 expect (오기로 되어 있는 대상을) 기다리다 invite 초대하다

> **Focus on Sounds**
> t-나 d-가 r을 만나면 [트]나 [드]가 아닌 [츄]나 [쥬]로 발음되는데, 이를 동화 현상이라고 한다. traffic은 [트래픽]이 아닌 [츄래픽]으로 발음이 된다.

3 숫자 정보 – 시각 | ⑤

해석
남 세진 전자입니다. 무엇을 도와드릴까요?
여 안녕하세요. 저희 에어컨이 작동하지 않습니다. 그것을 수리할 사람을 보내 주실 수 있나요?
남 그럼요. 이름을 알려 주세요.
여 박지민입니다. 오늘 수리 가능하신가요?
남 잠시만요. *[타이핑하는 소리]* 죄송합니다만, 오늘은 예약이 꽉 찼습니다. 내일은 어떠세요? 저희는 오후 2시나 3시 혹은 6시에 사람을 보낼 수 있습니다.
여 6시가 좋겠네요.
남 알겠습니다. 그럼, 오후 6시에 수리 기사님을 보내 드리겠습니다.
여 감사합니다.

해설 남자의 마지막 말을 통해 수리 기사가 방문할 시각은 6시임을 알 수 있다.

어휘 electronic 전자 fix 고치다, 수리하다 book 예약하다 repair person 수리 기사

4 숫자 정보 – 금액 | ③

해석

남 무엇을 도와드릴까요, 손님?

여 이 빵을 사고 싶어요. 반 덩이에 얼마인가요?

남 반 덩이에 2.5달러입니다.

여 그럼 세 개 살게요.

남 그럼 한 덩이 전체와 반 덩이를 사는 것이 더 좋아요. 한 덩이는 겨우 4달러로 살 수 있거든요.

여 한 덩이 전체를 사는 것이 반 덩이 두 개를 사는 것보다 1달러 더 싸네요. 알겠어요.

남 그럼 한 덩이와 반 덩이 하나를 원하시죠?

여 네. 감사합니다. 여기 10달러요.

남 여기 잔돈 3.5달러가 있습니다. 대단히 감사합니다.

해설 10달러를 내고 3.5달러를 잔돈으로 받았으므로 여자가 지불한 금액은 6.5달러이다.

어휘 half 반의 loaf 빵 한 덩이 whole 전체의 change 잔돈

5 숫자 정보 – 사이즈와 가격 | ③

해석

남 안녕하세요. 저는 티셔츠를 하나 찾고 있습니다. 당신이 하나 추천해 주시겠어요?

여 물론이죠. 이 초록색은 어떠세요?

남 음, 저는 그 디자인과 색깔 또한 맘에 들어요. 중간 사이즈도 있나요?

여 네. 여기 있어요.

남 그것은 좋아 보이네요. 그것은 얼마인가요?

여 그것은 지난주까지 20달러였는데, 지금은 겨우 10달러입니다.

남 와, 50% 할인이네요! 그걸로 할게요.

해설 중간 사이즈가 있는지 물었고, 정가가 20달러인데 현재 50% 할인 판매 중이라 했으므로 가격은 10달러이다.

어휘 What about ~? ~은 어때? as well 또한, 역시 in medium 중간 크기의

> **Focus on Sounds**
> t가 모음 사이에 끼인 경우에는 본 발음인 [ㅌ] 대신 약화된 발음인 [ㄹ]로 들리는 경우가 있다.

6 숫자 정보 – 대여 기간 | ③

해석

남 실례합니다. 제가 책 한 권과 CD 한 장을 동시에 대출할 수 있나요?

여 네, 당신은 세 권의 책과 두 장의 CD를 한 번에 빌릴 수 있습니다.

남 대출 기간이 얼마나 되나요?

여 책은 7일 안에 그리고 CD는 열흘 안에 반납하셔야 합니다.

남 그렇군요. 저는 이 책 두 권과 CD 한 장을 대출하고 싶습니다.

여 네. 당신의 도서관 카드를 주시겠어요?

남 여기요.

해설 여자의 두 번째 말을 통해 책은 7일 안에, CD는 10일 안에 반납해야 한다는 것을 알 수 있다.

어휘 check out ~을 대출하다 at the same time 동시에 borrow 빌리다 at a time 한 번에 be supposed to ~하기로 되어 있다 return 반납하다

7 숫자 정보 – 휴일 일수 | ②

해석

여 개교기념일이 곧 다가오고 있어.

남 정말?

여 10월 8일 목요일이 우리 학교의 개교기념일이야.

남 아하! 그럼 너는 학교에 갈 필요가 없겠네?

여 응. 게다가, 그 다음 금요일은 한글날인데, 그날도 휴일이야.

남 와. 그리고 토요일과 일요일에는 수업이 없어, 그렇지?

여 그래, 그것은 마치 짧은 방학 같아.

해설 개교기념일이 휴일이고, 다음날이 한글날이고, 이후 주말이 이어지므로 휴일은 4일이다.

어휘 foundation 설립, 창립 come up ~이 다가오다 anniversary 기념일 besides 게다가 following 그 다음의 vacation 방학

8 숫자 정보 – 금액 | ②

해석

남 안녕하세요. 저는 불고기 버거와 감자튀김을 포장해 가고 싶어요.

여 7달러 되겠습니다. 또 다른 건 없으세요?

남 네. 콜라 작은 거 하나 주시겠어요?

여 그럼요. 그럼 2달러 추가입니다.

남 알겠습니다. 그럼 모두 합해 9달러이죠, 맞나요?

여 네, 하지만 당신이 A 세트를 주문하시면, A 세트는 불고기 버거, 감자튀김, 큰 사이즈 콜라를 포함하고 있는데, 8달러만 내시면 되요.

남 그게 좋겠네요. 여기 10달러요.

여 감사합니다. 여기 거스름돈입니다.

해설 A 세트의 가격이 8달러이고, 남자는 10달러를 냈으므로 남자가 받을 거스름돈은 2달러이다.

어휘 to go (음식을 식당에서 먹지 않고) 가지고 갈 in total 모두 합해 include 포함하다 pay 지불하다

유형 03 목적 · 의도

유형잡는 대표기출 p.36-37

① 목적 · 의도 – 목적 | ⑤

해석

남 안녕, Alice.

여 안녕, Karl. 너는 이곳 도서관에서 뭐하고 있니?

남 나는 자원봉사 일을 하고 있어. 나는 책장을 청소하고 있지. 너는 뭐해?

여 음, 난 사회 과제를 하려고 여기 있어.

남 네 과제는 무엇에 관한 것인데?

여 아프리카에서 깨끗한 물을 필요로 하는 어린이들을 구하는 것에 대한 것이야.

남 아, 사회 과제로는 재밌는 소재이네.

해설 여자의 두 번째 말을 통해 사회 과제를 하기 위해 도서관에 왔음을 알 수 있다.

어휘 clean up ~을 청소하다　bookshelf 책장　social studies 사회　save 구하다

② 목적 · 의도 – 의도 | ③

해석

남 안녕, Cathy. 새로운 문화 센터는 맘에 드니?

여 나는 아주 좋아. 여러 재밌는 프로그램들이 있어.

남 좋아. 어떤 프로그램이 있니?

여 여러 스포츠 프로그램이 있어.

남 정말? 어떤 거?

여 탁구, 배드민턴, 수영이 있어.

남 난 수영을 좋아해. 같이 하러 갈래?

여 좋아. 스케줄을 확인해 보고 등록하자.

남 응. 좋은 생각이다.

해설 남자의 마지막 말 Good idea.는 상대방의 말에 대해 동의하는 표현이다.

어휘 community center 문화 센터　fun 재미있는　table tennis 탁구　sign up ~을 등록하다

③ 목적 · 의도 – 목적 | ③

해석

여 민호야, 넌 어디로 가는 중이니?

남 엄마, 전 체육관에 가는 중이에요.

여 아, 친구들과 다른 농구 시합을 할 예정이니?

남 아뇨, 전 춤 연습하러 거기 가고 있어요. 이번 주 금요일에 댄스 페스티벌이 있어요. 그리고 제 친구들과 제가 거기 참여할 예정이거든요.

여 아, 재밌어 보이네. 축제는 어디서 열릴 예정이니?

남 시 문화 센터에서요. 저희를 보러 오실 건가요?

여 물론이지. 난 몹시 기대돼.

해설 남자의 두 번째 말을 통해 춤 연습을 하러 체육관에 간다는 것을 알 수 있다.

어휘 gym 체육관　practice 연습하다　take part in ~에 참가하다　take place 일어나다

핵심 유형 파고들기
p.38-39

1 ④	2 ⑤	3 ①	4 ③	5 ②	6 ③
7 ①	8 ④				

핵심 유형 받아쓰기
p.40-41

1 ❶is holding on ❷This sign says ❸make them sick

2 ❶have a cold ❷take any medicine ❸keep that in mind

3 ❶How come ❷stayed up all night ❸on purpose

4 ❶booked a table ❷can't make ❸I can't help it

5 ❶have some good news ❷prepared so hard ❸throw a celebration party

6 ❶has long hair ❷was last seen ❸contact the information center

7 ❶Yes speaking ❷ask you to return ❸stop by

8 ❶in his office ❷from one to two ❸I'll just wait

1 목적 · 의도 – 의도 | ④

해석

여 새끼 원숭이를 봐! 그것은 엄마를 아주 꼭 잡고 있네!

남 어, 아주 귀엽다. 난 그것에게 간식을 좀 주고 싶어.

여 넌 그래선 안돼. '원숭이에게 먹이를 주지 마세요.'라고 표지판에 적혀 있어.

남 정말? 왜 안 되지?

여 아마 그것이 원숭이들을 아프게 할 수 있기 때문이야.

남 아, 그것이 건강에 나쁘다고?

여 응. 너는 동물들에게 과자를 주지 말아야 해.

해설 여자의 마지막 말 You should ~.는 상대방에게 충고를 할 때 쓰는 표현이다.

monkey 원숭이 hold 잡다 tight 단단히 cute 예쁜, 귀여운 feed 먹이를 주다 health 건강

> **Focus on Sounds**
> 한 단어의 끝 자음이 다음 단어의 첫 자음과 같을 경우 앞 자음은 탈락하여 소리가 거의 나지 않고, 뒤 단어의 첫 자음 소리만 난다.

2 목적 · 의도 – 목적 | ⑤

해석

[휴대전화벨이 울린다.]

여 여보세요, Brown 선생님.

남 안녕, 민지야. 넌 오늘 학교에 안 오니?

여 죄송해요. 제가 선생님께 전화를 드리려고 했는데, 몹시 아파요. 저는 감기에 걸린 것 같아요.

남 오, 그 말을 들으니 유감이구나. 약은 먹었니?

여 아직이요, 하지만 먹을 거예요.

남 그래, 그리고 병원에 가는 것 잊지 마라.

여 감사해요. 명심할게요.

해설 남자는 학교에 오지 않은 여자가 걱정되어 전화를 했다는 것을 알 수 있다.

어휘 terribly 매우, 몹시 have a cold 감기에 걸리다 take medicine 약을 먹다 see a doctor 병원에 가다, 진찰을 받다 keep ~ in mind ~을 명심하다

3 목적 · 의도 – 의도 | ①

해석

여 안녕, Peter. 너는 오늘 기분이 어때?

남 나는 기분이 아주 나빠.

여 왜?

남 나는 미술 숙제를 하느라 밤을 새웠어. 오늘이 제출 마감일이거든.

여 그리고?

남 내가 몇 분 동안 나가 있는 동안에 내 남동생이 우연히 넘어졌고, 내 캔버스 위에 페인트를 쏟았어.

여 오, 저런. 하지만 그가 일부러 그렇게 하진 않았을 거야. 힘내!

해설 Cheer up!은 실망하고 있는 상대방을 격려할 때 쓰는 표현이다.

어휘 stay up (늦게까지) 깨어 있다 deadline 기한, 마감일 accidently 우연히 spill 쏟다, 엎지르다 on purpose 고의로, 일부러

4 목적 · 의도 – 목적 | ③

해석

[전화벨이 울린다.]

남 아리랑 한국 식당입니다. 어떻게 도와드릴까요?

여 안녕하세요. 제 이름은 Nancy Anderson입니다. 저는 오늘 밤에 테이블 하나를 예약했습니다.

남 네, 잠시만 기다리세요. *[잠시 후]* 오, 네, Anderson 씨. 오후 6시에 네 분이시죠.

여 네, 그런데 저희가 오늘 못 가게 되었어요.

남 예약을 취소하고 싶으시다는 말씀이시죠?

여 네. 죄송하지만, 어쩔 수가 없네요.

남 괜찮습니다, Anderson 부인. 부인께서 곧 저희를 방문해 주시기를 바랍니다.

여 감사합니다.

해설 대화 중간의 여자의 말 Yes, but I can't make it today. 로 보아 예약을 취소하기 위해 전화한 것임을 알 수 있다.

어휘 book a table (식사할) 좌석을 예약하다 Hold on. 기다려 주세요. make it 가다, 참석하다 cancel 취소하다 can't help it 어쩔 수 없다

5 목적 · 의도 – 의도 | ②

해석

여 Daniel, 내게 좋은 소식이 있어.

남 뭔데?

여 Jane이 영어 말하기 대회에서 상을 받았대.

남 와, 그거 멋지다. 그녀는 그 대회를 위해 매우 열심히 준비했잖아.

여 응, 그랬지. 그래서 우리가 오늘 축하 파티를 열어 주려고 해. 너도 오지 않을래?

남 나도 그러고 싶지만, 나는 조부모님들과 오늘 저녁 식사를 해야 해.

해설 여자의 파티 초대에 그러면 좋겠지만 그럴 수 없다고 말했으므로, 여자의 제안을 거절하기 위한 말임을 알 수 있다.

어휘 contest 대회, 경연 prepare 준비하다 throw a party 파티를 열다 celebration 축하

> **Focus on Sounds**
> 미국식 영어와 영국식 영어는 발음에서도 차이가 있는데, 특히 t 를 발음할 때 미국식 영어에서는 약화되어 들리고, 영국식 영어에서는 본연의 발음이 그대로 들린다.

6 목적 · 의도 – 목적 | ③

해석

여 안내 말씀드리겠습니다. 저희는 Sally라는 여덟 살짜리 여자아이를 찾고 있습니다. 그녀는 긴 머리이고,

빨간 셔츠를 입고 있습니다. 그녀를 쇼핑몰의 5층에서 본 것이 마지막이었습니다. 만약 여러분이 그 아이를 보신다면, 1층에 있는 안내 센터로 연락해 주시길 바랍니다. 감사합니다.

해설 여자의 말 앞 부분 We are looking for ~.를 통해 잃어버린 아이를 찾고 있는 방송임을 알 수 있다.

어휘 attention 주의, 주목 look for ~을 찾다 last 마지막으로 contact 연락하다 information center 안내 센터

---

7 **목적 · 의도 – 목적 | ①**

해석

[휴대전화벨이 울린다.]

남 여보세요.

여 여보세요. 하늘 도서관의 Mary입니다. 박민호 씨이신가요?

남 네, 접니다! 무슨 용건으로 전화하셨는지 제가 여쭤봐도 될까요?

여 저는 당신이 2주 전에 대출하셨던 두 권의 책을 반납하도록 요청하려고 전화 드렸어요.

남 아, 제가 그 책들에 대해 잊어버렸네요. 제가 오늘 들러서 그것들을 반납하겠습니다. 정말 죄송합니다.

여 아닙니다. 곧 뵐게요.

해설 여자의 두 번째 말 I'm calling to ask you to return ~.으로 보아 책 반납을 부탁하려고 전화를 걸었다는 것을 알 수 있다.

어휘 return 반납하다 borrow 빌리다 stop by 잠시 들르다

---

8 **목적 · 의도 – 목적 | ④**

해석

남 안녕하세요. Wilson 선생님이 사무실에 계신가요?

여 네. 당신은 예약을 하셨나요?

남 아니요, 사실, 제가 그의 아버지입니다.

여 오, 안녕하세요, Wilson 씨. 제가 선생님께 아버님께서 여기 계신다고 말씀드릴까요?

남 아니에요, 저는 그를 방해하고 싶지 않아요. 곧 점심 시간이 되죠, 그렇죠?

여 네, Wilson 씨. 점심시간은 1시부터 2시예요. 제가 도와드릴 것이 있나요?

남 아니에요, 아니에요. 괜찮아요. 그냥 기다릴게요.

해설 남자의 두 번째 말을 통해 남자는 아들을 만나러 왔다는 것을 알 수 있다.

어휘 make a reservation 예약하다 actually 사실은 bother 귀찮게 하다, 신경 쓰이게 하다

유형 04 심정 · 이유

유형잡는 대표기출 p.42-43

① **심정 · 이유 – 심정 | ③**

해석

여 안녕, John. 넌 여전히 깨어 있구나.

남 네, 엄마. 소풍 때문에 잠을 잘 수가 없어요.

여 왜? 뭐가 잘못됐니?

남 아뇨. 그냥 너무 좋아서요. 이게 제 첫 경주 방문이거든요.

여 알지. 너는 이번 여행에서 많은 것을 배우게 될 거야.

남 네. 저는 정말로 첨성대를 가장 보고 싶어요. 그게 아름답다고 들었거든요.

해설 경주 소풍을 앞두고 잠 못 이룰 정도로 기뻐하고 있으므로 남자의 심정으로 적절한 것은 ③ '흥분된'이다.
① 화난 ② 지루한 ④ 편안한 ⑤ 걱정되는

어휘 school trip 소풍 look forward to ~을 기대하다

② **심정 · 이유 – 이유 | ④**

해석

여 안녕, Jason. 너는 어디 가는 중이니?

남 안녕, Mindy. 나는 학교에 가는 길이야.

여 하지만 우린 방학 중이잖아. 무슨 일이니?

남 다음 주에 노래 페스티벌이 있어서 지수와 나는 함께 연습 중이야.

여 와. 멋지다.

남 나랑 함께 가고 싶니? 지수가 너를 보면 아주 좋아할 거야.

여 난 정말로 그러고 싶어. 그런데 난 지금 댄스 수업 받으러 가야 해. 다음번에.

남 그래. 다음에 보자.

해설 여자의 마지막 말 But I have to go to my dance lesson now.를 통해 함께 갈 수 없는 이유를 알 수 있다.

어휘 on vacation 방학 중인 go on 진행 중이다 cool 멋진

③ **심정 · 이유 – 이유 | ①**

해석

여 민수야, 서둘러라. 학교에 갈 시간이다.

남 네, 엄마. 몇 시예요?

여 거의 7시 반이란다.

남 밖에 비 오나요?

여 아니, 하지만 구름이 많이 있단다.

남 보세요! 바깥을 보기가 정말로 어려워요.

여 난 황사 때문이라고 생각한다.

남 네, 저도 그렇게 생각해요.

여 외출하기 전에 마스크를 쓰도록 해라.

해설 여자의 네 번째 말을 통해 남자가 마스크를 써야 하는 이유는 황사 때문이라는 것을 알 수 있다.

어휘 outside 바깥에 yellow dust 황사 make sure ~을 확실히 하다

핵심 유형 파고들기

p.44-45

1 ⑤   2 ②   3 ②   4 ④   5 ③   6 ⑤

7 ④   8 ③

핵심 유형 받아쓰기

p.46-47

1 ❶Can you go ❷have other plans ❸make an appointment

2 ❶have a minute ❷I didn't bring ❸I got it

3 ❶going to be late ❷come out of ❸my tooth was pulled

4 ❶I don't think ❷it's your turn ❸just like a Korean

5 ❶Why don't we see ❷sold out already ❸no choice

6 ❶had a good time ❷go together ❸wanted you to come

7 ❶were absent from ❷passed away ❸I'm sorry to hear

8 ❶How do you like ❷so friendly ❸as good as ❹I envy you

1 심정 · 이유 - 이유 | ⑤

해석

[휴대전화벨이 울린다.]

남 안녕, Nana.

여 안녕, James. 내일 나랑 영화 보러 갈래?

남 그러고 싶지만, 안 되겠어.

여 왜 안 돼? 넌 다른 계획이 있니?

남 난 집에 있으면서 내 여동생을 돌봐야 해.

여 정말? 부모님이 집에 안 계시니?

남 응, 그들은 여행 중으로 도시 밖에 계셔.

여 알았어. 그러면 다른 날로 약속을 잡아 보자.

해설 남자는 부모님이 여행 중이라 집에 안 계셔서 남동생을 돌봐야 한다고 했다.

어휘 look after ~을 돌보다 out of town 도시를 떠난 appointment 약속

> **Focus on Sounds**
> 축약형 발음에서 끝소리는 거의 소리가 나지 않으므로, 대화의 내용이 긍정인지 부정인지 대화의 맥락에 맞게 잘 이해해야 한다.

2 심정 · 이유 - 이유 | ②

해석

여 실례합니다, 송 선생님. 잠깐 시간 있으세요?

남 물론이지, 민정아. 왜? 무슨 문제가 있니?

여 사실, 제가 저희 엄마께 전화를 해야 하는데, 오늘 제 휴대전화를 가지고 오지 않았어요.

남 오, 알겠다. 여기! 이 휴대전화를 사용하렴.

여 고맙습니다, 송 선생님. 정말 감사해요.

해설 여자는 엄마에게 전화해야 하는데 본인의 휴대전화를 갖고 오지 않아서 선생님 것을 빌리고 있는 상황이다.

어휘 Do you have a minute? 잠시 시간 좀 있으세요? bring 가져오다 appreciate 고마워하다

3 심정 · 이유 - 심정 | ②

해석

여 Kevin, 우리 늦겠어.

남 엄마, 저는 가고 싶지 않아요.

여 말도 안 된다! 제발 네 방에서 당장 나오렴.

남 저는 치과에 가는 것만 빼고 엄마가 원하시는 건 어떤 것이라도 할게요.

여 만약 네가 지금 가지 않는다면, 네 이는 더 아플 거야.

남 알아요, 하지만 저는 제 이가 뽑혔을 때를 잊을 수 없어요. 그것은 끔찍하게 아팠어요.

여 넌 아이가 아니잖니, 아들아.

해설 이 뽑는 것이 무서워서 방에서 나오려고 하지 않는 남자의 심정으로 가장 적절한 것은 ② '무서운'이다.

① 슬픈 ③ 지루한 ④ 기쁜 ⑤ 흥분된

어휘 come out ~에서 나오다 except ~을 제외하고는 dentist 치과 (의사) be pulled 뽑히다 awfully 정말, 몹시

4 심정 · 이유 - 심정 | ④

해석

남 한국어 말하기 대회가 코앞이네, Carrie.

여 응, 그것은 내일이야. 나는 오늘 밤에 잠을 못 잘 것 같아.

남 넌 잘하고 있어. 그냥 자신감을 가져.

여 Jack, 너는 작년에 어떻게 1등을 했니?

남 나는 운이 좋았어. 이번엔 네 차례야. 나는 네가 멋지게 해낼 거라고 확신해.

여 너 정말 그렇게 생각하니?

남 나는 네가 마치 한국인처럼 말할 수 있다는 걸 알아.

여 고마워, 그런데 이렇게 느끼지 않을 수 없어.

해설 한국어 말하기 대회를 앞두고 여자가 잠을 못 이룬다고 하는 것으로 보아 여자의 심정은 ④ '걱정스러운'일 것이다.
① 자랑스러운 ② 속상한 ③ 외로운 ⑤ 실망한

어휘 around the corner 코앞에 닥친, 아주 가까운 confident 자신이 있는 win first prize 일등 상을 수상하다 lucky 운이 좋은, 행운의 turn 차례, 순번 can't help -ing ~하지 않을 수 없다

5 심정 · 이유 – 이유 | ③

해석

여 드디어, 우리의 기말고사가 끝났어.

남 응, 우린 이제 자유야. 우리 오늘 야구 경기를 보러 가는 게 어때?

여 그거 좋은 생각이야. 온라인으로 티켓을 예매하자. 내가 사이트에 접속할게. [잠시 후] 이런!

남 그것들은 이미 매진이니?

여 응. 나는 오늘 경기가 중요한 경기이기 때문이라고 생각해.

남 다른 선택권이 없네. 대신에 맛있는 것을 먹으러 가자.

해설 Are they sold out? 이하 대화를 통해 야구를 보러 갈 수 없는 이유가 ③임을 알 수 있다.

어휘 finally 마침내 be over 끝나다 get access 접근(접속)하다 sold out 매진된 match 경기, 시합 choice 선택(권) delicious 맛있는 instead 대신에

6 심정 · 이유 – 심정 | ⑤

해석

남 너 어제 소풍 재미있었니?

여 응, 즐거웠어. 우리는 상암 공원에 가서, 맛있는 음식을 먹고 두 시간 동안 배드민턴을 쳤어.

남 너희는 아주 재미있었던 것 같구나.

여 그랬지. 지금 나는 배드민턴 라켓도 못 들겠어. 우리는 다음 토요일에 거기 또 갈 거야. 이번에는 함께 가자.

남 글쎄, 나는 다음 토요일에 약속이 있어. 미안해.

여 유감이다. 난 정말로 네가 오길 바랐어.

해설 남자가 오길 바랐는데 오지 못하게 되었으므로, 여자의 심정은 ⑤ '실망한'이 가장 적절하다.
① 흥분된 ② 속상한 ③ 외로운 ④ 지친

어휘 even 심지어 lift 들어 올리다 racket 채, 라켓 appointment 약속

7 심정 · 이유 – 이유 | ④

해석

남 Olivia, 너 괜찮니?

여 응. 왜?

남 난 네가 며칠 동안 학교에 결석했기 때문에 네가 아프다고 생각했어.

여 오, 아니야. 나는 아프지 않아.

남 그럼 너는 왜 결석했니?

여 우리 할머니가 돌아가셔서 나는 시카고에 계시는 조부모님 댁에서 5일 동안 머물렀어.

남 오, 그 말을 들으니 안타깝다.

해설 여자의 마지막 말을 통해 여자가 학교에 결석한 이유를 알 수 있다.

어휘 absent 결석한 pass away 돌아가시다, 사망하다

8 심정 · 이유 – 이유 | ③

해석

남 안녕, Julie.

여 안녕, Brian. 네 새 학교는 어떠니?

남 좋아. 선생님들도 친절하시고, 내 학급 친구들도 매우 다정해.

여 잘됐다. 점심은 어때?

남 점심은 내가 기대했던 것만큼 좋지는 않은데, 나는 구내식당이 깨끗하기 때문에 마음에 들어.

여 오, 그렇구나.

남 게다가, 학생들은 수영장을 이용할 수 있어. 난 그게 매우 좋아.

여 너희 학교에 수영장이 있다고? 나는 네가 부러워.

해설 Lunch is not as good as I expected ~.로 보아 점심은 맛있지 않다는 것을 알 수 있다.

어휘 expect 예상하다 cafeteria 구내식당 besides 게다가 envy 부러워하다

유형 05 세부 정보 I (한 일/할 일)

유형잡는 대표기출 ---------- p.48-49

1 세부 정보 I – 할 일 | ②

해석

여 Brian, 고대 빌딩에 대한 네 숙제 끝냈니?

남 아니 아직. 다음 주 월요일까지이지, 맞지? 너는 어때?

여 나는 도서관에 갔는데, 정보가 많지 않더라.

남 알아. 난 인터넷을 검색했지만, 쓸 만한 정보를 찾기가 어려웠어.

여 흠…. 선생님에게 도움을 요청하는 것이 어때?

남 좋은 생각이다. 지금 교무실에 가자.

여 그래.

해설 남자의 마지막 말 Let's go to the teacher's office now. 를 통해 두 사람이 대화 직후에 교무실에 갈 것임을 알 수 있다.

어휘 ancient 옛날의, 고대의　due 마감인　information 정보　teachers' office 교무실

② **세부 정보 I - 할 일 | ③**

해석

남 안녕하세요. 엄마, 냄새가 아주 좋아요. 뭘 만들고 계세요?

여 안녕, Sean. 나는 아침 식사로 팬케이크를 만들고 있단다.

남 와, 정말 맛있어 보여요. 팬케이크는 제가 아침 식사로 제일 좋아하는 것인 걸 아시네요. 저는 팬케이크 위에 딸기 잼이 딱 있기를 바라요.

여 이미 식탁 위에 있다. 접시 좀 꺼내 줄 수 있니?

남 그럼요. 당장 접시들을 꺼낼게요.

해설 여자는 Can you take out some dishes?라고 말하며 남자에게 부탁하고 있으므로 남자는 접시를 꺼낼 것임을 알 수 있다.

어휘 smell 냄새 맡다　pancake 팬케이크　strawberry 딸기　dish 접시　right away 바로, 당장

③ **세부 정보 I - 한 일 | ③**

해석

여 준규야, 우리 현장 학습으로 현대 미술관에 가는 게 어때?

남 학교에서 거기까지 얼마나 걸릴까?

여 버스로 1시간 정도 걸려.

남 거기서 점심 먹을 수 있니?

여 흠… 난 그렇게 생각하지 않아. 아마도 우리는 먹을 장소를 찾아야 해.

남 근처에 좋은 식당을 찾아 줄 수 있니?

여 그래. 하나 찾아볼게.

해설 남자는 여자에게 미술관 근처의 좋은 식당을 찾아 달라고 부탁했다.

어휘 art gallery 미술관　field trip 현장 학습　take (시간 등이) 걸리다　need to ~해야 한다　nearby 근처의

핵심 유형 파고들기

1 ③　　2 ①　　3 ③　　4 ②　　5 ②　　6 ①

7 ③　　8 ③

핵심 유형 받아쓰기

p.52-53

1 ❶It depends ❷I'm supposed to ❸maybe next time

2 ❶washed it ❷on special days ❸have a date

3 ❶just about to ❷meet a bit later ❸would be good

4 ❶What is it ❷take care of ❸while I'm away

5 ❶on the radio ❷That's strange ❸Let's catch

6 ❶have a good time ❷wanted to help ❸you are so sweet

7 ❶look exhausted ❷Get some rest ❸Did you get

8 ❶told us to clean ❷need to stop by ❸will finish cleaning

1 **세부 정보 I - 할 일 | ③**

해석

남 이번 주 일요일에 볼링 치러 갈래?

여 상황 봐서. 너 언제 가는데?

남 오전 11시쯤에.

여 음, 나는 아침에 엄마가 케이크를 구우시는 것을 도와드려야 해. 점심 이후는 어때?

남 내 생각에 그건 너무 늦어.

여 음, 그러면 다음번에 가자.

남 그래.

해설 이번 주 일요일에 볼링 치러 가자는 남자의 제안에 대해 여자는 엄마가 케이크 굽는 것을 도와야 한다고 했으므로 ③이 적절하다.

어휘 go bowling 볼링을 치러 가다　be supposed to ~하기로 되어 있다　bake (빵 등을) 굽다

Focus on Sounds
어떤 단어의 끝 자음이 다음 단어의 첫 자음과 같으면 앞 자음은 탈락하여 소리가 거의 나지 않고, 뒤 단어의 첫 자음만 소리가 난다.

2 **세부 정보 I - 한 일 | ①**

해석

남 제 검은색 셔츠를 보셨어요, 엄마? 어디에서도 그걸 찾을 수가 없어요.

여 오, 어제 내가 그것을 빨았단다. 그것은 지금쯤이면 말랐을 거야.

남 정말 다행이에요.

여 무슨 일이니? 나는 네가 그것을 특별한 날에 입는 다는 것을 알고 있어.

남 저는 오늘 밤에 Becky와 데이트가 있어요. 저를 위해

서 그 셔츠를 다려 주실 수 있으세요?

여 물론이지. 좋은 시간 보내거라, 아들아.

해설 남자의 마지막 말 Could you iron the shirt for me?를 통해 남자가 여자에게 부탁한 일은 ①임을 알 수 있다.

어휘 dry 마른, 건조한 by now 지금쯤 have a date with ~와 데이트를 하다 iron 다리미질을 하다

Focus on Sounds
미국식 영어에서 date처럼 t가 모음 사이에 끼인 경우에는 약화되어 [트] 대신 [르]로 발음한다.

---

3 세부 정보 Ⅰ- 할 일 | ③

해석

[휴대전화벨이 울린다.]

남 Jane, 넌 집에서 출발했니?

여 아니 아직. 나는 지금 막 나가려는 참이었어. 무슨 일 있어?

남 사실, 쇼핑몰에 가는 길에 내 자전거가 고장이 나서 나는 지금 수리점으로 그것을 가져가는 중이야. 미안하지만 우리는 예정했던 것보다 조금 더 늦게 만나야 할 것 같아.

여 문제없어. 몇 시가 좋겠어?

남 내가 그곳에 6시까지 가도록 해 볼게.

여 알겠어. 그때 봐.

해설 자전거 수리 때문에 약속에 늦는다고 하는 것으로 보아 남자는 대화 직후에 자전거를 수리할 것임을 알 수 있다.

어휘 be about to 막 ~하려는 참이다 break down 고장 나다 on one's way to ~으로 가는(오는) 중에 repair shop 수리점

---

4 세부 정보 Ⅰ- 한 일 | ②

해석

여 John, 내가 부탁 하나 해도 될까?

남 물론이지. 뭔데?

여 사실, 나는 병원에 입원해 계신 우리 편찮으신 할머니를 적어도 3일 동안 보살펴 드려야 해.

남 오, 그 말을 들으니 유감이야. 그녀에게 무슨 일이 있었니?

여 그분께선 교통사고로 다치셨어. 내가 부재중인 동안 네가 내 강아지를 돌봐 줄 수 있을까?

남 걱정하지 마. 네가 돌아올 때까지 내가 돌봐 줄게.

여 진짜? 정말 고마워.

남 문제없어.

해설 Can you take care of my dog while I'm away?라는 여자의 부탁을 남자가 들어주고 있는 상황이므로 ②가 알맞다.

어휘 ask ~ a favor ~에게 부탁하다 take care of ~을 돌보다 at least 적어도 traffic accident 교통사고 while ~하는 동안에 be away 떨어져 있다, 부재중이다

---

5 세부 정보 Ⅰ- 할 일 | ②

해석

남 너는 내일 뭐할 거니?

여 아빠, 저는 인라인 스케이트를 타러 가고 싶은데, 라디오에서 비가 올 것이라고 들었어요.

남 그것 이상하구나. 인터넷 일기예보에 따르면, 화창할 거라는데.

여 오, 정말이요? 저는 아빠가 맞기를 바라요.

남 오, TV 뉴스할 시간이구나. 2시 일기예보를 보자.

여 네.

해설 남자의 마지막 말 Let's catch the two o'clock weather report.로 보아 두 사람은 대화 직후에 TV 뉴스를 볼 것임을 알 수 있다.

어휘 strange 이상한 according to ~에 의하면, ~에 따르면 weather forecast 일기예보 catch ~을 보다(듣다)

---

6 세부 정보 Ⅰ- 한 일 | ①

해석

여 Tom, 다녀왔다. 저녁 먹었니?

남 아직이요. 할머니랑 좋은 시간 보내셨어요?

여 응, 네 덕분에. 부엌 좀 봐라. 너무나 깨끗하구나. 네가 청소했니?

남 음, 아시다시피, 오늘이 어머니날이잖아요. 저는 그냥 엄마를 좀 도와드리고 싶었어요.

여 오, 너 정말 착하구나. 정말 고맙다.

남 아무것도 아니에요. 엄마는 저희를 위해서 매일 하시잖아요.

해설 남자가 오늘 오후에 한 일은 엄마를 돕기 위해서 부엌을 청소한 것이므로 ①이 적절하다.

어휘 thanks to ~덕분에 clean 깨끗한; 청소하다

Focus on Sounds
미국식 영어에서 date처럼 t가 모음 사이에 끼인 경우에는 약화되어 [트] 대신 [르]로 발음한다. little은 [리틀] 대신 [리를]로 발음된다.

---

7 세부 정보 Ⅰ- 한 일 | ③

해석

여 Chris, 너 지쳐 보인다.

남 응. 정말 바쁜 오후였어. 나는 집을 청소하고 내 미술 숙제를 끝마쳤어.

여 너 정말 피곤하겠다. 좀 쉬어.

남 그래야 할 것 같아. 미나야, 네 하루는 어땠어?

여 나는 우리 엄마를 위한 생신 선물을 샀어.

남 너는 좋은 것을 샀니?

여 응. 나는 스카프 한 장을 샀어. 엄마께서 그것을 좋아 하시길 비라.

[해설] 여자가 오늘 오후에 한 일은 엄마의 생신 선물로 스카프를 산 것이므로 ③이 적절하다.

[어휘] exhausted 지친 clean 치우다, 청소하다 get some rest 휴식을 좀 취하다 scarf 스카프

8 세부 정보 I - 할 일 | ③

[해석]

남 야, 서둘러! 엄마께서 우리에게 우리가 영화 보러 가기 전에 방을 청소해야 한다고 말씀하셨잖니.

여 나도 알아, 하지만 가기 전에 나는 도서관에 들러야 해.

남 도서관? 왜?

여 나는 몇 권의 책들을 반납해야 해. 그것들이 연체되었거든.

남 알았어. 그러면 내가 방을 청소하는 것을 마칠게. 너는 가서 책을 반납하렴. 20분 후에 극장에서 보자.

여 알았어. 곧 보자.

[해설] 대화가 끝난 후 남자는 방 청소를 할 것이고, 여자는 연체된 책을 도서관에 반납하러 갈 것이다.

[어휘] stop by ~에 잠시 들르다 library 도서관 return 반납하다 overdue 기한이 지난 theater 극장

유형 06 세부 정보 II

유형잡는 대표기출 ------- p.54-55

❶ 세부 정보 II - 언급하지 않은 것 | ⑤

[해석]

남 너는 미담 대학교에서 '우주 캠프'를 운영하는 것 아니?

여 아니, 몰라. 그게 언제인데?

남 그 캠프는 6월 2일부터 6일까지래.

여 우리가 그 캠프에 참가할 수 있을까?

남 물론이지, 그 캠프는 중학생 대상이래.

여 좋아. 거기서 우리는 무엇을 할 수 있지?

남 우리는 망원경으로 별들을 볼 수 있어.

여 멋지네. 그 밖에 우리는 무엇을 할 수 있을까?

남 우리는 우주복을 입어 볼 수 있고 우주식을 먹어 볼 수도 있어.

[해설] Space Camp의 참가 비용이 얼마인지에 대한 내용은 알 수 없다.

[어휘] run 운영하다 space 우주 telescope 망원경 spacesuits 우주복

❷ 세부 정보 II - 언급하지 않은 것 | ⑤

[해석]

남 소현아, '스터디 투게더' 프로그램에 대해 들은 적 있니?

여 아니. Bryan, 그게 뭔데?

남 한국 대학교의 학생들이 우리 중학교에 올 거래. 그들이 무료로 우리의 국어와 수학을 도와줄 거래. 2학년 학생들만을 대상으로 한대.

여 와! 어쩌면 그 프로그램이 나를 도와줄 수 있겠다. 난 수학이 약하거든. 어떻게 신청하지?

남 우리 학교 웹 사이트에서 신청할 수 있어.

여 고마워. 그 프로그램은 언제 시작해?

남 그것은 다음 주에 시작한대.

[해설] 프로그램의 종료 시기는 언급되지 않았다.

[어휘] for free 무료의 grader ~학년생 sign up ~을 신청하다

❸ 세부 정보 II - 행사 | ②

[해석]

남 안녕하세요, 여러분! 오늘은 한글날입니다. 오늘의 계획에 대해 여러분에게 말씀드리겠습니다. 10시에는 에세이를 쓰는 방법에 대한 강연이 있을 것입니다. 2시에는 글쓰기 대회가 있을 것입니다. 4시에는 세종 대왕에 대한 비디오를 시청하실 겁니다. 저는 여러분이 즐거운 시간을 보내시길 바랍니다! 감사합니다.

[해설] And at four, we will watch a video about King Sejong.으로 오후 4시에 열릴 행사는 ②임을 알 수 있다.

[어휘] schedule 계획, 스케줄 essay 에세이 competition 대회; 경쟁

핵심 유형 파고들기
                                                p.56-57

| 1 ③ | 2 ② | 3 ⑤ | 4 ④ | 5 ④ | 6 ⑤ |
| 7 ③ | 8 ⑤ | | | | |

1 ❶Do you want ❷different kinds of ❸served
for free

2 ❶did you prepare ❷ran out of ❸lend you
some

3 ❶walk to school ❷ride my bike ❸try biking

4 ❶have been playing ❷how to play them
❸interested in it

5 ❶ask you about ❷sign up on ❸will be
provided

6 ❶are you going to do ❷going to travel across
❸for a week

7 ❶what to cook ❷easy to make ❸serve and
enjoy it

8 ❶many of us ❷the hottest keyword ❸at the
end of

---

1 세부 정보 II – 알 수 없는 것 | ③

[해석]

남　여러분은 특별한 금요일 밤을 원하십니까? 그렇다면 Smile's Book Show에 오십시오. 여러분은 이곳에서 여러 종류의 책들을 저렴한 가격에 사실 수 있습니다. 또한, 여러분은 유명한 작가들이 그들의 베스트셀러를 읽는 것을 들으실 수 있습니다. 커피와 차도 무료로 제공될 것입니다. 저희는 오후 5시부터 오후 11시까지 엽니다.

[해설]　행사장의 위치가 어디인지는 남자의 말을 통해 알 수 없다.

[어휘]　different kinds of 여러 종류의　at a low price 저렴한 가격으로　author 작가, 저자　bestseller 베스트셀러, 가장 많이 팔리는 책(상품)　serve 제공하다

---

2 세부 정보 II – 빌려주기로 한 미술 도구 | ②

[해석]

여　Jake, 너는 미술 수업을 위한 모든 것을 준비했니?

남　아니 아직. 나는 몇몇 것들을 사야 해.

여　너는 무엇을 사야 하니?

남　나는 물감을 다 썼고 새 스케치북도 필요해. 나는 또한 내 팔레트와 붓도 잃어버렸어.

여　오, 나는 여분의 붓이 있어. 내가 너한테 몇 개 빌려줄 수 있어.

남　진짜? 정말 고마워.

여　천만에.

[해설]　여자의 세 번째 말 I have some extra brushes. I can lend you some.을 통해 붓을 빌려 줄 것임을 알 수 있다.

[어휘]　prepare 준비하다　run out of ~을 다 써 버리다　sketchbook 스케치북　pallet 팔레트　brush 붓　lend 빌려주다

---

3 세부 정보 II – 교통수단 | ⑤

[해석]

여　너는 학교에 걸어가니?

남　아니. 전에는 그랬는데 요즘은 자전거를 타.

여　그러면 비 오는 날에는?

남　오늘 아침처럼 비가 오는 날에는, 지하철을 타. 너는 학교에 어떻게 가니?

여　나는 버스를 타. 나도 자전거 타기를 시도해 봐야겠다.

남　그래. 정말 상쾌해.

[해설]　남자는 비가 오는 날에는 지하철을 탄다고 했는데, 오늘 아침에는 비가 왔다고 했으므로 남자가 오늘 아침에 이용한 교통수단은 ⑤이다.

[어휘]　nowadays 요즘음, 최근에　try ~해 보다　refreshing 기분이 상쾌한

Focus on Sounds
a-나 re-로 시작하는 단어들은 강세가 없기 때문에 잘 들리지 않는 경우가 있다. about은 [바웃]으로 들리기도 한다.

---

4 세부 정보 II – 다룰 줄 아는 악기가 아닌 것 | ④

[해석]

남　미나야, 나는 네가 여러 가지 종류의 악기를 연주할 수 있다고 들었어. 그게 사실이니?

여　응. 나는 5살 때부터 피아노와 플루트를 연주해 왔어.

남　너는 그 밖에 무슨 악기를 연주할 수 있니?

여　바이올린과 첼로. 우리 아빠가 나에게 그것들을 연주하는 방법을 가르쳐 주셨어.

남　와! 기타는 어때?

여　나도 그것에 관심 있는데, 배울 기회가 없었어.

남　너는 음악에 특별한 재능이 있는 것이 틀림없어!

[해설]　여자는 기타에 관심이 있지만 배울 기회가 없다고 했으므로 ④가 정답이다.

[어휘]　musical instrument 악기　else 그 밖의, 또 다른　be interested in ~에 관심이 있다　chance 기회　have a talent for ~에 재능이 있다

Focus on Sounds
t는 주변에 어떤 소리가 오느냐에 따라서 약화되어 [르]처럼 들리게 된다. how to의 to는 [루]처럼 들린다.

---

5 세부 정보 II – 언급되지 않은 것 | ④

[해석]

[전화벨이 울린다.]

남　대한 과학 박물관입니다. 무엇을 도와드릴까요?

여 안녕하세요. 저는 과학 캠프에 대해서 여쭤 보고 싶은데요. 그것이 언제 시작하나요?

남 8월 16일에 시작합니다.

여 신청하는 데 얼마인지 여쭤 봐도 될까요?

남 90달러입니다. 당신은 저희 웹 사이트에서 신청하실 수 있습니다.

여 알겠습니다. 제가 뭐 준비할 것이 있나요?

남 펜이랑 공책이면 충분합니다. 다른 것들은 제공될 예정입니다.

해설 과학 캠프에 참여 가능한 인원수에 대해서는 대화에 언급되지 않았다.

어휘 sign up ~에 등록하다 do 충분하다 provide 제공하다

6 세부 정보 Ⅱ- 방문하려는 나라 | ⑤

해석

여 이번 휴가 때 어디에 가니?

남 나는 조부모님 댁에 가. 너는?

여 나는 지난 휴가 때 이탈리아에 갔으니까, 이번 휴가에는 미국이랑 캐나다를 횡단해서 여행할 거야.

남 와. 그거 멋지다.

여 너희 조부모님들은 어디 사시니?

남 프랑스에 사셔. 나는 거기서 일주일간 머물 거야.

여 나는 프랑스에 가 본 적이 없어. 사진 많이 찍어서 나중에 내게 보여줘.

남 좋아. 그럴게.

해설 남자는 이번 휴가 때 조부모님 댁을 방문한다고 했고, 조부모님은 프랑스에 계신다고 했으므로 남자가 방문하려는 나라는 프랑스이다.

어휘 stay 머물다 later 후에, 나중에

7 세부 정보 Ⅱ- 언급되지 않은 것 | ③

해석

남 여러분은 오늘 밤에 저녁 식사로 무엇을 요리할지 걱정이세요? 김치찌개는 어떠세요? 그것은 맛있을 뿐만 아니라 만들기도 쉽습니다. 먼저, 김치와 돼지고기, 그리고 약간의 양파와 마늘을 큰 냄비에 넣어 주세요. 그 다음에, 약간의 물을 추가하고 40여 분 동안 끓여 주세요. 그게 바로 당신이 해야 할 전부예요. 마지막으로, 차려서 맛있게 드세요.

해설 김치찌개를 만드는 방법을 설명하는 내용으로, 언급되지 않은 재료는 햄이다.

어휘 be worried about ~에 대해 걱정하다 not only *A* but also *B* A뿐만 아니라 B도 onion 양파 garlic 마늘 pot 냄비 serve 차려 주다, 제공하다

8 세부 정보 Ⅱ- 가장 많이 검색한 단어 | ⑤

해석

여 나는 우리 중 많은 사람들이 인터넷 검색을 즐긴다고 생각합니다. 이번 주에는 학생들이 어떤 단어들을 가장 많이 온라인 검색 엔진에서 찾아보았을까요? 그들은 온라인 게임, 팝 스타, 패션 브랜드의 이름을 찾아보았습니다. 하지만, 흥미롭게도, 가장 인기 있는 키워드는 '수영하러 갈 장소들'이었습니다. 그 이유는 아마도 학생들이 여름 방학이 끝날 무렵에 수영을 즐기고 싶어서일 것입니다.

해설 마지막 부분의 the hottest keyword was "places to go swimming"을 통해 ⑤가 답임을 알 수 있다.

어휘 surf the Internet 인터넷을 검색하다 search 검색하다 interestingly 흥미롭게도 keyword 핵심어, 키워드 probably 아마도 at the end of ~의 끝(말)에

유형 07 장소 · 관계 · 직업

유형잡는 대표기출 ··· p.62-63

1 장소 · 관계 · 직업 – 장소 | ⑤

해석

여 어서 오세요! 무엇을 도와드릴까요?

남 안녕하세요! 오늘 도시를 둘러보고 싶습니다.

여 좋아요, 도시 여행 지도가 필요하신가요?

남 네. 방문하기에 유명한 곳이 있나요?

여 근처에 경복궁과 국립 박물관이 있습니다.

남 알겠습니다. 지도에서 한국 식당을 찾을 수 있나요?

여 물론입니다. 지도에는 여러 종류의 유용한 정보가 있습니다.

남 훌륭하네요. 정말 감사합니다.

해설 도시를 안내하는 지도를 구하면서 유명 관광지나 한국 식당에 대해 묻고 답하는 것으로 보아 관광 안내소임을 알 수 있다.

어휘 look around ~을 둘러보다 tour map 여행 지도 palace 궁궐 national 국립 museum 박물관 useful 유용한

2 장소 · 관계 · 직업 – 관계 | ②

해석

남 어떻게 도와드릴까요?

여 머리를 자르고 싶습니다. 비용이 얼마나 될까요?

남 10달러입니다.

여 좋네요. 그리고 염색도 할 수 있을까요?

남 어떤 색을 원하세요?

여 음… 결정 못했는데요. 요즘 어떤 색이 인기 있나요?

남 지금은 갈색이 유행입니다.

여 그게 좋겠네요.

해설 머리를 자르러 가서 염색에 대해 대화를 나누고 있는 것으로 보아 두 사람은 미용사와 고객의 관계임을 알 수 있다.

어휘 haircut 이발, 커트 decide 결정하다 trendy 최신 유행의

③ 장소 · 관계 · 직업 – 장래 희망 | ①

해석

남 이 토마토들 중 하나 맛볼래? 그 토마토들은 우리 할머니의 농장에서 온 거야.

여 고마워. 음… 맛있네. 할머니께서 직접 키우시니?

남 응, 그분은 많은 작물들을 재배하셔. 나는 농부가 되고 싶고, 언젠가는 그분처럼 시골에 살고 싶어.

여 정말? 시골에서 사는 것은 쉽지 않아. 난 직장인으로 도시에서 사는 게 더 쉽다고 생각해.

남 그것은 어려울 수도 있지만, 난 여전히 시골 생활이 좋아.

해설 할머니가 직접 재배하신 토마토를 맛보면서 할머니처럼 농부가 되고 싶다고 했으므로 ①이 답이다.

어휘 taste 맛보다 delicious 맛있는 grow 기르다, 재배하다 someday (미래의) 언젠가 country 시골; 나라

핵심 유형 파고들기
p.64-65

1 ③	2 ②	3 ②	4 ④	5 ④	6 ①
7 ⑤	8 ①				

핵심 유형 받아쓰기
p.66-67

1 ❶to kick like ❷do well on ❸keep my fingers crossed

2 ❶how do you feel ❷what it means ❸That makes sense

3 ❶a big fan of ❷think of it ❸Here's a postcard

4 ❶I'm so excited ❷in front of us ❸go to get ❹a cup of coffee

5 ❶Where to ❷Did you travel around ❸Is it possible to

6 ❶go and put on ❷meet next to ❸reminding me

7 ❶send this package ❷does it cost ❸bring it back

8 ❶makes me really tired ❷you have to meet ❸the best thing of ❹be a good experience

1 장소 · 관계 · 직업 – 관계 | ③

해석

남 지수야, 너는 내 체육 시간에 정말로 잘하고 있다.

여 감사합니다, 송 선생님. 저는 매일 운동장에서 축구를 연습해요.

남 훌륭하구나. 너는 진짜 축구 선수처럼 차기 시작하더라.

여 정말요? 제가 그렇게 잘한다고 생각하세요?

남 응. 계속 연습해라, 그러면 다음 주 시험은 잘 볼 거야.

여 네, 그럴게요.

남 너를 위해 행운을 빌어 줄게.

해설 체육 시간에 잘하고 있는 학생과 이를 칭찬해 주고 있는 선생님 간의 대화이다.

어휘 playground 운동장 keep -ing 계속해서 ~하다 keep one's fingers crossed 행운을 빌다

> Focus on Sounds
> 어떤 단어의 끝 자음이 다음 단어의 첫 자음과 같으면 동일한 자음 하나가 생략되어 두 단어는 한 단어처럼 발음된다.

2 장소 · 관계 · 직업 – 장소 | ②

해석

여 Jack, 너는 저 그림에 대해 어떻게 생각해?

남 저쪽에 있는 것을 말하는 거니?

여 응. 난 그것이 무엇을 의미하는지 이해할 수 없어.

남 내 생각에 그 예술가는 우리에게 그의 행복한 어린 시절에 대해 말하고 있는 것 같아.

여 무슨 말인지 알겠다.

남 이봐, 2층에서 내가 가장 좋아하는 예술가의 특별 전시전이 있어.

여 그래. 그것을 보러 가자.

해설 그림을 가리키며 서로 대화를 나누고 있는 것으로 보아 두 사람은 미술관에 있음을 알 수 있다.

어휘 childhood 어린 시절 make sense 말이 되다, 이치에 맞다 special 특별한 exhibition 전시회 artist 예술가

3 장소 · 관계 · 직업 – 직업 | ②

해석

남 안녕하세요. 당신의 이름이 뭐예요?

여 안녕하세요. 제 이름은 Mary Wilson이에요. 저는 당신의 열렬한 팬이에요.

남 감사합니다. 제 새 영화 보셨나요?

여 네. 물론이죠.

남 그것에 대해 어떻게 생각하세요?

여 제가 여태 본 영화 중에 최고예요.

남 그렇게 말씀해 주셔서 정말 감사합니다! 여기 제 사

인이 담긴 엽서예요. 좋은 하루 되세요.

해설 여자가 남자의 팬이라며 그가 출연한 영화에 대해 좋게 평가하고, 남자가 여자에게 사인을 해 주는 것으로 보아 남자는 배우임을 알 수 있다.

어휘 fan 팬 postcard 엽서 autograph (유명인의) 사인, 서명

4 장소 · 관계 · 직업 – 장소 | ④

해석

남 나는 오늘 정말 신나.

여 나도 그래. 그런데 우리 앞쪽에 많은 사람들이 있네.

남 응. 국제 경기를 보기 위해 티켓을 구하는 데 15분 정도 걸리겠어.

여 나도 그렇게 생각해. 내가 그 동안에 가서 마실 것 좀 사 와도 될까?

남 그럼.

여 너는 주스를 원하니 물을 원하니?

남 둘 다 아니야. 커피 한 잔 사다 줄래?

여 알겠어. 곧 돌아올게.

해설 국제 경기를 보러 가서 표를 끊기 위해 줄을 서고 있는 상황이므로 대화가 이루어지고 있는 장소로는 ④ '야구장'이 적절하다. ① 비행기 ② 식당 ③ 은행 ⑤ 경찰서

어휘 in front of ~의 앞쪽에 international 국제적인 match 경기, 게임 in the meantime 그동안에 neither (둘 중) 어느 것도 ~아니다 in a minute 곧, 금방

5 장소 · 관계 · 직업 – 관계 | ④

해석

남 안녕하세요. 어디로 갈까요, 부인?

여 공항으로 가 주세요.

남 한국에서 여기저기를 여행하셨나요?

여 네. 저는 여기서 아주 재미있었어요.

남 잘됐네요. 몇 시에 비행기가 출발하나요?

여 5시요. 2시까지 공항에 도착하는 것이 가능할까요?

남 문제 없습니다. 2시까지 그곳에 모셔다 드릴게요.

해설 공항으로 가는 택시 안에서 택시 기사와 승객이 나누는 대화이므로 두 사람의 관계는 ④가 알맞다.

어휘 Where to? 어디로 가시죠? flight 비행기, 항공편 leave 떠나다 possible 가능한

6 장소 · 관계 · 직업 – 장소 | ①

해석

남 Mary, 난 여기 오려고 오랜 시간 동안 기다려 왔어.

여 나도 그래. 가서 지금 당장 수영복을 입자.

남 그래. 우리 그럼 어디서 만나지?

여 빨간 미끄럼틀 옆에서 만나는 거 어때?

남 좋은 생각이야. 곧 보자.

여 오, 네 물안경 가져오는 거 잊지 마.

남 상기시켜 줘서 고마워.

해설 수영복으로 갈아입고 미끄럼틀 옆에서 만날 약속을 하는 것으로 보아 두 사람이 대화하는 장소로 가장 적절한 것은 ①이다.

어휘 put on ~을 입다 swimsuit 수영복 slide 미끄럼틀 (swimming) goggles 물안경 remind 상기시키다

7 장소 · 관계 · 직업 – 관계 | ⑤

해석

여 안녕하세요. 무엇을 도와드릴까요?

남 안녕하세요. 저는 이 소포를 특급 우편으로 캐나다에 보내고 싶은데요.

여 네. 그것을 저울에 올려 주세요.

남 비용이 얼마나 들죠?

여 10달러 50센트 듭니다. 이 양식을 작성하셔서 소포와 같이 가져다주시겠어요?

남 알겠습니다.

해설 소포를 특급 우편으로 보내려는 상황이므로 두 사람의 관계로 적절한 것은 ⑤이다.

어휘 package 소포 express mail 특급(빠른) 우편 scale 저울 cost (값 · 비용이) ~이다 fill out (양식을) 작성하다 bring ~ back ~을 다시 가져오다

8 장소 · 관계 · 직업 – 직업 | ①

해석

남 너는 네 일을 좋아하니?

여 물론. 가끔 정말 피곤하기는 하지만, 즐거워.

남 많은 사람을 만나고 그들 모두에게 친절하게 대해야 하는 데도?

여 응. 적어도 그 사람들은 나쁘거나 위험한 사람들은 아니고, 내가 내 차를 운전하고 다니거나 지하철을 타고 많이 돌아다녀야 하는 것도 아니잖아.

남 알겠어. 그럼 제일 좋은 것은 뭐야?

여 나는 많은 종류의 신상품을 써 볼 수 있고, 내가 물건을 팔 때 사람들이 좋아하는 것이 무엇인지를 배울 수 있어. 너도 알다시피, 나는 언젠가 내 가게를 열고 싶거든.

남 이해가 된다. 그럼 여기서 일하는 것이 좋은 경험일 수 있겠다.

여 맞아.

해설 여자는 사람을 많이 만나며 신상품을 많이 사용할 수 있고 물건을 팔면서 사람들이 좋아하는 것을 알 수 있다고 했으므로 직업으로는 ①이 알맞다.

어휘 even though ~임에도 불구하고 at least 적어도 product 상품 as you know 알다시피 experience 경험

Focus on Sounds
t나 d가 r을 만나면 새로운 소리로 바뀌는데, try의 t는 r과 만나 [츄]처럼 발음된다.

유형 08 주제 · 속담

유형잡는 대표기출 p.68-69

1 주제 · 속담 – 주제 ┃ ①

해석

여 네팔에 살고 있는 한 소녀에 대한 이야기를 해 드리겠습니다. 그녀는 지진으로 가족을 잃었습니다. 그 당시에 많은 사람들이 그녀에게 도움을 제안했습니다. 그 이후에 그녀는 세상에서 가장 운이 좋은 사람이라고 느꼈습니다. 전 그녀의 이야기를 읽기 전에 많이 불평하곤 했답니다. 하지만 그 이야기가 제게 고마운 마음을 갖게 해 줬습니다. 이제, 저는 제 삶의 모든 것에 감사하기 위해 최선을 다하려고 합니다.

해설 마지막 문장을 통해 답을 알 수 있는데, 네팔에서 지진을 겪은 소녀의 이야기를 읽은 후 감사의 마음을 갖게 되었다는 내용의 담화이다.

어휘 earthquake 지진 offer 제공하다 complain 불평하다 thankful 고마워하는

2 주제 · 속담 – 속담 ┃ ②

해석

[휴대전화벨이 울린다.]

남 야, 민주야. 뭐하고 있니?

여 난 내 에세이를 다시 타이핑하고 있어.

남 왜? 넌 어제 그것을 끝마쳤다고 말했잖아.

여 그랬는데, 파일을 잃어버렸어. 내 컴퓨터가 바이러스에 걸렸어.

남 뭐라고? 내가 네게 가능하면 자주 바이러스 소프트웨어를 업데이트하라고 말했잖아.

여 아, 난 방금 그것을 업데이트했어.

남 힘내. 넌 나쁜 일이 일어나는 것을 막기 위해 더 준비해야 할 거야.

해설 에세이를 다 썼는데 컴퓨터가 바이러스에 걸려 파일이 없어졌고 그 후에야 바이러스 소프트웨어를 업데이트한 상황이므로 어울리는 속담은 ②이다.

어휘 essay 에세이, 평론 virus 바이러스 update 업데이트하다, 갱신하다 prevent A from B A가 B하는 것을 막다

3 주제 · 속담 – 주제 ┃ ②

해석

남 '레인보우 수영 센터'에 오신 것을 환영합니다. 수영장을 사용할 때 중요한 규칙에 대해 여러분에게 말씀드리고자 합니다. 우선, 바닥이 몹시 미끄러우므로 수영장 주변에서 뛰지 마십시오. 두 번째, 수영장에 들어가기 전에 스트레칭하는 것을 잊지 마십시오. 마지막으로, 수영장 안에서 춥게 느끼신다면 수영장 밖으로 나오셔서 몸을 따뜻하게 하십시오. 저희 센터에서 여러분이 즐거운 시간을 보내시기를 바랍니다. 감사합니다.

해설 수영장에서 지켜야 할 규칙을 설명해 주는 안내문이다. some important rules for using the swimming pool을 통해 답을 알 수 있다.

어휘 (swimming) pool 수영장 wet 젖은 stretch 몸을 뻗다, 스트레칭하다

핵심 유형 파고들기   p.70-71

1 ②	2 ①	3 ③	4 ②	5 ④	6 ①
7 ③	8 ⑤				

핵심 유형 받아쓰기   p.72-73

1 ❶the most popular ❷has thinly sliced ❸it is believed that

2 ❶it's gone ❷Didn't you save ❸working on it

3 ❶cooked with ❷have a strong flavor ❸eating less delicious

4 ❶Be sure to use ❷get to the stairs ❸Please stay calm

5 ❶try new things ❷How about you ❸give it a try

6 ❶I heard you ❷been the best dancer ❸I thought

7 ❶how much I appreciate ❷for their all-time support ❸cheered me up

8 ❶let's eat out ❷down the street ❸is it that good

1 주제 · 속담 – 주제 | ②

해석

여 이것은 한국에서 가장 인기 있는 전통 음식 중 하나
입니다. 이 국은 그 안에 얇게 썰린 떡이 들어 있습니
다. 이것은 주로 설날에 먹습니다. 한국에서, 모든 사
람의 나이는 이 국을 먹은 후에야 한 살이 올라간다
고 믿어집니다.

해설 주로 설날에 먹고, 이 국을 먹어야 한 살이 올라간다고 믿는
다 했으므로 ②가 적절하다.

어휘 popular 인기 있는 traditional 전통적인 thinly sliced
얇게 썬 go up ~이 증가하다

Focus on Sounds
어떤 단어의 끝 자음이 다음 단어의 첫 자음과 같으면 동일한 자
음 하나가 생략되어 두 단어는 한 단어처럼 발음된다.

---

2 주제 · 속담 – 속담 | ①

해석

남 오, 세상에!

여 무슨 일이니, Brian?

남 엄마, 제가 방금 제 숙제를 끝냈는데, 그게 없어졌어요.

여 그게 무슨 말이니? 넌 파일을 저장하지 않았니?

남 제가 막 저장하려고 할 때, 갑자기 전원이 나갔어요.
그런 일이 일어날 거라고는 상상도 못 했어요.

여 우리는 미래에 무슨 일이 생길지 절대 모르는 거야.
너는 보고서를 작성하는 동안에 파일을 여러 번 저장
해야 해.

해설 숙제를 마쳤는데 전원이 갑자기 나가서 사라졌다고 하는 남
자에게 여자가 파일을 여러 번 저장하라고 하고 있으므로 어울리는
속담은 ①이다.

어휘 mean 의미하다 save 저장하다 be about to 막 ~하려
는 참이다 power 전기 go out (전기 · 전깃불이) 나가다(꺼지다)
imagine 상상하다

---

3 주제 · 속담 – 주제 | ③

해석

여 여러분이 좋아하는 음식들 중 하나를 떠올려 보세요.
그것은 달거나, 짜거나, 또는 맵나요? 아마도 그것은
튀긴 것이거나, 적어도 많은 기름으로 요리된 것일지
도 모릅니다. 인기 있는 음식들은 보통 강한 맛을 가
지고 있는데, 그것이 그것들을 맛있게 합니다. 하지
만, 이 '맛있는 음식들'이 맛은 좋지만 건강에는 나쁩
니다. 당신의 몸을 위해서 덜 맛이 있지만 더 건강한
음식을 먹어 보세요.

해설 맛있는 것보다는 건강한 음식을 먹도록 권하고 있으므로 이

담화의 주제는 ③이다.

어휘 salty 짠 spicy 매운 flavor 맛 delicious 맛있는

---

4 주제 · 속담 – 주제 | ②

해석

남 주목해 주십시오. 지금 화재 경보가 울리고 있습니
다. 가장 가까운 출구로 가서서 즉시 건물을 떠나시
길 바랍니다. 꼭 계단과 정문을 이용해야 하는 것을
명심하세요. 엘리베이터를 사용하는 것을 피해야 한
다는 걸 기억하세요. 만약 혼자서 계단으로 이동하는
것이 불가능하시다면, 저희 직원이 당신을 도와드릴
것입니다. 침착함을 유지하시고 서두르지 마세요.

해설 화재 경보음이 울린 후 건물 안의 사람들에게 건물 밖으로 대
피하도록 안내하는 인내 방송이다.

어휘 attention 주의, 주목 fire alarm 화재 경보 exit 출구
immediately 즉시 stairs 계단 main entrance 정문 avoid
피하다 by oneself (남의 도움 없이) 혼자서 calm 침착한, 차분
한 rush 서두르다

---

5 주제 · 속담 – 주제 | ④

해석

남 삶은 알려지지 않은 것들로 가득 차 있습니다. 어떤
사람들은 새로운 것들을 시도하는 것을 좋아합니다.
하지만 어떤 사람들은 그렇지 않지요. 당신은 어떤가
요? 만약 당신이 새로운 것들에 열린 마음을 가진다
면, 당신은 그것들로부터 배울 것입니다. 당신은 더
많은 지식뿐 아니라 더 큰 자신감도 얻을 것입니다.
새로운 것에 도전하는 것을 두려워하지 마세요. 그냥
한번 시도해 보세요.

해설 알려지지 않은 것들로 가득한 것이 삶이므로 새로운 것들에
도전하는 것을 두려워하지 말라는 내용의 담화이다.

어휘 be full of ~으로 가득 차 있다 unknown 알려지지 않은
be open to ~에 열린 마음을 가지다 confidence 자신감 A
as well as B B뿐만 아니라 A도 knowledge 지식 give it a
try 시도하다, 한번 해 보다

---

6 주제 · 속담 – 속담 | ①

해석

남 미나야, 네가 춤 경연 대회에서 떨어졌다고 들었어.

여 맞아….

남 난 그걸 예상하지 못했어. 너는 항상 우리 학교에서
최고의 춤꾼이었잖아.

여 그것은 창피한 일이지. 그건 그렇고, 넌 그것을 어떻
게 알았니?

남 나는 그것을 내 친구들 중 한 명에게서 들었어. 왜?

여 난 우리 학교에서 누구도 그 대회를 못 봤을 거라 생각했거든.

해설 여자가 춤 경연 대회에서 떨어진 것을 어떻게 알게 됐는지 묻고 있는 상황이므로 이에 적절한 속담은 ①이다.
① 낮말은 새가 듣고 밤말은 쥐가 듣는다.
② 쉽게 얻은 것은 쉽게 잃는다.
③ 전혀 안 하는 것보다 늦더라도 하는 게 낫다.
④ 연습이 완벽을 만든다.
⑤ 제 집보다 좋은 곳은 없다.

어휘 fail 실패하다, 떨어지다 expect 예상하다 embarrassing 난처한, 곤란한

7 주제 · 속담 – 주제 | ③

해석

남 여러분, 안녕하세요. 올해의 음악인 상을 받게 되어 아주 기쁩니다. 전 이 영예에 대해 어떻게 감사드려야 할지 표현할 수 없습니다. 저는 특히 부모님의 지속적인 지원에 감사드립니다. 제가 포기하고 싶어 할 때, 그들은 저를 격려해 주셨습니다. 전 그들의 모든 도움에 대해 그들에게 진심으로 감사드립니다. 이 상은 또한 그들을 위한 것입니다.

해설 올해의 음악인 상을 받은 후에 이에 대한 시상 소감을 말하고 있는 내용의 담화이다.

어휘 award 상 express 표현하다 honor 영예, 영광 all-time 전례 없는 support 지원, 지지 cheer up 격려하다

8 주제 · 속담 – 속담 | ⑤

해석

여 Chris, 우리 오늘은 외식하자.
남 좋은 생각이야! Wendy's 식당에 가는 것이 어때?
여 길 아래쪽에 있는 그 작고 오래 된 식당 말하는 거야?
남 맞아. 난 그곳에서 피자를 먹고 싶어.
여 흠…. 사실, 나는 그 낡은 식당을 좋아하지 않아.
남 그 식당은 매력적으로 보이지 않지. 하지만 내 친구들은 그곳의 피자가 이 지역에서 최고라고 내게 말했어.
여 그곳이 그렇게 좋대? 그래, 시도해 보자.

해설 여자가 오래 된 식당을 좋아하지 않는다고 하자 이에 대해 남자가 매력적으로 보이지 않지만 그 식당의 피자가 이 지역에서 최고라고 했으므로 ⑤가 남자의 말과 일치한다.
① 백지장도 맞들면 낫다.
② 일찍 일어나는 새가 벌레를 잡는다.
③ 말보다 행동이 중요하다.
④ 보는 것이 믿는 것이다.
⑤ 겉모습으로 판단해서는 안 된다.

어휘 eat out 외식하다 attractive 멋진, 매력적인

유형 09 내용 일치

유형잡는 대표기출 ······························ p.74-75

1 내용 일치 – 동물원 안내 | ④

해석

남 하이랜드 동물원에 방문해 주셔서 감사드립니다. 저희는 전 세계에서 온 여러 종류의 동물들을 보유하고 있습니다. 동물원을 둘러보기 전에 특별한 뉴스를 말씀드리려고 합니다. 한 달 전에 두 마리의 판다들이 중국에서 도착했고, 오늘 여러분은 그것들을 보실 수 있습니다. 출발하기 전에 여러분은 동물들에게 어떤 먹이도 줘서는 안 된다는 것을 기억하세요. 또한, 어떤 것도 우리 안에 던지지 마세요. 준비되셨나요? 갑시다!

해설 마지막 부분의 you must not give any food to the animals를 통해 ④가 일치하지 않음을 알 수 있다.

어휘 all over the world 전 세계에 cage 우리

2 내용 일치 – 여행 내용 | ②

해석

남 Kate, 안녕. 네 여름 방학은 어땠니?
여 민준아, 안녕. 그것은 훌륭했어. 우리 가족은 싱가포르에 갔어. 날씨가 항상 아름다웠지.
남 싱가포르에? 와, 거기서 얼마나 오래 머물렀니?
여 4일 동안 머물렀어.
남 알았어. 거기서 무엇을 했니?
여 우리는 내 친구 Ming을 만나서 함께 유명한 식당에 갔어.
남 오, 유명한 식당이라고? 거긴 어땠어?
여 음식이 진짜 맛있었어. 우리는 해산물과 전통 국수를 먹었어.

해설 여자의 첫 번째 말 중 The weather was beautiful all the time.으로 보아 ②가 내용과 일치하지 않는다.

어휘 all the time 항상, 언제나 traditional 전통적인 noodle 국수

3 내용 일치 – 여행 안내 | ②

해석

여 주목해 주시겠습니까? 우리는 드디어 이곳 드림 리조트에 왔습니다. 우리는 이곳에서 이틀 동안 머물 것입니다. 오늘, 우리는 이 근처의 강에 얼음낚시를 하러 갈 것입니다. 그 후에 여러분은 저녁 식사로 비프스테이크를 드실 것입니다. 내일, 여러분은 리조트

내의 수영장과 물 미끄럼틀을 무료로 이용하실 수 있습니다. 재밌겠네요!

해설 We're going to stay here for 2 days.로 보아 ②가 내용과 일치하지 않는다.

어휘 resort 피서지, 리조트 stay 머물다 slide 미끄럼틀

핵심 유형 파고들기
p.76-77

1 ② 2 ③ 3 ④ 4 ⑤ 5 ④ 6 ⑤
7 ⑤ 8 ⑤

핵심 유형 받아쓰기
p.78-79

1 ❶As you all know ❷after school ❸shorten each class
2 ❶drink hot tea ❷take a warm shower ❸I'll try your ideas
3 ❶What happened to ❷get it fixed ❸It might be possible ❹buying another one
4 ❶one for my child ❷for free for children ❸come earlier next time
5 ❶Welcome to ❷play the movie ❸don't forget to
6 ❶Is that correct ❷how would you like ❸get a coupon book
8 ❶I'd like to book ❷Is it available ❸have a reservation ❹pay for it

1 내용 일치 – 학교 방송 | ②

해석

여 웨스트우드 중학교 학생 여러분, 주목해 주세요. 여러분이 모두 알다시피, 우리는 오늘 방과 후에 교사와 학부모 간담회가 있습니다. 그래서 우리는 각 수업을 10분씩 단축할 것입니다. 각 교시 수업 시간은 40분 동안 지속될 것입니다. 그 결과로, 오늘의 마지막 수업은 4시가 아니라 3시에 끝날 것입니다. 감사합니다.

해설 각 수업을 10분씩 줄인다고 했으므로 ②가 내용과 일치하지 않는다.

어휘 shorten 단축하다 period (학교의 일과를 나눠 놓은) 시간; 기간 last 계속되다; 마지막의 as a result 결과적으로

> **Focus on Sounds**
> t가 한 단어 내에서 모음 사이에 끼인 경우에는 약화되어 [르]처럼 들리거나 거의 들리지 않게 된다.

2 내용 일치 – 효과적인 숙면 | ③

해석

여 나 요즘 충분한 숙면을 취할 수 없어.

남 그것 참 안타깝구나. 뜨거운 차나 따뜻한 우유를 마셔 보는 건 어때?

여 난 매일 그렇게 해.

남 그러면 자러 가기 두서너 시간 전에 따뜻한 물로 샤워를 해 봐.

여 그게 정말 도움이 될까?

남 물론이지! 덧붙이면, 네 침실을 어둡게 해 봐. 그리고 많은 양의 저녁 식사를 하는 것은 네가 잠이 드는 것을 방해한다는 것을 기억하렴.

여 고마워. 네가 말한 것들을 시도해 볼게.

해설 잠들기 직전에 샤워를 하는 것이 아니라 삼들기 두어 시간 전에 샤워를 하라고 했으므로 ③이 내용과 일치하지 않는다.

어휘 get a good night's sleep 충분한 숙면을 취하다 a couple of hours 두서너 시간 heavy dinner 많은 양의 저녁 식사 keep A from -ing A가 ~하는 것을 막다

3 내용 일치 – 남자의 휴대전화 | ④

해석

여 오, 세상에. 네 휴대전화 어떻게 된 거야?

남 어제 내가 실수로 이것을 떨어뜨려서 액정이 깨졌어.

여 하지만 너 이것을 한 달 전에 샀잖아, 그렇지 않니?

남 맞아. 이제, 나는 그것을 고치기 위해 또 200달러를 써야 해.

여 그 돈으로 새 휴대전화를 사는 것이 가능할 수도 있겠다.

남 나도 알아. 나는 진지하게 다른 휴대전화를 살까 생각 중이야.

해설 여자의 세 번째 말 중 It might be possible to buy a new cellphone with that money.로 보아 ④가 내용과 일치하지 않는다.

어휘 accidentally 잘못하여; 우연히 drop 떨어뜨리다 screen 액정 화면 seriously 진지하게, 심각하게

4 내용 일치 – 눈썰매장 이용 | ⑤

해석

여 다음 분이요.

남 눈썰매 티켓을 두 장 사고 싶습니다. 제 것 하나와 제 아이 것 하나요.

여 5세 미만 아이들은 무료입니다.

남 아, 그 애는 여섯 살이에요.

여 그러면 어른 10달러, 아이 7달러로 17달러입니다.

하지만 썰매를 타려면 아이가 110 cm보다 커야 하는데요.

남 괜찮아요. 그 애는 그것보다 큽니다. 여기 17달러요. 눈썰매장은 언제 닫나요?

여 오후 여섯 시에 닫습니다. 한 시간밖에 안 남았네요.

남 다음에는 더 일찍 와야겠네요. 언제 열지요?

여 아침 열 시에 엽니다. 재미있게 타세요.

[해설] 5세 미만 아이들은 무료이고, 입장권은 어른이 10달러, 아이가 7달러이고, 키가 110 cm 이하인 어린이는 눈썰매를 탈 수 없다고 했으며 오후 6시에 문을 닫는다고 했다.

[어휘] sled 썰매 slope 경사지, 눈썰매장

---

5 내용 일치 – 어린이 날 행사 | ④

[해석]

여 어린이 대공원에 오신 것을 환영합니다. 어린이날이기 때문에, 어린이들을 위한 몇 가지 특별한 행사가 있습니다. 분수대 앞에서 버블 쇼와 페이스 페인팅 행사가 있습니다. 또한, 저희는 1시에 극장에서 영화 「배트맨」을 상영할 것입니다. 만약 여러분이 어린이라면, 집에 가기 전에 풍선을 받아 가는 것을 잊지 마세요.

[해설] 오늘은 어린이날이므로 5월 5일이고, 버블 쇼와 페이스 페인팅 행사는 분수대 앞에서 진행될 예정이며 풍선은 어린이에게 나눠 준다고 했으므로 ④가 내용과 일치한다.

[어휘] event 행사, 이벤트 bubble 버블, 비눗방울 fountain 분수대 theater 극장 balloon 풍선

---

6 내용 일치 – 음식 주문 | ⑤

[해석]

여 당신은 불고기 버거 한 개와 감자튀김, 그리고 오렌지 주스를 주문하셨죠. 이것이 맞습니까?

남 저는 불고기 버거가 아니라 치킨 버거를 주문했는데요.

여 이런, 죄송합니다. 그럼 지불 방법은 어떻게 해 드릴까요, 현금 아니면 신용 카드요?

남 저는 현금으로 내겠습니다.

여 회원 카드를 갖고 계신가요?

남 아니요. 회원들을 위한 혜택은 무엇인가요?

여 당신은 쿠폰 책자를 얻을 수 있습니다.

남 글쎄요, 저는 다음번에 받을게요.

[해설] 회원 카드가 있으면 쿠폰 책자를 얻을 수 있다는 여자의 안내에 남자는 회원 카드가 없다고 했으므로 ⑤가 내용과 일치하지 않는다.

[어휘] order 주문하다 correct 맞는, 정확한 cash 현금 credit 신용 카드 membership 회원(자격) benefit 혜택 coupon 쿠폰

---

7 내용 일치 – 비행기 안내 방송 | ⑤

[대본]

M This is an announcement for the passengers on Flight 508. We are looking for a passenger named Mark Williamson. The airplane to Busan is going to depart in five minutes. Please come to Gate 15 right away. Again, we are looking for Mr. Mark Williamson. Please come to Gate 15 as soon as possible. The plane is about to take off.

[해석]

남 508 항공편의 탑승객들을 위한 안내 방송입니다. 저희는 Mark Williamson이라는 승객을 찾고 있습니다. 부산행 비행기는 5분 후에 출발할 예정입니다. 지금 바로 15번 게이트로 와 주시길 바랍니다. 다시 한 번, 저희는 Mark Williamson 씨를 찾고 있습니다. 가능한 한 빨리 15번 게이트로 와 주십시오. 비행기가 곧 이륙할 예정입니다.

[해설] 비행기는 부산에서 출발하는 것이 아니라 부산행이라고 했으므로 ⑤가 내용과 일치하지 않는다.

[어휘] announcement 안내 방송 passenger 승객 depart 출발하다 right away 즉시, 곧 as soon as possible 가능한 한 빨리 be about to 막 ~하려고 하다 take off 이륙하다

---

8 내용 일치 – 여행 준비 | ⑤

[해석]

[전화벨이 울린다.]

남 빨간 풍선 여행사입니다. 무엇을 도와드릴까요?

여 저는 3박 4일짜리 태국으로 가는 여행 상품을 예약하고 싶습니다.

남 몇 분이세요? 그리고 며칠에 출발하기를 원하세요?

여 저희는 네 명이고요, 세 명의 어른과 7세 소년 한 명입니다. 저희는 5월 6일에 떠나고 싶어요. 가능한가요?

남 네, 그 출발 일자의 상품은 이용 가능하고요, 가격은 10세 미만의 아이들에게는 50% 할인입니다.

여 그거 좋네요. 이제 예약된 건가요?

남 네, 하지만 24시간 이내 요금 전액을 지불하지 않으면 취소됩니다.

여 그래요. 지금 지불하겠습니다.

[해설] 요금 전액을 지불하지 않으면 예약이 취소된다고 했으므로 일치하지 않는 것은 ⑤이다.

[어휘] tour package 여행 상품 departure 출발 available 이용 가능한 cancel 취소하다 charge 요금

유형 10 도표 정보

유형잡는 대표기출 ·········· p.80-81

① 도표 정보 – 도표 | ⑤

해석

① 여 「피터팬」은 7명의 학생들에 의해 읽혔다.

② 여 「백설공주」는 가장 많은 숫자의 학생들에 의해 읽혔다.

③ 여 「신데렐라」는 「알라딘」보다 더 많은 학생들에 의해 읽혔다.

④ 여 「신데렐라」는 여섯 명의 학생들에 의해 읽혔다.

⑤ 여 「알라딘」은 아홉 명의 학생들에 의해 읽혔다.

해설 「알라딘」은 4명의 학생이 읽었다고 했으므로 ⑤가 일치하지 않는다.

어휘 storybook 이야기책

② 도표 정보 – 광고문 | ⑤

해석

① 여 금요일에는 개장 시간이 오전 10시이다.

② 여 당신은 일요일 오후 8시 이후에 입장할 수 없다.

③ 여 전시회는 매주 월요일에 폐관한다.

④ 여 성인 티켓 가격은 12달러이다.

⑤ 여 만약 당신이 13세라면 할인을 받을 수 있다.

해설 7세에서 12세 사이의 어린이만 할인 받을 수 있다고 했으므로 ⑤가 일치하지 않는다.

어휘 exhibition 전시회 magician 마술사 adult 성인

③ 도표 정보 – 광고문 | ④

해석

① 여 이 네 개의 수업은 토요일이나 일요일을 위한 것이다.

② 여 당신은 오전에 '가족 신문' 수업을 들을 수 있다.

③ 여 '케이크 만들기' 수업료는 24달러이다.

④ 여 당신은 '카드 마술' 수업을 위해 15달러를 내야 한다.

⑤ 여 '점토 미술' 수업이 가장 비싸다.

해설 '카드 마술'의 수업료는 20달러라고 했으므로 ④가 일치하지 않는다.

어휘 fee 요금, 수업료 clay 점토, 찰흙

핵심 유형 파고들기
p.82-83

1 ④ 2 ① 3 ② 4 ④ 5 ⑤ 6 ②

핵심 유형 받아쓰기
p.84-85

1 ❶for free ❷have to pay ❸the zoo closes at

2 ❶was higher ❷the lowest score ❸points in June

3 ❶What did you do ❷with my family ❸That's interesting

4 ❶percent of the students ❷students raise ❸A total of

5 ❶the sixth grade ❷a note from ❸stay in your classroom

6 ❶will start at ❷at a restaurant ❸It would be good

1 도표 정보 – 안내문 | ④

해석

① 여 두 살 미만의 어린이들은 동물원에 무료로 입장할 수 있다.

② 여 64세 미만의 성인들은 동물원에 입장하려면 15달러를 내야 한다.

③ 여 65세 이상의 어른들은 10달러보다 적은 돈으로 티켓을 구매할 수 있다.

④ 여 주말에는 동물원이 오후 6시에 닫는다.

⑤ 여 동물원은 월요일을 제외하고 매일 연다.

해설 토요일과 일요일은 오전 9시부터 오후 8시까지 영업한다고 했으므로 ④가 일치하지 않는다.

어휘 enter 들어가다, 입장하다 for free 무료로 adult 성인 pay 지불하다 purchase 구입하다 except ~을 제외하고는

2 도표 정보 – 도표 | ①

해석

① 여 Bill의 영어 점수가 3월보다 4월에 더 높았다.

② 여 Bill은 4월에 가장 낮은 점수를 받았다.

③ 여 Bill의 최고 점수는 80점이었다.

④ 여 7월에, Bill은 6월과 같은 점수를 받았다.

⑤ 여 Bill의 성적은 지난달부터 6월에 20점 올랐다.

해설 Bill의 영어 점수는 4월보다 3월이 높으므로 ①이 일치하지 않는다.

어휘 score 점수 low 낮은 grade 성적, 학점 increase 오르다, 증가하다

---

3 도표 정보 - 날짜 | ②

해석

남 너는 어제 무엇을 했니, Jessica?

여 나는 우리 가족과 내 생일 파티를 했어.

남 오, 너는 어린이날에 태어났니?

여 응. 그리고 우리 오빠는 어버이날에 태어났고, 그리고 우리 아빠는 스승의 날에 태어나셨어.

남 그것 재미있네.

해설 어린이날인 어제 가족들과 생일 파티를 했다고 했으므로 오늘은 5월 6일일 것이다.

어휘 have a party 파티를 열다 be born 태어나다

---

4 도표 정보 - 도표 | ④

해석

① 여 햄스터보다 고양이를 기르는 학생들이 더 많다.

② 여 60%의 학생들은 어떤 애완동물도 기르고 있지 않다.

③ 여 개는 학생들이 기르는 가장 인기가 많은 애완동물이다.

④ 여 총 8명의 학생들이 고양이를 기른다.

⑤ 여 4%의 학생들은 햄스터를 기른다.

해설 고양이를 기르는 학생들의 비율은 8명이 아니라 8%라고 했으므로 ④가 일치하지 않는다.

어휘 pet 애완동물 popular 인기 있는 raise (아이·동물 등을) 키우다, 기르다 a total of 총 ~의

---

5 도표 정보 - 메모 | ⑤

해석

남 네가 6학년 반장이니?

여 아니, 그녀는 화장실에 갔어. 무슨 일이야?

남 Johnson 선생님에게 받은 공지야. 그녀에게 이것을 줘.

여 물론이지. 무슨 내용이야?

남 그가 내일 체육 시간에 체육관으로 오지 말라고 하셔.

여 수요일 말이니?

남 맞아. 그냥 교실에 있고 공책을 꼭 가지고 와야 해.

해설 공책을 준비해야 한다고 했으므로 ⑤가 일치하지 않는다.

어휘 grade 학년; 점수 class president (학급의) 반장 restroom 화장실 gym 체육관

---

6 도표 정보 - 초대장 | ②

해석

> **초대장**
>
> 오셔서 Ryan의 15번째 생일을 축하해 주세요!
> (깜짝 파티이므로 Ryan에게는 말하지 마세요!)
> 언제: 11월 17일, 오후 6시 30분
> 어디서: 웬디스 버거
> 그곳에 가는 방법: 88번 버스(시청역)
> 가져올 것: 작은 선물

① 여 이것은 Ryan의 생일 초대장이다.

② 여 Ryan의 생일 파티는 오후 5시 30분에 시작할 것이다.

③ 여 파티는 웬디스 버거라고 불리는 식당에서 열릴 것이다.

④ 여 당신은 시청역으로 가는 88번 버스를 타야 한다.

⑤ 여 작은 선물을 가져오는 것이 좋을 것이다.

해설 Ryan의 생일 파티는 저녁 6시 30분에 시작한다고 했으므로 ②가 일치하지 않는다.

어휘 invitation card 초대장 be held 열리다 present 선물

유형 11 어색한 대화 고르기

유형잡는 대표기출 p.86-87

1 어색한 대화 고르기 | ②

해석

① 여 넌 왜 늦었니?

　남 미안해. 난 버스를 놓쳤어.

② 여 너는 이번 주 토요일에 뭐할 거니?

　남 난 3년 전에 미국에 갔어.

③ 여 Sam, 너는 Jenny를 만난 적 있니?

　남 아니, 난 만난 적이 없어.

④ 여 조심해! 차가 오고 있어!

　남 아, 이런! 고마워.

⑤ 여 Tony! 난 가방을 잃어버렸어. 난 무엇을 해야 할까?

　남 걱정하지 마. 같이 찾아보자.

해설 ②는 이번 주 토요일에 뭐할 건지 계획을 묻는 말에 대해 과거로 답하고 있으므로 어색하다.

어휘 miss 놓치다 watch out 조심하다

❷ 어색한 대화 고르기 | ④

해석

① 여 너는 잠깐 나와 얘기할 수 있니?

남 미안해, 내가 지금 바빠.

② 여 음료수 드시겠습니까?

남 아니요, 괜찮아요.

③ 여 내가 잠깐 네 휴대전화를 써도 될까?

남 물론이지. 어서 써.

④ 여 너는 언제 집에 돌아올 거니?

남 응, 나는 어제 돌아왔어.

⑤ 여 도와드릴까요?

남 네, 저는 파란 셔츠를 찾고 있습니다.

해설 ④는 언제 집에 돌아오는지 계획을 묻는 질문에 대해 어제 돌아왔다고 과거 사실로 답하고 있으므로 어색하다.

어휘 for a minute 잠시 동안 right now 바로, 당장

❸ 어색한 대화 고르기 | ④

해석

① 여 너는 얼마나 자주 축구를 하니?

남 일주일에 한 번.

② 여 너는 어떤 옷을 입고 싶니?

남 난 청바지를 입고 싶어.

③ 여 내 스케이트보드 고칠 수 있니?

남 어디 보자. 해 볼게.

④ 여 너는 도서관에 어떻게 가니?

남 난 기분이 좋지 않아.

⑤ 여 도와줘서 고마워.

남 물론, 언제든지!

해설 ④는 도서관에 어떻게 가는지 교통수단을 묻는 질문에 기분 상태를 답했으므로 어색하다.

어휘 blue jeans 청바지 anytime 언제든지

핵심 유형 파고들기

p.88-89

1 ⑤　2 ④　3 ①　4 ②　5 ⑤　6 ④
7 ①　8 ②

핵심 유형 받아쓰기

p.90-91

1 ❶mind at all ❷join us for lunch ❸Don't mention it

2 ❶Wait a second ❷can't believe it ❸where to find

3 ❶I thought it was ❷How kind of you ❸had my hair cut

4 ❶Hold on a second ❷What should I do ❸worried about that

5 ❶Here you are ❷get a refund ❸feel depressed

6 ❶What can I do ❷look like ❸I'm afraid I can't

7 ❶makes two of us ❷Why don't we ❸won the first prize

8 ❶go to see ❷get off ❸Are you worried about

❶ 어색한 대화 고르기 | ⑤

해석

① 남 내가 네 영어 책을 빌려도 괜찮겠니?

여 응, 난 괜찮아.

② 남 너는 오늘 아침에 왜 늦었니?

여 나는 버스를 놓쳤어.

③ 남 너 우리랑 같이 점심 먹을래?

여 그거 좋지.

④ 남 내 수학 숙제를 하는 것을 도와줘서 고마워.

여 천만에.

⑤ 남 너는 춤 대회에서 무슨 상을 받았니?

여 그 말을 듣게 되어 아주 기뻐.

해설 ⑤의 What prize did you get in the dance contest?에 대한 응답으로는 상의 종류를 언급하는 I won the first prize.(1등상(최우수상)을 받았어.)나 I won the second place at ~.(나는 ~에서 2등을 했다.) 등이 적절하다.

어휘 mind 신경쓰다 join 함께하다 prize 상, 상품

❷ 어색한 대화 고르기 | ④

해석

① 남 넌 무엇에 관심이 있니?

여 난 록 음악에 관심이 있어.

② 남 햄버거 두 개 포장해 주실 수 있나요?

여 물론이죠. 잠시만 기다리세요.

③ 남 나는 중간고사에서 모두 A를 받았어.

여 와! 믿을 수 없는 걸.

④ 남 어디서 크레용을 찾을 수 있는지 알아?

여 물론. 네게 내 것을 빌려줄 수 있어.

⑤ 남 실례합니다. 화장실은 어디입니까?

여 2층에 있습니다.

해설 ④는 어디에서 크레용을 찾을 수 있는지 아냐고 묻고 있으므로 장소를 포함한 답변이 와야 한다.

어휘 be into ~에 빠져 있다 to go (음식을 식당에서 먹지 않고) 가지고 갈 mid-term exam 중간고사 lend 빌려주다 restroom (공공장소의) 화장실

3 어색한 대화 고르기 | ①

해석

① 남 너는 부산에 얼마나 있을 거야?

　여 네 시간이 걸려.

② 남 너는 어제 축구 경기에 대해서 어떻게 생각했니?

　여 글쎄, 나는 매우 흥미진진하다고 생각했어.

③ 남 나는 우리 엄마가 저 꽃들을 심는 것을 도와드렸어.

　여 너는 친절하구나!

④ 남 너는 Jake가 파티에 올 거라고 생각하니?

　여 응. 난 확신해.

⑤ 남 너 머리 스타일을 바꾸었니?

　여 응, 난 머리카락을 잘랐어.

해설 ①의 How long ~?은 '얼마나 오랜 시간 동안 ~?'이라는 뜻으로 특정 기간에 대해 묻는 표현이므로, I will stay in Busan for a month.(나는 부산에 한 달 동안 머물 거야.) 등으로 대답하는 것이 자연스럽다.

어휘 match 경기, 시합 quite 꽤, 상당히 plant 심다 doubt 의심, 의문

4 어색한 대화 고르기 | ②

해석

① 남 제가 그에게 메시지를 남겨도 될까요?

　여 그럼요. 잠시만 기다리세요.

② 남 이 근처에 카메라 상점이 있나요?

　여 네, 저희는 많은 종류의 카메라를 갖고 있습니다.

③ 남 만약 내가 무대에서 내 대사를 잊어버리면 어떻게 해야 해?

　여 그런 얘기 마. 그런 일은 일어나지 않을 거야.

④ 남 너는 새 학교로 전학 가는 것을 두려워하고 있니?

　여 난 그것에 대해 다소 걱정하고 있어.

⑤ 남 어서. 이 수프를 마음껏 먹으렴.

　여 고맙지만 안 먹을래. 난 배불러.

해설 ②의 Is there a camera shop near here?는 '이 근처에 카메라 상점이 있나요?'라는 뜻으로 위치를 묻고 있으므로, 장소를 나타내는 전치사를 이용하여 Yes, it's next to(across from) ~. / No, there isn't. It's in the next block. 등으로 대답하는 것이 적절하다.

어휘 hold on (전화에서) 잠시 기다리다 near ~ 근처에 line (연극·영화의) 대사 stage 무대 be afraid of ~을 두려워하다 transfer to ~으로 전학 가다

5 어색한 대화 고르기 | ⑤

해석

① 남 너는 저기 있는 키 큰 여자를 아니?

　여 응, 그녀는 내 이모야.

② 남 여권을 보여 주시겠습니까, 손님?

　여 여기요.

③ 남 제가 이것에 대해 환불을 받을 수 있나요?

　여 물론이죠. 제게 영수증을 주세요.

④ 남 우리는 공항에 몇 시까지 가야 하나요?

　여 3시에 만납시다.

⑤ 남 너 왜 우울해하니?

　여 힘내. 우리는 네가 많이 보고 싶을 거야.

해설 ⑤는 의문사 Why로 묻고 있으므로, 이유나 원인을 나타내는 because를 사용하여 이유를 나타내는 응답을 해야 한다.

어휘 get a refund 환불 받다 receipt 영수증 make it 시간 맞춰 가다 depressed 우울한, 침울한

6 어색한 대화 고르기 | ④

해석

① 남 안녕하세요. 무엇을 도와드릴까요?

　여 저는 운동화를 찾고 있어요.

② 남 네 여동생은 어떻게 생겼니?

　여 그녀는 키가 크고 밝고 푸른 눈을 갖고 있어.

③ 남 너 이번 토요일에 내 생일 파티에 올래?

　여 미안하지만, 나는 못 갈 것 같아.

④ 남 넌 얼마나 자주 조깅을 하니?

　여 나는 보통 1마일 정도 조깅을 해.

⑤ 남 나는 내 개가 매우 아파서 너무 슬퍼.

　여 그 말을 들으니 유감이야.

해설 ④의 How often do you ~?는 '넌 얼마나 자주 ~하니?'라는 뜻으로 상대방에게 특정 행위를 하는 횟수를 물어보는 표현이므로 I go jogging twice a week.(나는 일주일에 두 번 조깅을 해.)나 I go jogging every morning.(난 매일 아침 조깅을 해.) 등으로 답해야 한다.

어휘 look for ~을 찾다 running shoes 운동화 go jogging 조깅하러 가다

7 어색한 대화 고르기 | ①

해석

① 남 제가 이 책을 빌려도 될까요?

　여 나도 마찬가지야.

② 남 너는 네 미술 숙제로 무엇을 만들거니?

　여 나는 꽃병을 만들 거야.

③ 남 지금 아이스크림을 먹으러 가지 않을래?

　여 그러고 싶지만, 그럴 수 없어.

④ 남 그 비행기가 11시에 출발하니?

　여 응, 그래.

⑤ 남 네가 일등 상을 받았다고 들었어. 축하해!

　여 고마워.

해설 ① 책을 빌려도 되느냐는 말에 대한 응답으로 자신도 마찬가지라고 대답하는 것은 부적절하다. Of course.나 I'm afraid you can't. 등으로 승낙 혹은 거절 등으로 대답하는 것이 자연스럽다.

어휘 vase 꽃병 depart 떠나다, 출발하다

8　어색한 대화 고르기 | ②

해석

① 남　너는 하와이에서 즐거웠니?
　여　응, 난 정말 여러 아름다운 곳들을 방문했어.
② 남　너 지금 당장 병원에 가는 게 어때?
　여　정확해. 나는 장래에 의사가 되고 싶어.
③ 남　내가 어느 정거장에서 내려야 할까?
　여　여기서부터 두 번째 정거장에서 내리면 돼.
④ 남　너는 어떻게 건강을 유지하니?
　여　나는 절대 식사를 거르지 않고, 매일 아침 조깅을 해.
⑤ 남　너는 내일 춤 대회에 대해서 걱정하고 있니?
　여　응. 나 지금 매우 긴장돼.

해설 ②의 Why don't you ~?는 '~하는 게 어때?'라는 뜻으로 상대방에게 무엇인가를 제안하거나 권유할 때 사용하는 표현이므로 Yes, I will.(응, 그럴게.)이나 I'll try your idea.(네 생각대로 해 볼게.) 등으로 응답하는 것이 적절하다.

어휘 see a doctor 진찰을 받다 get off 내리다 stay healthy 건강을 유지하다 skip a meal 식사를 거르다 nervous 불안해하는

Focus on Sounds
미국식 영어에서 t가 모음 사이에 끼인 경우에는 약화되어 [ㄹ]로 발음하는데 go to see에서 to도 [루]로 들린다.

유형 12　적절한 응답 찾기

유형잡는 대표기출 ·················· p.92-93

1　적절한 응답 찾기 | ④

해석

여　Chris, 네게 말할 것이 있어.
남　미나야, 뭔데?
여　난 Danny와 약간 문제가 있어.
남　무슨 일이 있었니?
여　난 단체 과제의 내 부분 하는 것을 잊어버려서 우리가 제시간에 과제를 끝낼 수 없었어.
남　정말?
여　응, 그래서 그가 나한테 화를 냈다고 생각해.
남　그가 화가 났음에 틀림없어. 그에게 전화를 해 봤니?

여　그랬는데, 내 전화에 응답하지 않았어. 난 어떻게 해야 할까?
남　그에게 미안하다고 문자를 보내.

해설 자신 때문에 단체 과제를 제시간에 끝내지 못해 화가 나 있는 Danny에게 어떻게 해야 하는지 묻는 여자의 말에 대한 가장 적절한 대답은 충고를 해 주는 ④이나.
① 식사를 즐겨라.
② 다음번에 보자.
③ 즐거운 시간 보내라.
⑤ 물론, 난 제시간에 그곳에 있을 거야.

어휘 trouble 곤란한 일, 트러블 in time 제시간에 be angry at ~에게 화를 내다 text 문자를 보내다

2　적절한 응답 찾기 | ⑤

해석

여　Alex. 넌 이번 주말에 뭐할 거니?
남　난 내 친구들과 센트럴 파크에 가려고 해.
여　재밌게 들린다. 난 센트럴 파크가 너무 좋아. 넌 뭐할 거니?
남　우리는 거기서 자전거를 탈 거야. 우리랑 함께할래?
여　고맙지만, 난 자전거를 탈 줄 몰라.
남　걱정하지 마. 내가 네게 방법을 알려 줄게.
여　정말? 너 아주 친절하구나.

해설 여자가 자전거를 못 타서 주말에 남자와 함께하지 못한다고 하자 가르쳐 주겠다고 하는 남자의 말에 대한 적절한 응답은 상대방을 칭찬하는 ⑤이다.
① 마음껏 먹어라.
② 네 생일을 축하해!
③ 내 가족들을 소개해 줄게.
④ 우리 동아리에 참여해 줘 고마워.

어휘 ride a bike 자전거를 타다 how 방법 sweet 다정한, 친절한

3　적절한 응답 찾기 | ⑤

해석

여　민지와 James는 배드민턴 치는 것을 좋아합니다. 매주 일요일, 그들은 공원에서 함께 배드민턴을 칩니다. 오늘, 그들은 배드민턴을 치기 위해 공원으로 갔습니다. 민지는 이번에는 게임을 이기고 싶었습니다. 하지만, 그녀는 게임에 졌습니다. 이 상황에서, James는 민지를 격려하기 위해 뭐라고 말할 것 같습니까?
James　실망하지 마. 넌 다음에 더 잘할 거야.

해설 배드민턴 게임에서 진 민지에게 James가 격려하는 표현으로 적절한 것은 ⑤이다.
① 나는 배드민턴을 가장 좋아해.
② 나는 모든 게임을 이기고 싶어.

③ 축하해! 네가 게임에서 이겼어!

④ 서둘러! 나는 내 숙제를 해야 해.

어휘 situation 상황 encourage 격려하다, 북돋우다

핵심 유형 파고들기

p.94-95

1 ④ 2 ③ 3 ③ 4 ③ 5 ④ 6 ②

7 ① 8 ③

핵심 유형 받아쓰기

p.96-97

1 ❶can I use your laptop ❷surf the Internet ❸Is something wrong with

2 ❶you have visited ❷I have been here ❸see the doctor

3 ❶said hello to ❷After a while ❸started calling

4 ❶What kind of room ❷the price will be ❸That's all we have

5 ❶for adults ❷checked the price ❸need a receipt

7 ❶What a cute cat ❷to take care of her ❸make a quiet place

8 ❶near her house ❷tried it on ❸a spot on it

1 적절한 응답 찾기 | ④

해석

여 아빠, 제가 대략 한 시간 동안 아빠의 노트북을 사용해도 될까요?

남 왜?

여 저는 제 과학 숙제를 위해 인터넷 검색을 해야 해요.

남 네 데스크톱 컴퓨터는? 그것은 뭐가 잘못 됐니?

여 작동을 하지 않아서 제가 지금 그것을 사용할 수가 없어요.

남 그렇다면 잠깐만 기다려라. 내가 해야 할 급한 일이 있거든.

해설 자신의 데스크톱 컴퓨터가 고장 나서 아빠의 노트북 컴퓨터를 빌리고 있는 상황의 대화로 아빠의 대답으로는 ④가 적절하다.

① 내 노트북은 새것이 아니야.

② 내 노트북을 사용하는 것이 어때?

③ 나는 컴퓨터를 어떻게 고치는지 몰라.

⑤ 그것에 대해 걱정하지 마. 내가 네 숙제를 도와줄게.

어휘 surf the Internet 인터넷 검색을 하다 work 작동하다 fix 수리하다 urgent 긴급한, 시급한

2 적절한 응답 찾기 | ③

해석

여 안녕하세요. 저는 진료를 받고 싶은데요.

남 알겠습니다. 당신은 저희 병원을 방문한 것이 처음이신가요?

여 아니요, 저는 전에 이곳에 온 적이 있습니다.

남 성함이 어떻게 되세요?

여 Mary Williams입니다. 제가 진료를 받으려면 얼마나 기다려야 하나요?

남 15분 이상 기다리셔야 합니다.

해설 진료를 받으러 병원에 가서 얼마나 기다려야 하는지 묻고 있는 상황이므로 이에 대한 남자의 대답으로는 ③이 적절하다.

① 어디가 아프세요?

② 저를 기다리실 필요는 없어요.

④ 당신의 병원 예약이 취소되었습니다.

⑤ 가장 가까운 병원까지 가는 데 5분 정도 걸릴 거예요.

어휘 see a doctor 의사의 진찰(진료)을 받다 visit 방문하다 appointment 약속

3 적절한 응답 찾기 | ③

해석

여 학교의 첫째 날이었습니다. Peter는 교실에 들어갔고 그의 학급 친구들에게 인사를 했습니다. 잠시 후에, Wilson 선생님께서 오셨고 자신을 직접 소개했습니다. 그러고 나서, 그녀는 모두가 자리에 있는지 보기 위해 학생들의 이름을 부르기 시작했습니다. 그러나 그녀는 Peter의 이름을 부르지 않았습니다. 이 상황에서, Peter는 Wilson 선생님께 무엇이라고 말하겠습니까?

Peter 제 이름이 불리지 않았어요.

해설 개강일에 선생님께서 학생들의 이름을 불렀는데, 자신의 이름이 불리지 않은 Peter가 선생님께 할 말은 ③이 적절하다.

① 저를 Peter라고 부르시면 돼요.

② 제 소개를 하겠습니다.

④ 제 이름을 이미 부르셨어요.

⑤ 당신의 이름은 목록에 없습니다.

어휘 classmate 반 친구 after a while 잠시 후 introduce oneself 자기 자신을 소개하다 miss 빠트리다, 빼먹다

4 적절한 응답 찾기 | ③

해석

[전화벨이 울린다.]

여 레이크우드 호텔입니다. 도와드릴까요?

남 오늘 밤에 이용 가능한 빈방이 있습니까?

여 어떤 종류의 방을 원하십니까, 손님?

남 저는 아이가 둘이 있어서, 두 개의 퀸 사이즈 침대가

있는 2인실을 선호합니다.

여 전혀 문제되지 않습니다. 가격은 1박당 200달러에 10%의 세금과 10%의 봉사료가 추가됩니다.

남 그 방은 꽤 비싸네요. 더 싼 방은 없나요?

여 그것이 저희가 오늘 밤 가지고 있는 전부입니다.

남 <u>제게 다른 선택권이 없네요. 그 방으로 할게요.</u>

해설 호텔 예약을 하고 있는 대화로, 비싼 방밖에 없다고 하는 여자의 말에 대한 대답은 선택의 여지가 없다며 방을 잡겠다는 ③이 적절하다.
① 감사하지만, 사양할게요. 다시 전화드리겠습니다.
② 체크인하고 싶은데요.
④ 제가 하룻밤을 예약해야 합니다.
⑤ 죄송합니다만, 당신의 예약을 취소할 수 없습니다.

어휘 available 이용할 수 있는 prefer 선호하다 per night 하룻밤에 tax 세금 service charge 봉사료 leave ~ no choice ~에게 선택의 여지를 남기지 않다

> **Focus on Sounds**
> hundred dollars에서 앞 자음의 d는 탈락되어 [헌드레드 달러스]가 아닌 [헌드레달러스]와 같이 한 단어처럼 발음된다.

5 적절한 응답 찾기 | ④

해석

여 어른 표 두 장을 사고 싶은데요.

남 알겠습니다. 40달러 되겠습니다.

여 뭐라고요? 티켓당 18달러 아닌가요? 저는 가격을 웹사이트에서 확인했어요.

남 티켓을 온라인으로 구입하는 경우에는 18달러입니다. 티켓을 이곳에서 구입하시면 20달러입니다.

여 오, 알겠습니다. 여기 40달러입니다.

남 좋습니다. 영수증 필요하세요?

여 <u>아니요, 필요 없습니다.</u>

해설 영수증이 필요한지 묻는 남자의 말에 대한 여자의 대답으로는 ④가 적절하다.
① 즐거운 시간 되세요.
② 네, 신용 카드로 지불하겠습니다.
③ 거스름돈은 가지셔도 돼요.
⑤ 물론이죠. 당신이 그것을 좋아하니 제가 기쁘네요.

어휘 in case 만약 ~인 경우에는 online 온라인으로 receipt 영수증

6 적절한 응답 찾기 | ②

대본

W What's that smell?

M Mom, I'm sorry for the smell. I burned my cookies again. I don't know what I'm doing wrong.

W Maybe you baked them too long, or you set the temperature too high.

M Then what should I do?

W Check the recipe. You should follow it very carefully.

M I'm not confident. Can you please help me?

해석

여 이게 무슨 냄새이니?

남 엄마, 냄새 때문에 죄송해요. 제가 쿠키를 또 태웠어요. 저는 제가 뭘 잘못하고 있는지 모르겠어요.

여 아마 네가 그것들을 너무 오래 구웠거나, 온도를 너무 높게 설정했을 거야.

남 그럼 제가 어떻게 해야 해요?

여 요리법을 확인해 봐. 너는 요리법을 매우 신중히 잘 따라야 해.

남 저는 자신이 없어요. 저를 도와주실 수 있으세요?

여 물론이지. 함께 구워 보자.

해설 남자가 쿠키가 타지 않도록 하는 것을 도와줄 수 있느냐고 물었으므로, ②가 가장 적절한 응답이다.
① 나를 혼자 내버려 두세요.
③ 고맙지만 내가 직접 고칠 수 있어요.
④ 그것들이 맛있지 않을까봐 걱정돼요.
⑤ 내 쿠키들에 대해서 어떻게 생각하세요?

어휘 burn 타다 temperature 온도 recipe 요리법, 조리법 confident 자신감 있는

7 적절한 응답 찾기 | ①

해석

여 Jake, 내 고양이 Biscuit이야.

남 정말 귀여운 고양이로구나! 안녕, Biscuit.

여 내 부탁들을 들어줘서 정말 고마워. 나는 내가 없는 동안 그 애를 돌봐 줄 사람을 찾을 수가 없었어.

남 천만에. 나는 그 애가 내 고양이들과 잘 어울릴 것 같아. 그 애에 관해서 내가 알아야 하는 것이 있을까?

여 음, 그 애는 조금 부끄럼을 많이 타서, 그녀를 위한 조용한 장소를 만들어 줘. 그럴래?

남 <u>걱정 마. 그렇게 할게.</u>

해설 여자의 부탁에 대해 승낙하는 ①이 대답으로 적절하다.
② 무엇을 도와줄까?
③ 정말 안됐다. 그렇다니 유감이야.
④ 네 집을 다른 사람들과 공유하는 것이 좋겠다.
⑤ 힘내. 다음에는 더 잘할 거야.

어휘 do a favor 부탁을 들어주다 take care of ~을 돌보다 [보살피다] while ~동안에 away 멀리 떨어진 share 공유하다, 나누다

8 적절한 응답 찾기 | ③

해석

남 Esther는 그녀의 집 근처 쇼핑몰에서 새 블라우스를 샀습니다. 그녀가 집에 돌아와 그것을 다시 입어보았을 때, 그녀는 놀랐습니다. 단추들 중 하나가 뜯어졌고, 옷에 얼룩이 있었습니다. 그녀는 속상했고 그 상점에 다시 갔습니다. 이 상황에서, Esther는 점원에게 무엇이라고 말하겠습니까?

Esther 저는 이 블라우스를 환불 받고 싶습니다.

해설 새 블라우스를 샀는데, 단추는 떨어져 있고 옷에 얼룩이 있는 것을 발견한 Esther가 상점에 돌아가서 할 말로 적절한 것은 환불 받고 싶다는 말인 ③이다.

① 제가 치수를 바꿀 수 있을까요?
② 죄송한데요, 이것은 너무 비싸네요.
④ 실례합니다. 저는 블라우스를 찾고 있어요.
⑤ 저는 다른 색상으로 블라우스 하나를 더 사고 싶습니다.

어휘 get home 귀가하다 try ~ on ~을 입어보다 come off (단추 등이) 떨어지다 spot 얼룩 upset 속상한 clerk 점원

Focus on Sounds
미국식 영어에서 t가 모음 사이에 끼인 경우에는 약화되어 [ㄹ]로 발음하는데 buttons는 [버른스]와 같이 발음한다.

PART 2 실전에 대비하라

01회 실전 모의고사
p.102-103

01 ③	02 ④	03 ⑤	04 ①	05 ④	06 ⑤
07 ③	08 ④	09 ③	10 ①	11 ①	12 ④
13 ⑤	14 ①	15 ⑤	16 ①	17 ④	18 ③
19 ②	20 ①				

01회 Dictation Test
p.104-109

01 ❶need an umbrella ❷change into snow ❸sunny again
02 ❶looking for a present ❷like that ❸she'll like it
03 ❶your new pet ❷two days ago ❸go to the vet
04 ❶I'm late ❷How come ❸took a quick shower
05 ❶have meat ❷with some ice ❸in an hour
06 ❶go well ❷have been studying ❸good at
07 ❶including you and me ❷go to the movies ❸go with us
08 ❶standing in line ❷Do you mean ❸You got it
09 ❶have for lunch ❷in a row ❸around here
10 ❶want to be ❷have an interest ❸knock on
11 ❶a can of beans ❷exchange it for ❸give you a refund
12 ❶tell me more ❷haven't found ❸You'll find her
13 ❶I went to ❷just started ❸and a pencil case
14 ❶have a fever ❷drop you off ❸will be here
15 ❶Here it is ❷without a flash ❸put your camera
16 ❶go with me ❷pick up ❸I'll join you
17 ❶when you're done ❷do me a little favor ❸they are all taken
18 ❶write an essay ❷where to start ❸not a bad idea
19 ❶I'm looking for ❷in another color ❸try them on
20 ❶where can I find ❷Aren't you looking for ❸would you try

01 그림 정보 – 날씨 | ③

해석

남 안녕하세요. 일기예보입니다. 비가 오고 바람도 불 것이기 때문에 여러분은 아마도 오늘 우산이나 우비가 필요하실 거예요. 온도는 내일 더 낮아질 것이라서 비는 눈으로 변할 것입니다. 한동안 눈 오는 날이 될 것이고, 금요일에는 다시 화창해지겠습니다. 감사합니다.

해설 내일은 온도가 낮아져 비가 눈으로 변할 거라고 했으므로 ③이 적절하다.

어휘 weather report 일기예보 probably 아마도 umbrella 우산 raincoat 우비 temperature 온도 change into ~으로 변하다 for a while 잠시 동안

02 세부 정보 Ⅱ – 구입할 물건 | ④

해석

남 도와드릴까요?

여 네, 부탁드려요. 저는 제 열세 살짜리 딸을 위한 선물을 찾고 있어요.

남 이 셔츠는 어떠세요? 줄무늬가 요즘 십대들 사이에서 인기가 많아요.

여 그녀에겐 그런 셔츠가 많이 있어요. 저것을 보여 주시겠어요?

남 목둘레에 리본이 달린 블라우스 말씀이세요?

여 네. 그것이 예쁜 것 같네요.

남 저는 그녀가 그것을 좋아할 것이라고 확신합니다.

여 알겠습니다. 이것으로 살게요.

해설 여자는 목둘레에 리본이 달린 블라우스를 보여 달라고 한 후 그 옷을 샀다고 했다.

어휘 look for ~을 찾다 stripe 줄무늬 be popular with ~에게 인기 있다 teenager 십대 show 보여주다

03 심정 · 이유 – 심정 | ⑤

해석

남 오, 이 귀여운 강아지 좀 봐. 그녀는 네 새 애완동물인가 보구나.

여 응, 그녀는 겨우 이틀 전에 우리 집으로 왔어. 하지만 그녀는 지난 이틀 동안 아무것도 먹지 않았어!

남 정말? 어째서?

여 나도 모르겠어. 그녀가 나에게 말할 수 있으면 좋겠어.

남 아마도 네가 수의사에게 지금 당장 가야만 할 것 같아.

여 네 말이 맞는 것 같아.

해설 애완동물이 이틀 동안 아무것도 먹지 않는다고 했으므로 여자의 심정으로 가장 적절한 것은 ⑤ '걱정스러운'이다.
① 행복한 ② 자랑스러운 ③ 만족하는 ④ 외로운

어휘 cute 귀여운 pet 애완동물 How come? 어째서? vet 수의사

04 세부 정보 Ⅰ – 한 일 | ①

해석

남 휴…. 내가 늦어서 미안해.

여 네 머리는 왜 젖었니? 너 수영 수업에서 오는 거니?

남 아니, 나는 학교에서 오는 거야.

여 학교? 왜? 오늘은 토요일인데.

남 나는 오전에 우리 반 친구들과 축구를 하고 그 후에 바로 급하게 샤워를 했거든.

여 아하. 그랬구나.

해설 남자는 오전에 친구들과 축구를 한 후 샤워를 했다고 했으므로 남자가 오전에 한 일로는 ①이 가장 적절하다.

어휘 wet 젖은 classmate 반 친구 take a shower 샤워를 하다 afterward 나중에, 그 후에

05 직업 · 장소 · 관계 – 장소 | ④

해석

여 고기와 밥을 드시겠어요, 아니면 생선과 채소를 드시겠어요?

남 고기와 밥으로 주세요.

여 알겠습니다. 마실 것은 어떻게 하시겠습니까?

남 그냥 얼음이 좀 담긴 물을 주세요. 우리는 몇 시에 영국에 도착할 예정인가요?

여 비행시간이 7시간이므로, 우리는 히드로 공항에 한 시간 후에 도착할 것입니다.

남 정말 고맙습니다.

여 천만에요, 손님.

해설 대화의 마지막 부분에서 여자가 비행시간과 도착 예정 시간을 안내하고 있으므로 두 사람이 대화하는 장소로는 ④가 알맞다.

어휘 flight time 비행시간 in an hour 한 시간 후에

06 목적 · 의도 – 의도 | ⑤

해석

남 이봐, Sarah. 네 한국어 시험은 어떻게 됐니?

여 잘 못 봤어.

남 정말? 하지만 나는 네가 한국어를 매우 열심히 공부해 온 것을 아는데.

여 나도 내가 그랬다고 생각하는데, 아마 내가 언어 배우는 것을 그렇게 잘 하지 못하나 봐.

남 힘내! 더 좋아질 거야.

해설 Cheer up! Things will get better.는 격려하거나 위로할 때 쓰는 표현이다.

어휘 language 언어 go well 잘 되어가다 get better 좋아지다, 호전되다

07 숫자 정보 - 인원수 | ③

해석

남 그래서 이제 내가 영화 티켓을 예약할 수 있는 거야?

여 응. 너와 나를 포함해서 5명인 거지, 맞지?

남 아니, 네 명이야.

여 네 명? 누가 오지 않니?

남 Grace가 내게 전화해서 이미 그 영화를 봤다고 말했어.

여 벌써? 하지만 그녀는 이번에 우리와 영화 보러 가기로 약속했잖아.

남 그녀가 미안하다고 말했어. 나는 그녀가 다음번에는 우리와 같이 갈 거라고 확신해.

해설 5명이 영화를 보러 가기로 했으나 Grace가 이미 본 영화라며 취소했다고 했으므로 영화는 4명이 보러 갈 것이다.

어휘 book 예약하다 including ~을 포함하여

08 세부 정보 I - 할 일 | ④

해석

[학교 종이 울린다.]

남 드디어, 점심시간이야. 가자!

여 글쎄, 나는 줄을 서며 내 시간을 낭비하고 싶지 않아.

남 너 점심을 안 먹겠다는 말이야?

여 아니, 나는 우선 학교 도서관에서 몇 권의 책을 읽을 거야.

남 아하, 그리고 너는 줄이 길지 않을 때 나중에 식당에 갈 거구나.

여 바로 그거야.

남 그거 나쁘지 않은 생각인데. 그럼 그때 함께 가자.

해설 점심시간에 학교 식당 줄이 길어 도서관에 갔다가 나중에 식당에 간다고 했으므로 대화 직후에 그들은 도서관에 갈 것이다.

어휘 finally 마침내 waste 낭비하다 stand in line 한 줄로 서다 mean 의미하다 library 도서관 cafeteria (교내) 식당 later 나중에

09 세부 정보 II - 점심 메뉴 | ③

해석

남 너는 점심으로 무엇을 먹고 싶니?

여 내가 이 근처에 훌륭한 피자 식당을 알아.

남 사실, 나는 3일 연속해서 피자와 햄버거를 먹었어. 우리 지방이 많지 않은 다른 것을 먹을 수 있을까?

여 한국 음식은 어때?

남 오, 내가 이 근처에 괜찮은 한식당 한 곳을 알아. 사람들이 그곳의 비빔밥이 서울에서 최고 중에 하나라

고 말했어.

여 그래. 그곳에 가자!

해설 남자가 한국 식당을 알고 있다며 비빔밥을 추천했고, 이에 대해 여자가 동의했으므로 두 사람은 점심 식사로 비빔밥을 먹을 것이다.

어휘 in a row 잇달아, 연달아 fatty 지방이 많은

10 주제 · 속담 - 주제 | ①

해석

남 야구를 좋아하세요? 류현진이나 추신수처럼 훌륭한 선수가 되고 싶으세요? 저희는 학교 야구 동아리인 Butterfly입니다. 저희는 야구에 관심이 있는 사람들을 찾고 있습니다. 야구를 좋아하는 사람이라면 누구든지 저희 문을 두드리실 수 있습니다. 관심이 있으시다면, 언제든지 저희를 방문해 주세요. 감사합니다.

해설 야구 동아리에서 동아리를 홍보하고 회원을 모집하려 하는 안내문이다.

어휘 look for ~을 찾다(구하다) have an interest in ~에 관심을 갖다 knock 두드리다

11 목적 · 의도 - 목적 | ①

해석

[전화벨이 울린다.]

남 Tom's 식료품점입니다. 도와드릴까요?

여 여보세요. 제가 어제 거기서 콩을 한 통 샀어요. 그것들이 상한 것 같아요.

남 오, 정말 죄송합니다. 그 캔을 영수증과 함께 가져와 주세요. 그러면 저희가 그것을 새것으로 교환해 드릴게요.

여 음, 저는 콩을 원하지 않아요. 저는 환불을 받고 싶어요.

남 그러면 환불해 드릴게요.

여 고맙습니다. 오늘 언제 문 닫으시죠?

남 저희는 저녁 9시에 닫습니다.

해설 남자는 물건 교환을 제안했지만 여자는 남자에게 환불을 요구하고 있다.

어휘 bean 콩 receipt 영수증 exchange 교환하다 refund 환불

12 내용 일치 | ④

해석

[전화벨이 울린다.]

여 여보세요. 하나 유기견 보호소입니다.

남 여보세요. 저는 제 강아지를 찾고 있습니다. 아주 작은 흰색 개를 데리고 계신가요?

여 저희에게 당신의 개에 대해 더 말씀해 주세요. 여기에 흰 강아지가 너무 많아서 확인해 드릴 수가 없어요.

남 음, 그녀는 빨간 스웨터를 입고 갈색 개 목걸이를 하고 있었어요.

여 언제 어디서 잃어버리셨나요?

남 사당 공원에서 어제 저녁 7시 정도요.

여 어제요? 이번 주에는 흰색 강아지를 발견하지 못했어요. 죄송하지만, 그녀는 여기 없겠네요.

남 혹시 그녀를 찾으시면 전화해 주실 수 있으세요? 제 전화번호는 070-1234-5678입니다.

여 그래요. 너무 걱정하지 마세요. 그녀를 곧 찾을 거예요.

해설 남자가 강아지를 잃어버린 것이 어제라고 이야기하고 있으므로 ④가 내용과 일치하지 않는다.

어휘 dog shelter 유기견 보호소 dog collar 개 목걸이

13 세부 정보 Ⅱ - 구입한 물건 | ⑤

해설

남 안녕, Jenny. 너 어디에서 오는 거야?

여 안녕. 나는 문구점에 갔었어.

남 너는 무엇을 샀니?

여 나는 펜 몇 자루랑 공책 몇 권, 그리고 내 남동생을 위한 선물도 몇 개 샀어.

남 그의 생일을 위해서?

여 아니. 내 남동생이 이제 막 초등학교를 다니기 시작했거든. 그래서 내가 그에게 연필 몇 자루랑 필통 한 개를 사 주었어.

남 오, 너는 정말 좋은 누나구나.

해설 여자는 자신을 위한 펜 몇 자루와 공책 몇 권을 사고, 초등학생이 되는 동생을 위해 연필 몇 자루와 필통 하나를 샀다고 했지만, 지우개는 사지 않았다.

어휘 stationery store 문구점 elementary school 초등학교 pencil case 필통

14 장소 · 관계 · 직업 - 관계 | ①

해설

남 실례합니다, Moore 선생님.

여 안녕, 민준아. 무슨 일이니?

남 제가 열이 있는데, 점점 심해지고 있어서요.

여 그러면 너는 병원에 가야 해. 나는 오후에는 어떤 수업도 없거든. 내가 너를 병원에 데려다줄 수 있어.

남 사실, 제가 저희 엄마에게 전화를 해서, 그녀가 여기 곧 오실 거예요.

여 알겠다. 너의 남은 수업들에 대해서는 걱정하지 마렴.

남 감사합니다, Moore 선생님.

해설 열이 점점 심하게 나는 학생이 선생님에게 자신의 상황을 말씀드리고 있는 내용의 대화이다.

어휘 have a fever 열이 나다 get worse 악화되다 drop ~ off at ~에 내려 주다 rest 나머지

15 세부 정보 Ⅱ - 한 일 | ⑤

해설

여 티켓을 보여 주시겠습니까?

남 그럼요. 여기 있습니다.

여 감사합니다, 손님. 아, 당신은 이 박물관에서 사진을 찍으실 수 없습니다.

남 정말요? 플래시 없이 사진을 찍는 것조차 허용이 안되나요?

여 죄송합니다, 손님. 찍으실 수 없으세요. 그러니 카메라를 당신의 가방에 넣어 주시겠어요?

남 알겠습니다.

여 협조해 주셔서 감사드립니다.

해설 카메라 촬영이 금지되어 있다는 안내를 하며 카메라를 가방에 넣으라고 부탁했다.

어휘 take a picture 사진을 찍다 museum 박물관 be allowed 허용되다 cooperation 협조, 협력

16 심정 · 이유 - 이유 | ①

해설

여 나는 오늘 오후에 민지와 Tony랑 놀까 생각 중이야. 너도 나와 같이 갈래?

남 나도 그러고 싶은데, 난 갈 수 없어.

여 왜? 너 무슨 다른 계획이 있니?

남 응. 나는 호주에서 오시는 우리 삼촌을 모시러 가야 해.

여 그래서 너는 공항에 갈 거야?

남 응. 아마 다음번에 너희랑 함께 할 거야.

여 알겠어. 나중에 봐.

해설 남자는 호주에서 오시는 삼촌을 모시러 공항에 가야 한다고 했다.

어휘 hang out 놀다, 시간을 보내다 plan 계획 pick up ~을 데리러 가다 join 함께하다, 합류하다

17 그림 정보 - 상황에 적절한 대화 | ④

해설

① 남 다섯 시에 저를 데리러 와 주실 수 있으세요?
　여 그럼. 마치면 전화하렴.

② 남 집에서 학교까지 얼마나 걸리니?
　여 30분 정도 걸려.

③ 남 제 작은 부탁을 들어주실 수 있으세요?
　여 뭔데요? 이야기해 보세요.

④ 남 네 원피스 어떠니?
　여 아주 마음에 들어요. 고마워요, 아빠.

⑤ 남 창가 자리로 할 수 있을까요?

　여 죄송하지만 모두 나갔습니다.

해설 남자가 여자에게 옷에 대한 의견을 물었고, 여자는 마음에 든다고 답하는 ④가 적절하다.

어휘 pick up ~을 데리러 가다; ~을 뽑다 faver 호의, 친절

18 주제·속담 - 속담 | ③

해석

남 너 뭐하고 있니, Olivia?

여 나는 내 삶에 대해서 에세이를 쓰려고 하는 중인데, 한 시간 동안 아무것도 쓰지 못했어.

남 뭐가 문제야?

여 나는 어디서 시작해야 할지 모르겠어, 그리고 나는 그냥 내 삶에 대해서 긴 이야기를 쓰지 못하겠어.

남 그렇다면 첫 번째 단락만 쓰는 것을 생각해 봐. 그 후에 너는 더 많은 단락을 하나씩 덧붙일 수 있어.

여 그거 나쁘지 않은 생각인데. 고마워.

해설 에세이 쓰는 데 어려움을 겪는 여자에게 남자는 첫 번째 단락을 쓰는 것만 생각해 보라고 충고하고 있으므로 적절한 속담은 ③이다.

어휘 essay (짧은) 쓰기 과제물 paragraph (글의) 단락 one by one 하나씩, 차례차례

19 적절한 응답 찾기 | ②

해석

여 안녕하세요. 저는 청바지를 좀 찾고 있습니다. 추천 좀 해 주시겠어요?

남 물론이죠. 여러 유명한 영화배우들이 광고를 해서 요즘 이것들이 인기가 많습니다.

여 저는 그 디자인은 마음에 드는데, 그것과 같은 것으로 다른 색상이 있나요?

남 물론이죠. 여기 있습니다. 입어 보시는 것이 어떠세요?

여 알겠습니다. 탈의실이 어디죠?

남 저를 따라오세요.

해설 옷을 입어 보기 위해 탈의실이 어딘지 묻고 있으므로 ②가 적절한 응답이다.

① 저는 모르겠어요.

③ 별 말씀을요.

④ 저는 그것을 믿을 수가 없어요.

⑤ 동감이에요.

어휘 jeans 청바지 recommend 추천하다 popular 인기 있는 advertise 광고하다 fitting room 탈의실

20 적절한 응답 찾기 | ①

해석

남 실례합니다만, 미국 역사책을 어디서 찾을 수 있나요?

여 Section D에 있습니다. 쭉 가셔서 모퉁이에서 왼쪽으로 도세요.

남 Section D는 외국 서적 아닌가요?

여 맞아요. 미국 책을 찾고 계시는 것 아닌가요?

남 아니에요. 저는 미국 역사에 관한 역사책을 찾고 있는 거예요.

여 죄송합니다. 그럼 Section E로 가 보시겠어요?

남 그럴게요. 감사합니다.

해설 길 안내를 받은 후 상대방에게 감사 표현을 하는 ①이 적절한 응답이다.

② 어째서요? 저랑 함께 가세요.

③ 저는 외국 서적을 찾고 있습니다.

④ 그게 제가 역사책을 좋아하는 이유예요.

⑤ 네. 다음 주에 그곳을 방문할 거예요.

어휘 go straight 직진하다 foreign 외국의

2회 실전 모의고사　p.110-111

01 ⑤	02 ⑤	03 ②	04 ①	05 ②	06 ①
07 ⑤	08 ②	09 ⑤	10 ③	11 ③	12 ④
13 ①	14 ④	15 ②	16 ⑤	17 ④	18 ⑤
19 ①	20 ④				

2회 Dictation Test　p.112-117

01 ❶curious about your trip ❷tell me about ❸enjoy myself at all

02 ❶did you pack ❷take pictures ❸Have a great trip

03 ❶just finished ❷how you feel ❸expecting good grades

04 ❶I'd love to ❷finish it early ❸I'll pay for

05 ❶May I see ❷How many bags ❸Would you like to

06 ❶how do you like ❷far from school ❸take a bus

07 ❶bought it ❷a little heavy ❸without using

08 ❶picking me up ❷was too long ❸for a second

09 ❶their favorite sport ❷the most popular ❸the least popular

10 ❶As you know ❷watch a video ❸take part in

11 ❶caught your last cold ❷get rid of ❸prevent various diseases

12 ❶I've just received ❷There's a crack ❸send it to you

13 ❶get a haircut ❷does it cost ❸I'll be ready

14 ❶wait a minute ❷will it take ❸depends on

15 ❶What's the matter ❷might be on ❸whether it's there

16 ❶this weekend ❷better not to go ❸don't be mistaken

17 ❶how to play ❷How's everything going ❸How often

18 ❶good so far ❷root for ❸a great performance

19 ❶is about to ❷get back to studying ❸turning down

20 ❶why the long face ❷is leaving for ❸must be so sad

01 그림 정보 – 날씨 | ⑤

해석

남 Lucy, 네 방학은 어땠어? 나는 네 로키 산맥 여행이 몹시 궁금해.

여 대단했어. 나는 산속에서 아름다운 눈 오는 날들을 즐겼어.

남 너는 그곳에서 스키를 즐기기도 했니?

여 물론이지. 이제, 네 여행에 대해서 내게 말해 주렴.

남 오, 나는 오사카에 갔는데, 구름이 끼고 비가 왔어. 나는 전혀 즐길 수가 없었어.

해설 여자는 산에서 눈 오는 아름다운 날들을 즐겼다고 했다. 남자의 말을 듣고 헷갈리지 않도록 한다.

어휘 curious 궁금한; 호기심이 많은 absolutely 무조건, 정말로

02 세부 정보 Ⅱ – 소풍에 가져갈 것이 아닌 것 | ⑤

해석

여 Peter, 너는 학급 소풍에 가져갈 짐은 쌌니?

남 네, 엄마. 저는 약간의 김밥, 물 한 병, 그리고 책 한 권을 쌌어요.

여 그게 다야? 네 휴대전화는?

남 그것은 제 주머니에 있어요.

여 그리고 네 디지털카메라는? 넌 사진을 찍고 싶어질 수도 있어.

남 걱정하지 마세요, 엄마. 저는 제 휴대전화로 찍을 수 있어요.

여 그래, 알았다. 멋진 여행이 되길 바라!

해설 휴대전화로도 사진을 찍을 수 있다고 하면서 남자는 디지털카메라는 가져가지 않을 거라고 했다.

어휘 pack (짐을) 싸다, 챙기다 pocket 주머니

03 심정 · 이유 – 심정 | ②

해석

여 John, 너 피곤해 보인다. 무슨 문제 있니?

남 나는 방금 기말고사를 끝마쳤어.

여 오, 나는 네 기분이 어떤지 정확히 짐작할 수 있을 것 같아. 너는 틀림없이 지쳤을 거야.

남 응, 그래. 하지만 적어도 이번 학기가 드디어 끝났어.

여 잘 됐네. 너는 좋은 성적을 기대하고 있니?

남 모르겠어. 하지만 나는 오늘부터 내 방학을 즐길 수 있기 때문에 지금은 기분이 좋아.

해설 마지막에 남자는 오늘부터 방학을 즐길 수 있어 기분이 좋다고 했다.

어휘 guess 추측하다, 짐작하다 exactly 정확히 exhausted 지친, 기진맥진한 at least 적어도 semester 학기 expect 기대하다 grade 성적, 학점

04 세부 정보 Ⅰ – 할 일 | ①

해석

남 너 오늘 밤에 영화 보러 갈래?

여 그러고 싶긴 한데, 나는 해야 할 숙제가 많아.

남 너 과학 숙제를 말하는 거니?

여 응. 나는 그것을 오후 6시까지 우리 과학 선생님께 이메일로 보내야 해.

남 네가 그것을 일찍 끝낼 수 있게 내가 너를 도와줄게. 그러면 우리가 영화를 보러 갈 수 있어, 맞지?

여 오, 정말? 그럼 내가 티켓을 살게.

남 좋은데. 서두르자!

해설 숙제가 많아 영화를 보러 가지 못한다는 여자를 위해 남자는 숙제를 도와주겠다고 했다.

어휘 early 빨리, 일찍 pay for ~의 비용을 지불하다

05 직업 · 장소 · 관계 – 장소 | ②

해석

남 당신의 전자 항공권과 여권을 보여 주시겠습니까?

여 여기 있습니다.

남 몇 개의 가방을 부치시겠습니까?

여 하나만 부탁드려요.

남 알겠습니다. 창가 쪽 자리로 하시겠습니까, 통로 쪽 자리로 하시겠습니까?

여 창가 쪽 자리로 해 주세요.

남 알겠습니다. 여기 당신의 탑승권과 여권입니다. 즐거운 여행 되십시오.

해설 항공권과 여권을 보여 달라고 하고 가방을 부칠지 등을 묻는 것으로 보아 공항에서 이루어지는 대화이다.

어휘 e-ticket 전자 항공권 passport 여권 aisle seat 통로 쪽 자리 boarding pass 탑승권

06 목적·의도 - 의도 | ①

해석

여 Mike, 네 새 집 좋으니?

남 그 집은 아주 좋아. 우리는 집의 벽을 파란색으로 칠했는데, 나는 그 색이 정말 좋아.

여 네 새 집은 학교에서 멀지 않니?

남 조금 멀어. 걸어서 30분 정도 걸려.

여 버스를 타지 그래?

남 집 근처에 버스 정류장이 없어.

여 그러면 자전거를 타는 것이 좋겠다. 30분은 너무 길어.

해설 집 근처에 버스 정류장이 없다고 하는 남자에게 여자는 자전거 탈 것을 권하고 있다.

어휘 far from ~에서 멀리 떨어진 had better ~하는 게 낫다

07 내용 일치 | ⑤

해석

남 너는 새 디지털카메라를 샀니?

여 응! 나는 그것을 어제 샀어.

남 와, 그것은 무슨 특별한 기능을 갖고 있니?

여 나는 이 카메라로 동영상을 만들 수 있고, 이것은 사람들이 미소 지으면 자동으로 사진을 찍어.

남 멋진데, 하지만 그것은 약간 무거워 보인다.

여 전혀 아니야. 이것은 고작 300그램이야. 하나 더 있어. 나는 선이 없이도 사진을 인쇄할 수 있어.

남 대단하다.

해설 선 없이도 사진을 인쇄할 수 있다고 했으므로 ⑤가 내용과 일치하지 않는다.

어휘 function 기능 automatically 자동으로 cable (인터넷·전화 등의) 선, 전선 unbelievable 믿을 수 없는, 놀라운

08 세부 정보 I - 할 일 | ②

해석

남 오랜만이야, 민지야.

여 안녕, Brian. 나를 데리러 와 줘서 고마워.

남 괜찮아. 네 여행은 어땠어?

여 그것은 꽤 즐거웠어. 비행시간이 너무 길었지만.

남 너는 지쳤겠다. 서둘러 집에 가자. 네 어머니께서 너

를 기다리고 계셔.

여 알겠어, 하지만 잠깐만 기다려 줄 수 있어? 나는 화장실에 가야 해.

남 물론이지. 여기서 기다릴게.

해설 마지막 여자의 말에서 화장실에 가야 하니 기다려 달라고 했으므로 여자가 대화 직후에 할 일은 ②이다.

어휘 pick up ~을 데리러 가다 enjoyable 즐거운 though 그렇지만, 하지만 hurry 급히(서둘러) 가다 restroom (공공장소의) 화장실

09 세부 정보 II - 인기 없는 스포츠 | ⑤

해석

남 우리는 다수의 남자 중학생들에게 체육 시간에 그들이 가장 좋아하는 스포츠에 대해 물어봤습니다. 많은 다른 종류의 스포츠 중, 축구가 가장 인기가 많습니다. 농구는 두 번째이고, 배드민턴이 그 뒤를 잇습니다. 학생들은 배구를 좋아하는 것 같지 않습니다. 사실, 그것은 가장 인기가 없는 스포츠입니다.

해설 마지막 부분에서 배구가 가장 인기 없는 스포츠라고 했다.

어휘 among ~ 중에서 follow 뒤를 잇다; 뒤따르다 actually 사실은

10 세부 정보 II - 행사 내용 | ③

해석

남 안녕하세요, 여러분! 알다시피 학교 축제가 오늘입니다. 여러분은 학급 친구들과 단체 사진을 찍고 오전 9시부터 10시까지는 작년 축제에 관한 영상물을 볼 예정입니다. 11시에는 노래자랑 대회가 열릴 것입니다. 점심 식사 후에, 여러분들은 3시까지 다양한 단체 활동에 참여할 예정입니다. 여러분들이 축제를 즐기시길 바랄게요. 감사합니다.

해설 오전 11시에는 노래자랑 대회가 열린다고 했다.

어휘 festival 축제 contest 대회, 시합 take part in ~에 참가하다 variety 여러 가지, 각양각색 group activity 단체 활동

11 주제·속담 - 주제 | ③

해석

남 마지막에 걸렸던 감기를 어떻게 생각하세요? 아마도 여러분은 그때 날씨가 너무 추워서 그랬을 수도 있다 생각하지만, 사실은 감기 바이러스 때문이었습니다. 여러분의 손을 잘 씻는 것만으로도, 많은 바이러스들을 없앨 수 있어요. 손을 잘 씻는 것은 또한 여러분의 건강을 돌보기 위한 가장 쉽고 저렴한 방법입니다. 만약 여러분이 손을 잘 씻으면, 여러분은 다양한 질병을 예방할 수 있습니다. 화장실을 사용한 이후나

요리하기 전에, 손을 반드시 잘 씻으셔야 합니다.

해설 남자는 손을 잘 씻는 것이 쉽고 저렴한 건강 관리 방법이라며 반복하여 강조하고 있다.

어휘 at that time 그때 actually 사실은 get rid of ~을 없애다 cheap 싼, 저렴한 prevent 예방하다

12 목적 · 의도 – 목적 | ④

해석

[전화벨이 울린다.]

여 스마일 사진관입니다. 무엇을 도와드릴까요?

남 안녕하세요. 제가 그저께 주문한 액자에 든 사진을 방금 받았어요.

여 오, 무슨 문제라도 있나요, 손님?

남 상단 오른쪽 모퉁이에 금이 갔어요. 그래서 당신이 저에게 새것을 보내 주셨으면 좋겠어요. 저는 매우 실망했습니다.

여 오, 그렇다니 유감입니다. 저희가 새것으로 제작해서 고객님께 바로 보내 드릴게요.

남 감사합니다.

해설 남자는 여자에게 주문한 액자에 금이 가 있어서 새것으로 바꿔 달라고 요청하고 있다.

어휘 receive 받다 framed 액자에 든, 틀에 끼운 the day before yesterday 그저께 crack (갈라져 생긴) 금, 틈 disappointed 실망한

13 숫자 정보 – 금액 | ①

해석

남 안녕하세요. 제 강아지가 이곳에서 털을 깎을 수 있을까요?

여 물론이죠, 하지만 제가 지금 당장은 다른 개를 작업 중이라서요. 기다리시겠어요?

남 알겠습니다, 그런데 가격은 얼마인가요?

여 정가는 20달러이지만, 오전 9시에서 오전 11시 사이에는 50% 할인이 됩니다.

남 오, 지금 오전 10시네요. 그렇다면 아주 적당한 가격이군요.

여 자리에 앉으세요. 저는 10분 안에 준비가 될 거예요.

남 감사합니다.

해설 헤어컷 정가($20)×$\frac{1}{2}$(오전 할인 50%)= $10

어휘 haircut 이발 cost (값 · 비용 등이) ~이다(들다) regular price 정가 reasonable 적당한, 합리적인

14 직업 · 장소 · 관계 – 관계 | ④

해석

남 어디로 가시죠, 손님?

여 코리아타운의 아리랑 식당으로 부탁드립니다.

남 알겠습니다. 오, 잠시만 기다리세요. 안전벨트를 맸는지 꼭 확인하세요.

여 알겠어요. 그런데, 그곳까지 가는 데 얼마나 걸리나요?

남 교통량에 달렸지만, 주로 이곳에서 20분 정도 걸립니다.

여 나쁘지 않네요.

해설 어디로 가는지 묻고 있고 안전벨트 착용을 확인하는 것으로 보아 두 사람은 택시 기사와 승객의 관계이다.

어휘 fasten 매다, 채우다 seatbelt 안전벨트 depend on ~에 달려 있다; 의존하다 traffic 교통(량)

15 세부 정보 I – 한 일 | ②

해석

[전화벨이 울린다.]

여 여보세요?

남 여보세요, 진희야. 나 Jason이야. 너 지금 교실에 있니?

여 아니, 교실에 없는데. 뭐가 문제야?

남 내가 지갑을 잃어버린 것을 지금 막 깨달았어. 내 책상에 둔 것 같아.

여 나는 교실에 있지는 않지만, 아직 학교에 있어. 내가 그게 거기 있는지 없는지 보러 갈게.

남 그렇게 해 줄래? 정말 고마워.

해설 남자는 여자에게 교실에 가서 책상에 자신의 지갑이 있는지를 확인해 달라고 부탁하고 있다.

어휘 wallet 지갑 still 여전히 whether ~인지

16 심정 · 이유 – 이유 | ⑤

해석

여 민호야, 이번 주말에 어디 가니?

남 사실 어디 안 가. 왜 물어봐?

여 음, 나는 Ted랑 Sue하고 이번 주말에 조부모님 댁을 방문할 거야. 너 우리랑 같이 가고 싶니? 해안가 근처에 있어서 물놀이를 할 수 있어.

남 정말 그러고 싶은데, 나는 안 가는 것이 좋을 것 같아.

여 왜? 그들이랑 어울려 놀기 싫어?

남 아, 오해하지 마. 그냥 가족들이랑 봄맞이 대청소를 해야 할 뿐이야.

해설 남자의 마지막 말을 통해 가족들과 대청소를 하기로 해서 제안을 거절했음을 알 수 있다.

어휘 seashore 해안 get along with ~와 잘 지내다 spring cleaning 봄맞이 대청소

17 그림 정보 – 상황에 적절한 대화 | ④

해석

① 남 너는 그 영화 어땠니?
　여 나는 정말 좋았어.

② 남 너는 바둑 두는 법을 알고 있니?
　여 아니, 잘 몰라.

③ 남 너는 어떻게 지내니?
　여 모든 게 좋아, 고마워.

④ 남 이 사람들이 내 가족 구성원들이야.
　여 너 네 아버지를 많이 닮았다.

⑤ 남 너 얼마나 자주 요가 수련을 하니?
　여 일주일에 두 번이나 세 번.

해설 그림 속 남자와 여자가 함께 사진을 보며 대화를 나누고 있으므로 ④가 적절하다.

어휘 perfectly 완벽히 resemble 닮다 practice 연습하다

18 주제 · 속담 – 속담 | ⑤

해석

남 우리 가을 정기 연주회 계획은 어때?

여 지금까지는 좋아. 아, 날짜가 정해졌어. 11월 27일 금요일이야. 너 올 수 있니?

남 나는 당연히 갈 거야. 몇 시야?

여 일곱 시이고, 도봉 아트 센터에서 해. 와서 내 성공적인 바이올린 연주를 응원해 줘.

남 물론이지. 표는 어떻게 살 수 있어?

여 그럴 필요 없어. 내가 너에게 초대권을 줄게. 네가 필요한 표가 몇 장인지만 내게 말해 줘.

남 고마워. 난 훌륭한 공연을 할 거라 확신해.

해설 여자는 입장권 구입 방법에 대해서는 언급하지 않았다.

어휘 regular 정기적인 so far 지금까지 fix 확정하다 definitely 분명히 root for ~을 응원하다 successful 성공적인

19 적절한 응답 찾기 | ①

해석

남 민지야, 우리 야구 경기 보자. 그것은 막 시작하려고 해.

여 오늘의 경기가 결승전이지요, 그렇죠?

남 맞아. 승자가 챔피언이 될 거야.

여 저도 그것을 보고 싶은데, 내일 수학 시험이 있어요. 저는 공부하러 돌아가야 해요.

남 매우 안타깝구나.

여 괜찮아요, 아빠, 하지만 음량을 조금 줄여 주시겠어요?

남 <u>물론이지.</u>

해설 야구 결승전을 보고 싶으나 시험공부를 하러 가야 한다면서 아빠에게 음량을 줄여 달라고 부탁하는 것으로 보아 남자의 마지막 대답으로는 ①이 적절하다.

② 난 그것을 기대해.

③ 응, 난 의심의 여지가 없어.

④ 그것은 참 흥미롭구나.

⑤ 그 소식을 들으니 기뻐.

어휘 be about to 막 ~하려고 하다 champion 챔피언, 선수권 대회 우승자 turn down (소리 · 온도 등을) 낮추다 volume 음량, 볼륨

20 적절한 응답 찾기 | ④

해석

남 안녕, 지민아.

여 야, 넌 왜 그렇게 우울한 표정이야? 괜찮아?

남 사실은 안 괜찮아. 내 가장 친한 친구인 지현이가 도쿄로 곧 떠나거든.

여 정말? 네 말은 그녀가 그곳에서 영원히 산다는 거야?

남 아니. 그녀는 그곳에서 당분간 일본어를 공부할 거래.

여 오, 너는 정말 슬프겠다. 그녀는 그곳에서 얼마나 머물 예정이래?

남 <u>그녀는 그곳에서 2년 동안 공부하는 것을 생각 중이야.</u>

해설 여자의 마지막 말에서 얼마나 오래 머물지에 대해 묻고 있으므로 이에 대한 대답으로 적절한 것은 ④이다.

① 나는 그것을 그저께 들었어.

② 이번이 그녀의 첫 번째 일본 방문이야.

③ 비행기로 2시간이 걸려.

⑤ 그녀와 나는 우리가 다섯 살이었을 때부터 알고 지냈어.

어휘 long face 시무룩한 얼굴 leave for ~으로 떠나다 forever 영원히 for a while 잠시 동안, 얼마간

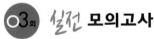

03회 실전 모의고사 p.118-119

01 ④	02 ①	03 ⑤	04 ④	05 ③	06 ②
07 ③	08 ③	09 ②	10 ⑤	11 ④	12 ⑤
13 ⑤	14 ②	15 ②	16 ⑤	17 ④	18 ③
19 ④	20 ③				

01 ❶a long rainy week ❷It'll be cloudy ❸rest of the week

02 ❶bought it ❷stripes on it ❸on the outside

03 ❶What are we going ❷it was so good ❸The sign says

04 ❶is visiting us ❷Why don't we ❸have any ideas

05 ❶a bit dirty ❷order another one ❸wait till then

06 ❶You are good at ❷messed up ❸Why don't we

07 ❶going on a picnic ❷take the subway ❸We've already paid

08 ❶going right now ❷want me to exchange ❸on the way to

09 ❶my friends and myself ❷a little expensive ❸five of them

10 ❶hope you enjoyed shopping ❷take your time ❸near future

11 ❶keep in shape ❷try not to eat ❸get enough sleep

12 ❶telling me about ❷have lunch there ❸downloaded it online

13 ❶I'm supposed to ❷until then ❸need to return

14 ❶open an account ❷fill out this form ❸sign your name

15 ❶How about ❷too expensive to buy ❸put it ❹Let's buy

16 ❶wake up late ❷crashed into ❹I'm glad

17 ❶Are you planning to ❷You can say that ❸just around the corner

18 ❶how to dance ❷at the age of ❸the rest of your life

19 ❶must have dropped it ❷take it ❸Where is the nearest

20 ❶have you read ❷become a writer ❸I should read it ❹borrow yours

01 **그림 정보 – 날씨 | ④**

해석

여 안녕하세요. 이번 주 일기예보입니다. 비가 내렸던 긴 일주일 후에, 우리는 드디어 화창한 월요일을 맞이했습니다. 하지만, 이 맑은 하늘이 아주 오래 지속할 것이라고 기대하지 마세요. 오늘 밤을 시작으로 구름이 낄 것이며, 내일 아침에는 뇌우가 예상됩니다. 그런 후에, 이번 주 내내 맑고 화창할 것입니다.

해설 이번 주 내내 맑고 화창하겠지만 내일 오전엔 뇌우가 예상된다고 했다.

어휘 weather forecast 일기예보 expect 예상하다 clear 맑은 thunderstorm 폭우, 뇌우

02 **세부 정보 Ⅱ – 남자의 배낭 | ①**

해석

여 안녕, Paul. 이 배낭 좀 봐. 나는 이것을 어제 샀어.

남 좋아 보인다. 사실, 나는 네 것이랑 아주 비슷한 것을 가지고 있어.

여 정말? 네 가방에도 줄무늬가 있니?

남 응, 또한 내 것에도 곰 그림이 있어. 유일한 차이는 내 가방은 바깥에 주머니가 있다는 거야.

여 그렇구나. 내일 네 것을 가져오는 게 어때?

남 그럴게.

해설 줄무늬에 곰 그림이 있고, 바깥에 주머니가 있는 배낭을 골라야 한다.

어휘 backpack 배낭, 백팩 stripe 줄무늬 only 유일한; 단지 difference 차이

03 **심정 · 이유 – 심정 | ⑤**

해석

여 우리 점심으로 무엇을 먹을 거야?

남 나는 버거 타운이 '슈퍼 버거'로 매우 유명하다고 들었어. 우리 거기 가도 돼?

여 물론이지. 나는 '슈퍼 버거'를 전에 먹었는데, 아주 좋았어. 거기 가자.

남 고마워. 정말 신난다.

여 봐. 간판에 문을 닫았다고 쓰여 있네.

남 오 안 돼… 우린 다시 와야겠다.

해설 '슈퍼 버거'를 먹고 싶어서 해당 식당에 갔는데 문을 닫아 못 먹게 되었으므로 남자의 심정으로 가장 적절한 것은 ⑤ '실망스러운'일 것이다.

① 지루한 ② 질투하는 ③ 무서워하는 ④ 걱정하는

어휘 be famous for ~으로 유명하다

04 **세부 정보 Ⅰ – 할 일 | ④**

해석

여 Joel, 너는 Ruth 이모가 내일 우리를 방문하신다는 것을 알고 있지, 그렇지?

남 당연히 알죠.

여 우리가 그녀를 위해 깜짝 파티를 열지 않을래?

남 왜요?

여 다가오는 토요일이 Ruth 이모의 생신이야.

남 멋져요. 무슨 계획이라도 있나요?

여 내가 그녀를 위해 케이크를 구울게. 너는 풍선 몇 개를 불고 거실을 꾸며 줄래?

남 물론이죠. 저는 정말 신나요.

해설 여자가 남자에게 풍선 몇 개를 불어 거실을 꾸며 줄 것을 부탁하고 있다.

어휘 throw a party 파티를 열다 blow up (풍선을) 불다 decorate 장식하다 living room 거실

05 직업 · 장소 · 관계 – 장소 | ③

해석

남 실례합니다. 이 책이 조금 더러운데요. 다른 책이 있나요?

여 죄송합니다만, 이것이 저희가 가진 유일한 책입니다. 원하신다면, 저희가 손님을 위해 다른 책을 주문해 드릴 수 있습니다.

남 그것이 얼마나 걸릴까요?

여 다음 주에 그 책을 찾아가실 수 있으세요.

남 제가 그때까지 기다릴 수 있을 것 같지 않네요. 제가 이 책을 산다면 제게 할인을 해 주실 수 있으세요?

여 죄송하지만, 안 됩니다.

해설 책을 사려고 하는데 조금 더러우니 할인을 해 줄 수 있냐고 요청하고 있는 것으로 보아 장소는 서점이다.

어휘 copy (책 · 신문 등의) 한 부 order 주문하다 till ~까지(= until)

06 목적 · 의도 – 의도 | ②

해석

남 Jenny, 내가 너에게 물어볼 질문이 있어.

여 그래. 그게 뭔데?

남 너는 영어를 잘하잖아. 내 영어 듣기 실력을 향상시킬 수 있는 방법을 나에게 말해 줄 수 있겠니?

여 글쎄…. 나는 팝송을 많이 들어. 그런데 왜?

남 사실, 나는 영어 듣기 시험을 다 망쳐서 절망스러운 기분이거든. 나는 한 단어도 알아듣지 못했어.

여 힘내. 우리 함께 여름 방학 동안에 영어를 공부하는 것이 어때?

해설 영어 듣기 시험을 망쳐 절망하고 있는 남자에게 여자가 함께 영어 공부를 하자며 제안하고 있는 내용이다.

어휘 improve 향상시키다 mess up ~을 다 망치다 miserable 절망스러운

07 세부 정보 Ⅱ – 소풍에 가져가야 하는 것 | ③

해석

남 너희 모두 우리가 내일 경복궁으로 소풍 간다는 것을 알고 있지? 질문 있니?

여 저희가 내일 어떤 것을 가져가야 하나요?

남 너희는 점심과 교통비를 좀 가져와야 해. 너희는 그곳까지 지하철을 탈 거야.

여 입장료는요?

남 우리가 이미 그것은 지불했어. 내일은 매우 더울 거니까 그냥 얼음물 한 병과 모자를 가져오렴.

여 알겠습니다.

해설 입장료는 이미 지불했다고 했으므로 입장료는 안 가져가도 된다고 했다.

어휘 transportation 교통(편) entrance fee 입장료 iced water 얼음을 넣은 (차가운) 물

08 세부 정보 Ⅰ – 한 일 | ③

해석

여 David, 넌 IDEA 마트에 간다고 그랬지. 넌 언제 갈 거야?

남 나는 지금 바로 갈 거야. 왜?

여 그러면 내 부탁 좀 들어줄래?

남 물론이지. 네 슬리퍼 교환해 줄까? 너한테 너무 크다고 그랬잖아.

여 아, 그건 괜찮아. 거실의 시계가 멈췄어. AAA 사이즈 배터리 두 개만 사다 줄래?

남 그건 쉽지. 그렇게. 그렇지만 시간이 좀 걸릴 거야. 나는 마트 가는 길에 우체국에 들를 거거든.

여 알겠어. 고마워.

해설 여자는 남자에게 건전지를 사다 줄 것을 부탁하고 있으므로 여자가 남자에게 부탁한 일은 ③이 적절하다.

어휘 a while 잠깐 drop by ~에 잠깐 들르다

09 세부 정보 Ⅱ – 구입할 기념품 | ②

해석

남 Jacob's 기념품점에 오신 것을 환영합니다. 무엇을 도와드릴까요?

여 저는 제 친구들과 저 자신을 위한 선물을 좀 사고 싶은데요.

남 태극기가 그려져 있는 이 티셔츠는 어떠세요?

여 그것들은 좋아 보이지만, 제게는 조금 비싼 것 같네요.

남 더 저렴한 상품들을 찾고 계신다면, 이 열쇠고리와 자석이 좋겠네요. 그것들은 각각 5달러씩입니다.

여 이 자석들은 매우 귀엽네요. 저는 이것들로 5개를 살게요.

해설 여자의 마지막 말로 보아 여자는 기념품으로 자석을 구입했음을 알 수 있다.

어휘 souvenir 기념품 national flag 국기 expensive 비싼 product 상품, 제품 magnet 자석

10 주제 · 속담 – 주제 ｜ ⑤

해석

여 손님 여러분, 저희는 여러분이 이곳 W 백화점에서의 쇼핑을 즐기셨기 바랍니다. 저희 백화점은 20분 후에 문을 닫습니다. 그러므로 천천히 쇼핑을 마치고 집에 안전하게 돌아가시길 바랍니다. W 백화점을 방문해 주셔서 다시 한번 감사드립니다. 가까운 시일에 여러분을 다시 뵙기를 바랍니다. 안녕히 계세요.

해설 쇼핑을 즐기는 손님들에게 영업 마감 시간을 안내하고 있는 내용이다.

어휘 customer 손님 department store 백화점 safely 안전하게

11 세부 정보 Ⅱ – 언급되지 않은 것 ｜ ④

해석

남 너 요즘 아주 건강해 보인다, Joanne.

여 나는 몸매를 유지하기 위해 정말 열심히 노력해 왔어.

남 너 운동했니?

여 응. 규칙적인 운동 외에도, 나는 군것질을 하지 않고 대신 여러 채소와 과일을 먹으려고 노력했어.

남 와. 나는 네 방법을 본받아야 할 것 같아.

여 하나 더 있어. 밤에 충분한 잠을 자는 것이 매우 중요해.

남 네 말을 이해했어.

해설 여자는 건강 비결로 음식을 적게 먹는 것에 대해서는 언급하지 않았다.

어휘 healthy 건강한 keep(stay) in shape 몸매를 유지하다 regular 규칙적인 follow (본보기를) 따르다; 모방하다

12 목적 · 의도 – 목적 ｜ ⑤

해석

[휴대전화벨이 울린다.]

여 여보세요. Dina입니다.

남 안녕, Dina. 네가 나에게 Paul's 스테이크하우스의 10% 할인 쿠폰에 대해서 말했던 것을 기억해?

여 물론이지. 왜 물어 보는 거야?

남 내가 그곳에서 이번 주말에 우리 가족과 점심을 먹고 싶어. 네가 어디서 그 할인 쿠폰을 얻었는지 궁금해.

여 나는 그것을 온라인상에서 내려받았어. 네가 원한다면, 내가 그것을 너에게 이메일로 보내 줄 수 있어.

남 넌 참 친절하구나.

해설 남자는 가족 점심 식사를 위해 여자에게 할인 쿠폰을 구하는 방법을 묻고 있다.

어휘 download (데이터를) 내려받다 e-mail 전자우편(이메일)으로 보내다; 전자우편(이메일)

13 숫자 정보 – 시각 ｜ ⑤

해석

남 Esther, 방과 후에 우리 그 새 패스트푸드 식당에 가 보는 것이 어때?

여 나도 그러고 싶은데, 나는 오늘 교실 청소를 하기로 되어 있어.

남 너는 몇 시에 끝날 것 같니?

여 글쎄… 아마 2시 30분쯤에?

남 그래. 내가 그때까지 너를 기다릴게.

여 오, 우리 그 다음 15분 뒤에 만나도 괜찮을까? 내가 책 몇 권을 학교 도서관에 반납해야 하거든.

남 알았어.

해설 2시 30분에 만나기로 했다가 여자가 도서관에 들러야 해서 15분 뒤에 보자고 했으므로 두 사람은 2시 45분에 만날 것이다.

어휘 be supposed to ~하기로 되어 있다, ~해야 한다 return 반납하다

14 직업 · 장소 · 관계 – 관계 ｜ ②

해석

여 안녕하세요, 손님. 도와드릴까요?

남 저는 계좌를 하나 개설하고 싶은데요.

여 당신은 어떤 종류의 계좌에 관심이 있으세요?

남 저축 예금 계좌로 해 주세요.

여 이 양식을 작성해 주시겠어요? 그리고 제가 당신의 신분증을 확인해야 합니다.

남 이 여권이면 될까요?

여 물론이죠. 여기 서명해 주세요. [잠시 후] 여기 당신의 통장과 신분증입니다.

해설 은행에서 계좌를 개설하고 있는 상황이므로 두 사람의 관계로 적절한 것은 ②이다.

어휘 account 계좌 savings account 저축 예금 fill out ~을 작성하다(기입하다) account book 통장(= bank book)

15 세부 정보 Ⅰ – 할 일 ｜ ②

해석

남 크리스마스 시즌을 위해서 우리 교실을 장식하는 좋은 방법이 없을까?

여 커다란 크리스마스 트리를 하나 만드는 것이 어때?

남 그것은 아주 흥미로운걸. 하지만 트리를 사는 것은 너무 비싸지 않겠어?

여 걱정하지 마. 우리는 몇 개의 초록색 판지와 색종이 정도만 필요해.

남 네 말은 우리가 종이 트리를 만들어서 벽에 그것을 붙일 수 있다는 거구나!

여 맞아. 종이를 사러 가자.

남 그래.

해설 종이 트리를 만들기로 한 두 사람은 대화가 끝난 후 종이를 사러 갈 것이다.

어휘 decorate 장식하다, 꾸미다 cardboard 판지 colored paper 색종이

16 심정 · 이유 – 이유 | ⑤

해석

여 안녕하세요, Anderson 선생님. 늦어서 죄송해요.

남 무슨 일이 있었니? 너 늦게 일어났니?

여 아니요. 사실, 제가 등굣길에 자동차 사고가 났어요. 버스가 주차된 자동차에 충돌했거든요.

남 정말이니? 너 어디 다쳤어?

여 그다지 다치지는 않았어요.

남 알겠다. 심각한 것이 아니었다니 다행이구나.

해설 등굣길에 교통사고가 나서 여자는 지각했다고 했다.

어휘 crash into ~와 충돌하다 parked 주차된 serious 심각한

17 그림 정보 – 상황에 적절한 대화 | ④

해석

① 남 중국 음식을 먹어 볼 계획이야?
　 여 응. 나는 정말로 맛을 보고 싶어.

② 남 이 요리 좋아하니? 나는 맛있는 것 같지 않아.
　 여 나도 동의해.

③ 남 나는 베트남 요리를 제일 좋아해.
　 여 그건 나도 좋아하는 거야.

④ 남 무엇을 주문하시겠습니까?
　 여 햄 버섯 피자로 할게요.

⑤ 남 실례합니다. 이 주위에서 이탈리아 식당을 어디서 찾을 수 있을까요?
　 여 모퉁이 근처에 하나 있어요.

해설 식당에서 주문을 하고 있는 그림이므로 ④가 가장 적절하다.

어휘 Vietnamese 베트남의

18 주제 · 속담 – 속담 | ③

해석

여 모두 만나서 반갑습니다. 저를 오늘 이곳에 초대해 주셔서 감사합니다. 저는 센터에서 가장 나이가 많은 라인 댄스 선생입니다. 저는 정말로 춤을 배우고 싶었지만 61세가 되었을 때에서야 춤추는 법을 배우기 시작했습니다. 제가 67세의 나이에 춤 선생이 될 줄을 누가 알았겠습니까? 지금은 더 일찍 춤 배우기를 시작하지 않은 것이 후회됩니다. 여러분은 지금 이미 너무 늦었다고 생각할 수도 있지만, 늦지 않았습니다. 만약 여러분이 항상 하고 싶은 것이 있으시면, 지금 하십시오. 그것이 여러분의 나머지 인생을 바꿀 수도 있습니다.

해설 늦었다고 생각하지 말고 지금 하고 싶은 것을 하라고 말하고 있으므로, ③ '안하는 것보다는 늦은 것이 낫다.'가 적절하다.
① 무소식이 희소식이다.
② 이미 엎지러진 물이다.
④ 구르는 돌엔 이끼가 끼지 않는다.
⑤ 일찍 일어나는 새가 벌레를 잡는다.

어휘 regret 후회하다 rest 나머지 spilt 쏟아진 gather 모으다 moss 이끼

19 적절한 응답 찾기 | ④

해석

남 봐! 저기 땅 위에 지갑이 하나 있어.

여 오, 어떤 사람이 실수로 그것을 떨어뜨린 것이 틀림없어.

남 우리가 그 주인을 찾아보면 어때?

여 좋은 생각이지만, 우리가 그것을 어떻게 할 수 있겠어? 너는 무슨 좋은 생각이 있니?

남 우리가 그것을 경찰서로 가져다 주면, 그들이 아마 그 주인을 찾을 수 있을 거야.

여 좋아. 가장 가까운 경찰서가 어디야?

남 그것은 모퉁이를 돌면 바로 있어.

해설 경찰서가 어디인지 위치를 묻는 질문에 대한 대답으로 가장 적절한 것은 ④이다.
① 너는 그것을 꼭 찾을 거야.
② 네가 이 지갑을 떨어뜨렸어?
③ 너는 그곳에 버스로 갈 수 있어.
⑤ 너는 경찰관이 되고 싶어?

어휘 wallet 지갑 ground 땅바닥 drop 떨어지다, 떨어뜨리다 by accident 우연히 owner 주인

20 적절한 응답 찾기 | ③

여 Mark, 너는 「아낌없이 주는 나무」라는 책을 읽어 본 적이 있어?

남 물론이지. 사실, 그것은 내게 특별한 책이야.

여 내가 왜인지 물어봐도 될까?

남 그것은 삶에 대한 내 태도를 바꿔 줬어. 게다가, 그
책은 내가 작가가 되고 싶게 해 줬어.

여 흥미롭다. 아마 나도 그것을 읽어야만 할 것 같아.

남 응, 그래야 해. 그것은 반드시 읽어야 하는 책이야.

여 내가 네 것을 빌릴 수 있을까?

남 물론이지, 하지만 나는 네가 하나 구입하기를 추천해.

해설 책을 빌려 달라는 말에 대해 그럴 수 있지만 구입을 권유하는
대답인 ③이 적절하다.
① 너는 네 것을 먼저 읽는 것이 좋을 거야.
② 응, 네가 원한다면 내가 너에게 책을 사 줄 수 있어.
④ 나는 이미 그 책을 너에게 돌려주었어.
⑤ 아니, 나는 그 책에 관심 없어.

어휘 attitude 태도, 자세 toward ~에 대하여 writer 작가
must-read book 필독서, 반드시 읽어야 하는 책

 실전 모의고사 p.126-127

01 ③	02 ⑤	03 ④	04 ②	05 ②	06 ⑤
07 ①	08 ④	09 ④	10 ②	11 ⑤	12 ⑤
13 ②	14 ⑤	15 ④	16 ③	17 ④	18 ④
19 ⑤	20 ②				

④회 Dictation Test p.128-133

01 ❶going to rain ❷drop you off ❸won't get wet
02 ❶envy you ❷a kind of ❸must have tasted
03 ❶somebody took it ❷had found ❸go to him
04 ❶find one ❷I'll look for ❸right away
05 ❶How about trying ❷several kinds of ❸recommend a good one
06 ❶by the window ❷once a week ❹when they need
07 ❶what you gave me ❷fit perfectly ❸look very fashionable
08 ❶Can I read it ❷You'd better print ❸right away
09 ❶tell you about it ❷Six of them ❸you'll meet
10 ❶During this period ❷be renovated ❸Sorry for the inconvenience
11 ❶knitted it ❷To tell you the truth ❸did it take

12 ❶I'd like to know ❷have two shows ❸too crowded
13 ❶May I help you ❷a cheaper one ❸I'll take
14 ❶see your passport ❷interested in studying ❸Good luck with
15 ❶signed up for ❷do to help ❸design a uniform
16 ❶how to set up ❷you'll take part in ❸write letters
17 ❶how to get ❷here any time ❸make it at three
18 ❶how to ski ❷take lessons ❸can lent skis
19 ❶How's it going ❷Could you prepare ❸I'll take some
20 ❶often finds ❷puts a sign ❸reads the sign

01 그림 정보 – 날씨 | ③

해석
여 저 먹구름들 좀 봐! 비가 올 거야. 내일 일기예보 들
었니?
남 응. 하루 종일 폭우가 올 거라고 들었어.
여 내일 네가 공항에 갈 때, 내가 너를 지하철역에 내려
줄게.
남 고마워. 그렇게 해 주면 내가 비를 맞지 않겠네.
여 난 네가 시드니 가는 게 부럽다. 내가 확인했는데 거
기는 내일 맑을 거라고 해.
남 응. 거기는 일주일 내내 따뜻할 거야. 다음에는 같이 가자.

해설 남자가 방문할 곳은 시드니로, 그곳의 내일 날씨는 맑을 것이
라고 했다.

어휘 all day 하루 종일 drop ~ off ~을 내려 주다 envy 부러
워하다

02 세부 정보 Ⅱ – 주말에 만든 음식 | ⑤

해석
여 Mike, 너는 이 사진에서 굉장히 행복해 보여.
남 그랬지. 나는 지난 주말에 캠핑을 갔거든.
여 나는 네가 부럽다! 너는 핫도그나 햄버거를 요리하는
것처럼 보이네.
남 아니. 나는 일종의 터키 요리를 만들고 있었어.
여 너는 그것을 어떻게 만들었니?
남 나는 채소와 닭고기 조각들을 나무 막대기에 꽂았어.
여 와, 틀림없이 맛이 훌륭했을 거야!

해설 남자의 두 번째 말 중 I was making a kind of Turkish
dish.를 통해 답을 알 수 있다.

어휘 go camping 캠핑 가다 Turkish 터키의 dish 요리
wooden 나무로 된 stick 막대기

03 심정·이유 - 심정 | ④

해석

남 너 걱정이 있어 보여. 무슨 일이야?

여 나는 내 휴대전화를 학교 도서관에 두고 왔어. 누군가가 그것을 가져갔을까 봐 난 걱정돼.

남 잠시만! 네 휴대전화가 분홍색 아니니?

여 응, 맞아. 너는 그것을 어떻게 알았어?

남 사서가 내게 휴대전화를 하나 찾았다고 말했거든. 그는 휴대전화의 주인을 찾고 있었어.

여 그것은 내 것임에 틀림없어. 나는 그에게 당장 가 봐야겠어.

해설 휴대전화를 잃어버려서 걱정스러워하다가 도서관 사서가 휴대전화의 주인을 찾고 있다는 소식을 듣고 난 후 희망에 차 있을 것이다.

어휘 take (허락 없이) 가져가다 librarian (도서관의) 사서 owner 주인

04 세부 정보 I - 할 일 | ②

해석

여 아빠, 우리 가족의 최근 사진이 있나요?

남 아마 우리는 컴퓨터의 사진 파일에서 하나를 찾을 수 있을 거야. 왜 너는 그것이 필요하니?

여 가족에 관한 제 조별 과제를 위해서요.

남 알겠다. 내가 하나 찾아볼게. 너는 내가 그것을 출력하기를 원하니?

여 네, 그렇게 해 주세요.

남 알겠다. 내가 그것을 바로 할게.

여 고마워요, 아빠.

해설 대화의 내용상 남자는 여자를 위해 사진을 출력해 줄 것임을 알 수 있다.

어휘 recent 최근의 group project 조별 과제 print 출력하다

05 직업·장소·관계 - 장소 | ②

해석

남 와, 이곳은 정말 좋다!

여 응. 이곳은 무엇으로 인기가 많아?

남 나는 이곳이 카레 요리 때문에 인기가 많다고 들었어. 그것을 먹어 보는 것이 어때?

여 좋은 생각이야. 하지만 메뉴에 여러 종류의 카레 요리가 있어.

남 우리는 어떤 것을 골라야 하지?

여 웨이터에게 좋은 것을 추천해 달라고 하자.

해설 카레 요리를 먹어보는 것에 대해 대화를 나누고 있으므로 두 사람은 식당에서 대화하는 것임을 알 수 있다.

어휘 curry 카레 (요리) server 서빙하는 사람, 웨이터 recommend 추천하다

06 목적·의도 - 의도 | ⑤

해석

남 창가 쪽에 있는 장미 화분들은 네 것이니?

여 응. 왜 묻는 거야?

남 그것들이 말라 보여서. 물을 좀 줘야 할 듯해.

여 난 일주일에 한 번 물을 주는데. 그걸로 충분하지 않니? 내가 그 장미들에게 물을 너무 자주 주는 건 아닌지 걱정되는데.

남 알아. 그 장미들은 물을 너무 자주 줘도 죽을 거야. 하지만 그들이 필요로 할 때는 물을 줘야 해.

여 그럼 내가 얼마나 자주 물을 줘야 하는 거니?

남 너는 흙이 말랐을 때 물을 줘야 해.

해설 You should ~.는 '너는 ~해야 한다.'라는 의미로 상대방에게 무언가를 충고하는 표현이다.

어휘 rose 장미 pot 화분 water 물; 물 주다 soil 흙, 토양 dry out 메말라지다

07 세부 정보 II - 선물한 것 | ①

해석

여 야, 너 오늘 정말 멋져 보인다.

남 고마워. 나는 네가 내게 준 것을 입었을 뿐이야. 나는 이 바지가 정말 좋아.

여 그런 말을 들으니 기쁘다. 그 스웨터도 그 바지랑 정말 잘 어울린다.

남 나도 그렇게 생각해. 너 내 사이즈를 어떻게 알았어? 이 바지는 완벽하게 맞아.

여 나는 그냥 짐작했어. 네 양말이랑도 잘 맞췄다. 그 양말은 아주 유행에 맞아 보여.

남 마음에 드니? 다음 번에는 내가 너에게 이 양말을 사 주어야겠다.

해설 남자가 여자에게 받은 것을 입었다고 했고, 여자가 남자의 바지 사이즈를 짐작했다고 하는 등 대화의 내용에서 여자는 남자에게 바지를 선물했음을 알 수 있다.

어휘 pant 반바지 fit 맞다 match 어울리다, 걸맞다

08 세부 정보 I - 할 일 | ④

해석

남 Kate, 너는 네 과학 보고서를 끝냈니?

여 네, 아빠. 저는 방금 그것을 마치고 인쇄했어요.

남 그래. 내가 그것을 읽어 봐도 될까?

여 그럼요. *[잠시 후]* 오, 세상에! Max가 방금 제 종이 위에 우유를 쏟았어요.

남 하하! 너는 네 보고서를 다시 인쇄하는 것이 좋겠구나.

여 알겠어요. 그러면, 제가 바로 그것을 가져올게요, 아빠.

해설 보고서에 다른 사람이 우유를 쏟아서 대화가 끝난 후에 여자는 보고서를 다시 출력할 것이다.

어휘 spill (액체를) 엎지르다 paper 과제물; 서류 right away 즉시, 곧바로

09 세부 정보 Ⅱ – 장기 자랑 | ④

해석

여 안녕하세요, 학생 여러분. 우리 장기 자랑에 오신 것을 환영합니다. 여러분께 이것에 대해서 간단히 말씀드리겠습니다. 공연은 다섯 시에 시작해서 두 시간 동안 진행될 것입니다. 우리에겐 10명의 참가자가 있습니다. 그 중 여섯 명은 노래 부를 것이고, 다른 사람들은 춤을 출 것입니다. 공연 후에, 여러분은 우리의 특별 게스트를 만날 것입니다. 저희의 공연을 즐겨 주세요.

해설 참가자 10명 중 6명은 노래를 부른다고 했고, 나머지가 춤을 춘다고 했으므로 ④가 내용과 일치하지 않는다.

어휘 talent show 장기 자랑 briefly 잠시, 간단히 go on 계속되다 participant 참가자 guest (공연 등의) 게스트, 손님

10 주제 · 속담 – 주제 | ②

해석

남 쇼핑객 여러분, 안녕하세요! K마트를 찾아 주셔서 감사합니다. 저희가 다음 주 5월 4일부터 10일까지 문을 닫게 되어 대단히 죄송합니다. 이 기간 동안, K마트는 보수 공사를 할 것입니다. 저희는 5월 11일에 다시 문을 열 것입니다. 여러분을 환영하기 위해 일주일 동안 모든 품목들에 대해 10% 할인을 제공해 드릴 것입니다. 불편을 드려 죄송하고, 새로운 K마트에서 다시 만나요.

해설 남자는 가게를 잠시 휴점하고 내부 보수 공사에 들어갈 것임을 안내하고 있다.

어휘 renovate 보수하다 offer 제공하다 item 품목 inconvenience 불편

11 내용 일치 – 스웨터 | ⑤

해석

남 Alice, 네가 이 스웨터를 만들었니?

여 응. 나는 작년에 혼자 힘으로 이것을 뜨개질했어.

남 와, 나는 그것을 믿을 수가 없어. 이 무늬들은 별들이야?

여 아니, 그것들은 나비들이야. 사실대로 말하자면, 이 패턴들을 만드는 것이 가장 어려운 부분이었어.

남 그것들은 정말 멋져 보여. 이 스웨터를 만드는 데 얼마나 걸렸니?

여 그것은 한 달 정도 걸렸어. 나는 이것을 매일 두 시간 동안 떴어.

해설 작년에 혼자 힘으로 한 달 동안 하루에 두 시간씩 매일 나비 무늬가 있는 스웨터를 만들었다고 했으므로 ⑤가 일치하는 내용이다.

어휘 knit (실로 옷 등을) 뜨다(짜다) for oneself 혼자 힘으로 butterfly 나비

12 목적 · 의도 – 목적 | ⑤

해석

[전화벨이 울린다.]

여 Happy Sea World입니다. 무엇을 도와드릴까요?

남 저는 돌고래 공연에 대해서 알고 싶습니다. 매일 몇 회의 공연이 있나요?

여 저희는 두 회의 공연이 있습니다. 하나는 아침에 있고, 나머지 하나는 오후에 있습니다.

남 오후에 시작하는 공연은 언제 시작하나요?

여 2시 30분에 시작합니다. 하지만 사람이 붐비기 전에 더 일찍 와 주세요.

남 알겠습니다. 감사합니다.

해설 남자는 돌고래 공연에 대한 정보가 궁금해서 전화를 걸었음을 알 수 있다.

어휘 dolphin 돌고래 the other (둘 중) 나머지 하나 crowded 붐비는, 복잡한

13 숫자 정보 – 시각 | ②

해석

남 도와드릴까요?

여 네. 이 연필깎이는 얼마예요?

남 그것은 20달러예요.

여 더 저렴한 것 있나요? 제가 17달러밖에 없어서요.

남 물론이죠. 저희는 더 작은 것이 있어요. 이것은 큰 것보다 5달러 더 저렴해요.

여 좋네요. 저는 그 작은 것으로 할게요.

해설 처음 고른 연필깎이는 20달러이고, 그보다 더 작은 것은 5달러 더 싸다고 했으며 여자는 작은 것으로 구매하겠다고 했다.

어휘 pencil sharpener 연필깎이

14 직업·장소·관계 – 관계 | ⑤

해석

여 안녕하세요, 선생님. 제가 선생님의 여권 좀 볼 수 있을까요?

남 네, 여기 있습니다.

여 왜 한국에 오셨어요?

남 저는 한국어를 공부하는 데 관심이 있습니다.

여 얼마나 머무르실 겁니까?

남 저는 6개월 정도 여기에 머무를 겁니다.

여 어디에 머무르실 겁니까?

남 저는 기숙사에 머무를 겁니다.

여 공부하시는 데 행운이 있기를 빕니다.

해설 입국 목적, 체류 장소 및 기간 등을 묻고 있으므로 두 사람은 출입국 사무원과 여행객의 관계일 것이다.

어휘 passport 여권 dormitory 기숙사

15 세부 정보 Ⅰ – 한 일 | ④

해석

여 Mark, 너는 우리 학교의 축구 토너먼트에 대해서 들어 봤니?

남 응. 나는 이미 그것을 신청했어.

여 좋아. 그러면 너는 연습을 시작했니?

남 응. 우리는 매일 점심 이후에 축구를 하고 있어.

여 내가 도울 만한 것이 있다면 말해줘.

남 오, 아마 네가 도울 수 있을 거야. 나는 네가 그림 그리기를 매우 잘한다는 것을 알아. 네가 우리를 위해 유니폼을 디자인해 줄 수 있겠니?

여 물론이지. 난 할 수 있어.

남 정말 고마워.

해설 남자는 그림을 잘 그리는 여자에게 유니폼 디자인을 부탁했다.

어휘 tournament 토너먼트, 시합 sign up for ~을 신청하다 drawing 그림 (그리기)

16 세부 정보 Ⅱ – 여름 캠프의 저녁 활동 | ③

해석

남 저희 여름 캠프에 오신 것을 환영합니다. 오전에, 여러분들은 텐트를 설치하는 방법을 배울 것입니다. 그 다음에, 여러분들은 환경을 보호하는 것에 대한 영화를 하나 볼 것입니다. 점심 식사 후에, 여러분들은 오후 프로그램에 참가할 것입니다. 여러분들은 강에서 낚시를 하고 야생화를 보는 것을 즐길 수 있습니다. 저녁에는, 여러분들의 부모님께 편지를 쓸 것입니다. 감사합니다.

해설 마지막 부분의 내용으로 보아 저녁에는 부모님께 편지를 쓸 거라는 것을 알 수 있다.

어휘 set up ~을 설치하다 protect 보호하다 environment 환경 take part in ~에 참여하다 wildflower 들꽃, 야생화

17 그림 정보 – 상황에 적절한 대화 | ④

해석

① 남 가장 가까운 지하철역이 어디인지 제게 알려 주실 수 있으세요?

　여 제가 당신을 거기로 데려다드릴게요.

② 남 배달원이 몇 시에 오니?

　여 잘 모르겠어. 그는 이곳에 아무 때나 올 수 있어.

③ 남 여보세요. Smith 씨와 통화할 수 있을까요?

　여 죄송하지만 지금은 외출 중입니다. 메시지 남기시겠어요?

④ 남 우리 세 시로 할까?

　여 나는 괜찮아.

⑤ 남 나는 내가 부모님을 위해서 무엇을 사야 할지 잘 모르겠어.

　여 그들에게 편지를 쓰는 것은 어때?

해설 서로 동의하는 모습을 보이고 있으므로 서로 시간 약속을 정하는 ④가 가장 적절하다.

어휘 delivery 배달 make it 시간 약속을 하다

18 적절한 응답 찾기 | ④

해석

여 Jake, 너는 이번 겨울 방학에 무엇을 할 계획이니?

남 나는 아직 그것에 대해서 생각해 보지 않았어. 너는 어떠니?

여 나는 스키 타는 법을 배울 거야.

남 정말이니? 그것 재미있겠다!

여 우리 함께 수업을 듣자.

남 나도 그러고 싶어. 하지만 나는 스키 부츠나 어떤 다른 장비가 없는걸.

여 그것에 대해서는 걱정하지 마. 너는 스키와 스키복까지도 빌릴 수 있어.

남 <u>그것 잘됐다! 우리는 그것을 언제 시작해?</u>

해설 스키와 스키복도 빌릴 수 있다고 걱정하지 말라는 말에 대한 응답으로 적절한 것은 ④이다.

① 나는 이번 주말에 스키 타러 갈 생각이야.

② 나는 내 친구들을 위해 스키를 빌리고 싶어.

③ 나는 네 말에 정말 동감해.

⑤ 응, 너는 네 스키를 가져올 수 있어.

어휘 take a lesson 수업을 받다 equipment 장비 rent (사용료를 내고) 빌리다 outfit 옷(복장)

19 적절한 응답 찾기 | ⑤

해석

여 David, 학교 연극이 다음 주야! 어떻게 돼 가?

남 잘 되어 가고 있어요. 저희는 정말 열심히 연습 중이에요.

여 잘됐구나. 내가 너를 위해서 해 줄 수 있는 것이 있니?

남 저희는 약간의 간식과 음료수가 필요해요. 저희를 위해서 준비해 주실 수 있으세요?

여 문제없지. 내가 그것들을 학교에 가져갈게. 그것이 괜찮겠니?

남 그럼요. 감사해요, 엄마.

여 그리고 너는 연극에 어떤 옷이 필요하니? 무대 의상 말이야.

남 <u>저는 그냥 하얀 셔츠와 청바지가 필요해요.</u>

해설 연극에 필요한 의상을 묻는 질문에 대해 가장 적절한 대답은 ⑤이다.

① 저는 더 열심히 연습해야 해요.

② 저는 무대에서 차분히 있어야 해요.

③ 파란 드레스를 입는 것이 어때?

④ 당신은 리허설을 볼 필요가 없어요.

어휘 play 연극 practice 연습하다 stage costume (연극 · 영화 등에서) 무대 의상

20 적절한 응답 찾기 | ②

해석

남 윤호의 반에는 쓰레기통과 재활용 통이 있습니다. 하지만 윤호는 재활용 통이 아닌 쓰레기통에서 종이와 빈 깡통을 종종 발견합니다. 그래서 그는 벽에 표지판을 붙여 놓습니다. 그 표지판에는 "재활용합시다!"라고 쓰여 있습니다. 윤호의 담임 선생님은 그 표지판을 읽습니다. 이 상황에서, 선생님은 윤호에게 무엇이라고 말하겠습니까?

Teacher 잘했구나. 너의 작은 행동이 지구를 구하는 데 도움이 될 거야.

해설 재활용을 위해 애쓰는 윤호에게 선생님이 할 말로 가장 적절한 것은 윤호를 칭찬하는 ②이다.

① 난 동의해. 너는 종이를 너무 낭비하고 있어.

③ 좋아. 나는 나 혼자 우리 반을 청소할 수 있어.

④ 천만에. 표지판을 더 크게 만드는 게 어때?

⑤ 난 그렇게 생각하지 않아. 우리는 더 큰 쓰레기통이 필요 없어.

어휘 trash can 쓰레기통 recycling 재활용 bin 통 empty 비어 있는 sign 표지판 homeroom teacher 담임 선생님

05회 실전 모의고사
p.134-135

01 ②	02 ③	03 ⑤	04 ⑤	05 ④	06 ②
07 ②	08 ⑤	09 ⑤	10 ①	11 ②	12 ①
13 ③	14 ③	15 ④	16 ③	17 ③	18 ④
19 ②	20 ③				

05회 Dictation Test
p.136-141

01 ❶have plans for ❷won't be able to ❸cloudy and windy

02 ❶Could you recommend ❷it's for ❸with the owl

03 ❶makes you think ❷I'm on vacation ❸by yourself

04 ❶What's wrong ❷must have been ❸cried a lot

05 ❶five of us ❷half an hour ❸let you know

06 ❶getting hotter and hotter ❷controls it ❸focus on

07 ❶up to you ❷put those in ❸on top of it

08 ❶but I can't ❷bought a small farm ❸take care of it

09 ❶had a great time ❷What about ❸on your trip

10 ❶made it ❷will be held ❸go to the stadium

11 ❶like to join ❷How much ❸make an online reservation

12 ❶What's up ❷I can't make it ❸to have it fixed

13 ❶can I help you ❷isn't it ❸as a set

14 ❶made you think of ❷doing that ❸for cheering for me

15 ❶good at drawing ❷for a favor ❸help me work on

16 ❶So far so good ❷I'm heading to ❸who need help

17 ❶more than enough ❷I can't wait to ❸cleaned up the mess

18 ❶before leaving ❷I was told to ❸I'll help you

19 ❶sit here ❷get the photos ❸they are ready

20 ❶caught a lot of fish ❷saw a movie ❸I've wanted to see

01 그림 정보 – 날씨 | ②

해석

여 좋은 아침입니다, 여러분. 토요일 일기예보입니다. 여러분은 이번 주말에 야외 활동 계획이 있으신가요? 저는 여러분께 이것을 말씀드리게 되어 유감이지만, 오늘과 내일 비가 올 것이기 때문에 여러분은 그 활동을 하실 수 없을 겁니다. 월요일에는, 비가 멈출 것이지만, 구름이 끼고 바람이 불겠습니다.

해설 야외 활동 계획이 있으신 분들에게 유감이라며 토요일과 일요일에 비가 올 것이라고 했으므로 ②가 적절하다.

어휘 outdoor activity 야외(실외) 활동 regret 유감스럽게 생각하다; 후회하다

02 세부 정보 Ⅱ – 휴대전화 케이스 | ③

해석

남 안녕하세요. 도와드릴까요?

여 안녕하세요. 휴대전화 케이스를 추천해 주시겠어요?

남 물론이죠. 여자들은 고양이 무늬가 있는 이것이나 꽃 무늬가 있는 이것을 좋아합니다.

여 사실, 그것은 제 열두 살짜리 아들을 위한 것이에요.

남 알겠어요. 부엉이가 있는 이것은 어떠세요? 이것은 십대 아이들에게 인기가 있어요.

여 오, 그는 다른 어떤 동물들보다도 새를 더 좋아해요. 그게 좋겠네요.

해설 마지막에 남자가 십대 아이들에게 인기 있는 부엉이 모양의 케이스를 권하자 여자는 좋다고 했으므로 ③이 적절하다.

어휘 recommend 추천하다 print (프린트로 찍힌) 무늬(= pattern) owl 부엉이 teenage 십대의

03 심정·이유 – 심정 | ⑤

해석

남 너 정말 기쁘겠다.

여 나? 너는 왜 그렇게 생각하니?

남 여름 방학이 막 시작되었잖아.

여 사실, 나는 내가 방학 중인 것 같은 느낌이 안 들어.

남 뭐라고? 왜?

여 나는 매일 방학 보충 수업을 들어야 하거든.

남 그것을 너 스스로 결정했니?

여 절대 아니지. 우리 엄마가 내가 그것들을 듣도록 요구했어. 나는 내 방학을 즐길 수 있었으면 좋을 텐데.

해설 방학에 엄마가 요청한 보충 수업을 받아야 하는 여자의 심정으로 적절한 것은 ⑤ '짜증이 난'이다.
① 자랑스러운 ② 두려운 ③ 신이 난 ④ 흥분된

어휘 be on vacation 방학 중이다 how come? 왜? take (수업을) 듣다, 수강하다 vacation course 방학 (보충) 수업

04 세부 정보 Ⅰ – 한 일 | ⑤

해석

여 너는 왜 그렇게 지쳐 보이니? 무슨 일이야?

남 나는 주말 내내 기말 시험을 위해 공부하면서 보냈어.

여 오, 그거 매우 힘들었겠다. 그래서 너는 주말 내내 집에 있었니?

남 아니. 내 두 살짜리 남동생이 아파서 많이 울었기 때문에 나는 집에서 공부할 수 없었어.

여 그래서 너는 도서관에 갔어?

남 아니, 나는 지민이와 그녀의 집에서 공부했어.

해설 남자는 지민이의 집에서 공부했다고 했으므로 주말에 한 일로 적절한 것은 ⑤이다.

어휘 exhausted 진이 다 빠진 whole 전체의(= entire) tough 힘든 ill 아픈

05 직업·장소·관계 – 장소 | ④

해석

여 일행이 몇 분이십니까, 손님?

남 다섯 명이에요.

여 창가 쪽 테이블을 원하신다면, 적어도 30분은 기다리셔야 합니다.

남 저희는 전망은 신경 쓰지 않습니다.

여 알겠습니다, 그러면 저와 함께 가시죠. [잠시 후] 여기가 당신의 테이블이고, 메뉴는 여기 있습니다.

남 감사합니다. 저희가 주문할 준비가 되면 알려 드릴게요.

여 물론입니다, 손님. 천천히 하세요.

해설 일행이 몇 명인지 묻고 자리를 안내한 후 주문 안내를 하는 것으로 보아 ④ '식당'에서 벌어지는 대화임을 알 수 있다.
① 공항 ② 병원 ③ 교실 ⑤ 우체국

어휘 party 일행 at least 적어도, 최소한 view 전망, 경관 order 주문하다

06 목적·의도 – 의도 | ②

해석

여 오늘은 너무 덥고 습해.

남 응, 그리고 요즘은 점점 더 더워져.

여 왜 에어컨이 작동하지 않지?

남 나는 우리가 다음 달이 되어야 그것을 사용할 수 있다고 들었어. 학교가 그것을 통제한데.

여 하지만 나는 너무 더워서 공부에 집중할 수 없어.

남 나도 동감이야.

해설 I couldn't agree with you more.는 '전적으로 너와 동의한다'는 의미로 상대방의 말에 동의하는 표현이다.

어휘 humid 습한 air conditioner 에어컨 work (기계·장치 등이) 작동되다 control 통제하다 focus on ~에 집중하다

07 세부 정보 Ⅱ – 요리 재료 | ②

해석

남 모든 게 준비됐어. 밥도 좀 필요하지?

여 넌 당연히 밥이 필요하겠지.

남 좋아. 어떤 다른 재료가 필요하니?

여 그것은 전적으로 너한테 달렸지만, 나는 보통 다진 햄, 당근, 그리고 양파를 사용해.

남 그래. 나는 네 요리법을 따를게.

여 그러고 나서, 그것들을 팬에 넣고 5분 동안 볶아.

남 그게 다야? 그것은 매우 간단하구나.

여 응, 너는 또한 볶음밥 위에 계란 프라이를 올려 즐길 수 있어.

해설 볶음밥을 만드는 재료로 두 사람이 사용하지 않은 것은 참치이다.

어휘 obviously 명백히, 확실히 ingredient 재료, 성분 totally 완전히 up to ~에게 달린, ~이 결정할

08 세부 정보 Ⅰ – 할 일 | ⑤

해석

여 도훈아, 토요일에 영화 보러 갈래?

남 나도 그러고 싶은데, 나는 못 가.

여 왜? 넌 공부할 거니?

남 아니. 사실, 우리 부모님이 교외에 작은 농장을 사셨는데, 내가 주말마다 그들이 농장을 돌보는 것을 도와드리기로 약속했거든.

여 와, 그거 매우 흥미롭다. 내가 너와 함께해도 될까?

남 물론이지. 우리 부모님께 여쭤어 보고 네게 알려줄게.

여 고마워.

해설 여자가 토요일에 영화 보러 가자고 하자 남자는 부모님의 농장 일을 돌봐야 한다고 했다.

어휘 farm 농장 suburb 교외 promise 약속하다 take care of ~을 돌보다

09 세부 정보 Ⅱ – 기억에 남았던 일 | ⑤

해석

여 네 제주도 여행은 어땠어?

남 환상적이었어. 나는 아름다운 해변 그리고 한라산에서 좋은 시간을 보냈어.

여 현지 음식은 어땠어? 좋았어?

남 응, 나는 특히 물회가 좋았는데, 그건 차가운 생선회 수프야.

여 네 여행에서 가장 기억에 남는 것은 무엇이니?

남 뭐니 뭐니 해도 오토바이를 타는 것을 가장 즐겼다고 말할 수 있지.

해설 I definitely have to say ~. 이하 문장을 통해 남자가 가장 기억에 남았던 일은 ⑤임을 알 수 있다.

어휘 local 지역의 raw 익히지 않은, 날것의 memorable 기억할 만한 definitely 분명히, 틀림없이

10 주제 · 속담 – 주제 | ①

해석

여 좋은 아침입니다, 여러분. 아마 여러분도 알다시피, 우리 학교 축구팀이 결승전까지 진출했습니다. 오늘 오후, 결승 경기가 부산 소재의 한 중학교를 상대로 열립니다. 그러므로 오늘 오후에는 수업이 없을 것입니다. 대신, 모든 학생들은 우리 팀을 응원하기 위해 경기장으로 갈 것입니다. 감사합니다.

해설 학교 축구팀이 결승에 진출해 오후에는 수업이 없고, 경기장에 가야 한다는 일정을 소개하는 방송이다.

어휘 make it 진출하다, 해내다 final match 결승전 against ~에 맞서 cheer for ~을 응원하다

11 내용 일치 – 보령 머드 축제 | ②

해석

[전화벨이 울린다.]

여 보령 머드 축제입니다. 무엇을 도와드릴까요?

남 여보세요. 저는 친구들과 축제에 참가하고 싶습니다. 날짜는 어떻게 되지요?

여 6월 21일부터 6월 30일까지입니다.

남 입장권 가격은요?

여 인원수나 나이 그리고 여러 다른 것들에 따라 다릅니다. 티켓 가격에 대한 정보는 저희 웹 사이트를 방문하세요.

남 네. 온라인 예약을 할 수 있나요?

여 네, 하실 수 있습니다.

남 그거 좋으네요. 감사합니다.

해설 축제 시간에 대해서는 언급되지 않았다.

어휘 depend on ~에 따라 다르다

12 목적 · 의도 – 목적 | ①

해석

[휴대전화벨이 울린다.]

여 안녕, Daniel. 무슨 일이야?

남 너 수미의 전화번호를 아니?

여 응, 그런데 왜? 너 걱정 있는 것처럼 들려.

남 내가 도서관에서 그녀의 영어 숙제를 도와주기로 약속했는데, 갈 수가 없어서.

여 왜?

남 내 노트북 컴퓨터가 고장이 나서, 나는 이것을 수리

하러 서비스 센터에 가야 해.

여 오, 그러면 그녀는 이해할 거야. 내가 네게 그녀의 번호를 문자로 보낼게.

남 고마워.

13 숫자 정보 – 금액 | ③

[해석]

남 다음 분이요. 안녕하세요, 도와드릴까요?

여 저는 치즈 버거랑 콜라로 할게요.

남 14달러입니다.

여 음… 16달러이지 않나요? 치즈버거는 12달러이고, 콜라는 4달러잖아요.

남 그렇지만, 그것들을 함께 세트로 주문하시면 14달러밖에 안 됩니다.

여 오, 그거 좋네요. 감사합니다.

14 직업 · 장소 · 관계 – 관계 | ③

[해석]

여 Brian. 이것이 마지막 질문입니다.

남 알겠어요.

여 당신은 왜 직업 가수가 될 생각을 하게 됐나요?

남 제가 중학생이었을 때, 저는 여러 번 노래 대회에서 우승했고, 그래서 제 음악 선생님이 그것을 하는 것을 제안하셨습니다.

여 알겠습니다, 인터뷰 감사해요. 팬들에게 한 말씀해 주시겠어요?

남 네. 제 음악을 들어 주시고 저를 항상 응원해 주셔서 여러분에게 감사합니다.

여 대단히 감사합니다.

15 세부 정보 I – 한 일 | ④

[해석]

남 미술 시간은 항상 재미있어, 그렇지 않니?

여 나도 동감이야.

남 그건 그렇고, 나는 네가 매우 그림을 잘 그린다고 생각해. 네 그림은 비너스의 조각품과 거의 똑같아 보여.

여 말도 안 돼. 너는 나에게 아첨하는구나.

남 난 진심이야. 어쨌든, 내가 너에게 부탁을 해도 될까?

여 뭔데?

남 나 미술 숙제 하는 것 좀 네가 도와줄 수 있어?

여 그것이 네가 내 작품으로 나를 칭찬한 이유구나.

16 세부 정보 II – 병원에 가는 이유 | ③

[해석]

여 Scott, 네 대학 생활은 어때?

남 지금까지 아주 좋아. 너는 어디 가는 중이야?

여 나는 집에 가고 있어. 너는?

남 나는 병원에 가고 있어.

여 병원? 너 아프니?

남 아니. 나는 파리로 여행을 갈 계획이라서, 돈을 벌기 위해 그곳에서 아르바이트를 해.

여 멋진데. 네가 그곳에서 무엇을 하는지 물어봐도 되니?

남 나는 안내소에서 일하고 도움이 필요한 사람들을 지원해 줘.

17 그림 정보 – 상황에 적절한 대화 | ③

[해석]

① 남 조금 더 드시겠습니까?

   여 아니오, 못 먹겠어요. 너무 많이 먹었어요.

② 남 네 삼촌을 마지막으로 뵌 지가 오래 되었구나.

   여 네. 삼촌을 다시 만나는 것이 너무 기다려져요.

③ 남 이 영화 전에 본 적 있니?

   여 아니, 없어. 이것을 보자.

④ 남 내가 너를 위해 엉망인 것을 치웠어.

   여 너 정말 친절하구나!

⑤ 남 여기서 멈추고 내일 계속하자. 어때?

   여 그거 아주 좋은 생각이야.

18 적절한 응답 찾기 | ④

해석

여 너 먼저 가. 나는 가기 전에 쓰레기통을 비워야 해.

남 하지만 너는 이번 주에 그것을 하는 담당이 아니잖아.

여 내가 늦잠을 자서 오늘 학교에 늦었고, 그래서 나는 이것을 하라고 당부 받았어. 그건 일종의 벌이야.

남 그렇다니 안됐구나. 내가 너를 도와줄게.

여 너 진심이야?

남 응. 친구 좋다는 게 뭐니? 네가 이것을 혼자 한다면 한 시간도 넘게 걸릴 거야.

여 고마워.

해설 지각한 벌로 쓰레기통을 치워야 하는 여자를 남자가 도와주는 상황이므로 이에 적절한 속담은 ④이다.

어휘 empty 비우다 trash can 쓰레기통 be in charge of ~을 담당하다 oversleep 늦잠 자다 be told to ~하도록 당부 받다 punishment 벌(칙) What are friends for? 친구 좋다는 게 뭐겠어?

19 적절한 응답 찾기 | ②

해석

여 다음 분이요.

남 여기 앉을까요?

여 네, 그러세요. 카메라를 봐 주세요. 부드럽게 웃으시고… 좋습니다!

남 감사합니다. 언제 사진을 찾을 수 있나요?

여 며칠 후에요. 준비되면 메시지를 보내 드릴게요.

남 제게 파일도 주실 수 있으세요?

여 그럼요. 물론이죠.

해설 부탁에 대한 응답이므로 수락 혹은 거절 등으로 답하는 것이 자연스럽다.

① 마음껏 드세요!

③ 정말 멋진 사진이군요!

④ 바로 거기 있습니다.

⑤ 그것들에 대해 어떻게 생각하세요?

어휘 have a seat 앉다 softly 부드럽게

20 적절한 응답 찾기 | ③

해석

여 네 주말은 어땠어, Jerry?

남 환상적이었어. 우리 아빠와 나는 낚싯배를 하나 빌렸고 인천의 서쪽 해변 근처의 바다에서 많은 고기를 잡았어.

여 멋지다.

남 네 주말은 어땠어? 너는 어떤 신나는 일이라도 했니?

여 나는 내 여동생과 영화를 하나 봤어. 너 「그레이트 헌터」라는 영화를 본 적이 있니?

남 오, 그 영화는 내가 보고 싶었던 영화야. 그것은 어땠어?

여 그것은 좋았어. 결말이 그렇게 훌륭하진 않았지만 말이야.

해설 보고 싶던 영화에 대한 이야기를 하다가 영화를 본 여자에게 영화 감상평에 대해 물었으므로 이에 대한 적절한 응답은 느낌을 말하는 ③이다.

① 정말? 나도 그 영화를 보고 싶어.

② 그것이 내가 너한테 말하려던 거야.

④ 나는 영화를 보는 것을 좋아하지 않아서 모르겠어.

⑤ 나는 많은 사람들이 그들의 친구들과 낚시하러 가는 것을 보았어.

어휘 ocean 바다 coast 해안

Memo

T·A·P·A 영역별 집중 학습으로 영어 고민을 한 방에 타파 합니다.

대표전화 1544-0554

주소 서울특별시 구로구 디지털로33길 48 대륭포스트타워 7차 20층

협의 없는 무단 복제는 법으로 금지되어 있습니다.